# Exercices
# de microéconomie - 1

OUVERTURES ◆▶ ÉCONOMIQUES

# Exercices de microéconomie

## 1

### Premier cycle. Notions fondamentales

**Theodore C. Bergstrom, Hal R. Varian**

**Traduction de la 5ᵉ édition américaine par Alain Marciano**

◆▶ÉCONOMIQUES

OUVERTURES

de boeck B
SUPÉRIEUR

Ouvrage original :
*Workouts in Intermediate Microeconomics*, Fifth Edition
by Theodore C. Bergstrom and Hal R. Varian
Copyright ©1999, 1996, 1993, 1990, 1987 by Theodore C. Bergstrom and Hal R. Varian
Published by arrangement with W.W. Norton & Company, Inc.

© De Boeck Supérieur s.a., 2007                                           3e édition
   Rue des Minimes 39, B-1000 Bruxelles
   Pour la traduction et l'adaptation française

Dépôt légal :
Bibliothèque nationale, Paris : août 2007                                ISSN 0777-2831
Bibliothèque royale de Belgique, Bruxelles : 2007/0074/332              ISBN 978-2-8041-5608-4

# Table des matières

# Préface

Il ne nous semble pas possible de devenir un bon sportif ou un bon économiste sans un travail sérieux et opiniâtre. Mais il n'est écrit nulle part que les exercices physiques ou intellectuels doivent être ennuyeux et nous espérons que ce manuel d'exercices de microéconomie ne le sera pas.

Nous avons essayé d'imaginer des exercices stimulants pour des économistes en herbe qui veulent apprendre à penser économiquement et acquérir un savoir-faire quant à la résolution de problèmes économiques. À l'occasion, nous vous ferons voyager par la pensée vers d'autres planètes aux mœurs économiques très différentes de celles que vous connaissez sur terre. Nous n'avons pas l'intention de vous préparer pour un voyage spatial ; nous ne savons pas comment envoyer des économistes dans l'espace ! Mais il nous semble qu'en économie, comme dans toutes les sciences, des exercices un peu ludiques facilitent la compréhension. N'ayez crainte ! Nous avons aussi pensé à des exercices ennuyeux pour ceux d'entre vous qui envisagent une carrière… ennuyeuse !

Les étudiants nous disent souvent : "J'ai lu le cours et je pensais l'avoir compris, mais quand j'ai essayé de faire des exercices, je n'ai pas su comment m'y prendre." Il est en effet beaucoup plus facile "d'apprendre" passivement un concept que d'essayer de l'appliquer. Cependant, pourquoi apprendre les outils de la théorie économique si ce n'est pour que vous puissiez vous en servir ? Et la meilleure façon selon nous de parvenir à manier des concepts consiste à résoudre des problèmes.

Ne soyez pas découragé(e) si vous ne parvenez pas à résoudre un problème du premier coup. Dans la plupart des chapitres, vous trouverez des problèmes très faciles et d'autres beaucoup moins évidents, même pour des étudiants plus avancés. Pour vous aider à démarrer, nous avons résolu pour vous au moins un et quelquefois plusieurs problèmes au commencement de chaque chapitre. Vous constaterez aussi que de nombreux problèmes ont été écrits de telle sorte que vous serez guidé pas à pas vers la réponse. Vous trouverez les réponses aux exercices pairs à la fin de ce livre. Nous vous suggérons de résoudre ces problèmes avant de vous essayer aux exercices impairs.

Munissez-vous de stylos de plusieurs couleurs. Dans la plupart des chapitres vous trouverez des problèmes où l'on vous demandera de tracer des courbes. Nous vous invitons vivement à les faire. Même si vous avez une idée quant au graphique que l'on vous demande de faire parce que vous l'avez déjà vu dans votre cours, faites-le. Faire un ou plusieurs graphiques est l'une des premières choses que font la plupart des économistes lorsqu'ils commencent à travailler sur un problème économique. Non seulement la lecture d'un graphique vous aide à comprendre bon nombre de choses, mais le fait de le tracer vous-même vous aide à fixer des idées dans votre cerveau. Nous vous demanderons d'utiliser des couleurs spécifiques pour tracer vos courbes (en bleu, noir et rouge). Vous constaterez vous-même combien vos graphiques seront plus clairs et porteurs d'informations lorsqu'on emploie des couleurs différentes pour distinguer les différentes courbes. En respectant les couleurs que nous recommandons, vous faciliterez la comparaison de vos résultats avec ceux de vos camarades.

Nous avons indiqué la difficulté de chaque problème par 0, 1 et 2. En général, les mathématiques utilisées dans les problèmes sont élémentaires, se limitant pour l'essentiel à de l'algèbre simple. Lorsqu'on utilisera le calcul différentiel, ce sera uniquement dans le cadre de calculs très simples. En dépit du caractère élémentaire des mathématiques employées, les problèmes auxquels vous serez confronté(e) demanderont un certain effort - comme tout bon exercice.

Nous croyons profondément qu'il n'est pas possible d'apprendre cette discipline, l'économie, sans travailler à la résolution de problèmes. Nous espérons que ce manuel d'exercices de microéconomie vous rendra cet apprentissage plus agréable.

# La contrainte budgétaire

## INTRODUCTION

Ces exercices sont faits pour vous permettre d'exercer vos talents en décrivant des situations économiques à l'aide de graphiques et de formules algébriques. Les ensembles budgétaires sont un bon moyen pour s'exercer parce que les mathématiques et les représentations graphiques y sont très simples. Lorsqu'il n'y a que 2 biens, le *panier de consommation* d'un consommateur qui consomme $x_1$ unités de bien 1 et $x_2$ unités de bien 2 est $(x_1, x_2)$. Tout panier de consommation peut être représenté par un point dans un graphique à deux dimensions avec les quantités de bien 1 représentées en abscisse et les quantités du bien 2 représentées en ordonnée. Si les prix des deux biens sont respectivement $p_1$ et $p_2$, et si le consommateur a un revenu $m$, alors il peut obtenir tous les paniers de consommation, $(x_1, x_2)$, tels que $p_1x_1 + p_2x_2 \leq m$. Sur un graphique, la droite de budget est représentée par le segment linéaire dont l'équation est $p_1x_1 + p_2x_2 = m$, avec $x_1$ et $x_2$ non négatifs. La contrainte budgétaire est la frontière de l'ensemble budgétaire. Tous les points accessibles par le consommateur sont d'un côté de la frontière; les points inaccessibles de l'autre.

À partir des prix et revenu du consommateur, pour construire la contrainte budgétaire, il suffit de trouver deux paniers de consommation que le consommateur peut "juste obtenir" et de tracer la droite qui relie ces points.

**EXEMPLE**    Myrtle a 50 francs à dépenser. Elle ne consomme que des pommes et des bananes. Les pommes coûtent 2 francs pièce et les bananes 1 franc chacune. L'objectif est de dessiner la droite de budget, les pommes étant représentées en abscisse et les bananes en ordonnée. Pour cela, remarquez que si Myrtle consacre la totalité de son revenu à l'achat de pommes, elle peut en obtenir 25 et aucune banane. Ainsi, la contrainte budgétaire passe par le point (25, 0), situé sur l'axe des abscisses. De même, si elle consacre la totalité de son revenu à l'achat de bananes, Myrtle peut en acheter 50, alors qu'elle n'achètera aucune pomme. Sa contrainte budgétaire passe donc également par le point (0, 50), point situé sur l'axe des ordonnées. Marquez ces deux points sur votre graphique. Tracez la droite qui les relie. Elle représente la droite de budget de Myrtle.

Si vous ne connaissez ni les prix ni le revenu mais uniquement les paniers de consommation accessibles par le consommateur, alors, dans le cas où il n'y a que 2 biens, puisqu'il ne passe qu'une droite par deux points, vous avez suffisamment d'informations pour tracer la contrainte budgétaire.

**EXEMPLE**    Laurel ne consomme que de la bière et du pain. Si elle dépense la totalité de son revenu, elle peut obtenir 20 bouteilles de bière et 5 miches de pain. Un autre panier de consommation qu'elle peut se procurer lorsqu'elle dépense la totalité de son revenu est celui constitué par 10 bouteilles de bière et 10 miches de pain. Si le prix de la bière est de 1 franc la bouteille, combien d'argent devra-t-elle dépenser ? Vous pouvez résoudre ce problème graphiquement. Représentez la bière sur l'axe des abscisses et le pain sur l'axe des ordonnées. Situez les points (20, 5) et (10, 10) que vous savez être sur la droite de budget. Tracez la droite qui relie ces points en la poursuivant jusqu'à l'axe des abscisses. Ce point représente la quantité de bière que Laurel peut acheter si elle consacre la totalité de son revenu à la bière. Puisque le prix est de 1 franc la bouteille, le revenu en francs est égal au plus grand nombre de bouteilles qu'elle peut acheter. Vous pouvez également raisonner de la manière suivante : puisque les paniers (20, 5) et (10, 10) ont le même coût, cela signifie que renoncer à 10 bouteilles de bière peut permettre à Laurel de consommer 5 miches de pain supplémentaires. Le pain est donc deux fois plus cher que la bière. Le prix de la bière est de 1 franc, le prix du pain est donc de 2 francs. Le panier (20, 5) a la même valeur que son revenu. Son revenu doit donc être de $(20 \times 1) + (5 \times 2) = 30$.

Quand vous aurez terminé ces exercices, nous espérons que vous saurez :

• Tracer une droite de budget et dessiner l'ensemble budgétaire à partir soit des prix et du revenu soit de 2 points figurant sur la contrainte budgétaire ;

• Représenter graphiquement l'effet du changement de prix et de revenu sur un ensemble budgétaire ;

• Comprendre le concept de numéraire et savoir ce que devient l'ensemble budgétaire lorsque tous les prix et revenus sont multipliés par la même constante positive ;

• A quoi ressemble l'ensemble budgétaire si l'un, ou plus, des prix est négatif ;

- Voir que l'idée d'un «ensemble budgétaire» peut être appliquée à tout choix sans contrainte, même quand ces choix sont soumis à des contraintes de nature non monétaire.

## 1.1 [0]

Vous avez un revenu de 40 francs à dépenser pour acheter 2 biens. Le bien 1 coûte 10 francs l'unité et le bien 2 coûte 5 francs l'unité.

**(a)** Ecrivez la droite de budget.

**(b)** Si vous dépensez la totalité de votre revenu sur le bien 1, combien pourrez vous en acheter ?

**(c)** Même question avec le bien 2. Faites un graphique. Tracez la droite de budget.

**(d)** Supposons que le prix du bien 1 tombe à 5 francs, toutes choses étant égales par ailleurs. Ecrivez la nouvelle droite de budget. Représentez-la sur le même graphique que celle de la précédente question.

**(e)** Supposons à présent que le revenu que vous pouvez dépenser soit de 30 francs, alors que les prix des deux biens restent à 5 francs. Ecrivez la nouvelle droite de budget. Représentez-la sur le même graphique.

**(f)** Sur votre graphique, représentez l'ensemble des paniers de consommation que vous pouvez obtenir avec le budget de la question (e) mais qui n'est pas accessible avec le budget de la question (a). Utilisez une encre de couleur différente pour représenter l'ensemble des paniers que vous pouvez obtenir avec le budget de la question (a) mais qui n'est pas accessible avec le budget de la question (e).

## 1.2 [0]

Sur un graphique, tracez la droite de budget pour chacun des cas suivants

**(a)** $p_1 = 1, p_2 = 1, R = 15$ (en bleu).

**(b)** $p_1 = 1, p_2 = 2, R = 20$ (en rouge).

**(c)** $p_1 = 0, p_2 = 1, R = 10$ (en noir).

**(d)** $p_1 = p_2, R = 15p_1$ (au crayon ou en noir. Indication : combien de bien 1 pouvez-vous obtenir si vous consacrez la totalité de revenu au bien 1 ?)

## 1.3 [0]

Votre budget est tel que si vous dépensez la totalité de votre revenu, vous pouvez vous procurer soit 4 unités de bien $x$ et 6 unités de bien $y$, soit 12 unités de $x$ et 2 unités de $y$.

**(a)** Faites un graphique. Indiquez ces deux paniers de consommation et tracez la droite de budget.

**(b)** Quel est le rapport entre le prix de $x$ et le prix de $y$ ?

**(c)** Si vous consacrez la totalité de votre revenu au bien $x$, combien d'unités de $x$ pouvez-vous acheter ?

**(d)** Si vous consacrez la totalité de votre revenu au bien $y$, combien d'unités de $y$ pouvez-vous acheter ?

**(e)** Ecrivez l'équation qui vous donne la droite de budget lorsque le prix de $x$ est égal à 1.

**(f)** Ecrivez une autre équation vous donnant la même droite de budget mais lorsque le prix de $x$ est égal à 3.

**1.4** [1] Murphy consomme 100 unités de $X$ et 50 unités de $Y$. Le prix de $X$ augmente de 2 à 3. Le prix de $Y$ reste égal à 4.

**(a)** Quelle doit être l'augmentation du revenu de Murphy pour qu'il puisse toujours se procurer exactement 100 unités de $X$ et 50 unités de $Y$ ?

**1.5** [1] Si Amy dépense la totalité de son argent de poche, elle peut au plus obtenir 8 barres de chocolat et 8 magazines de BD par semaine. Elle peut également au plus se procurer 10 barres de chocolat et 4 magazines de BD par semaine. Le prix des barres de chocolat est de 50 centimes. Faites un graphique. Tracez sa droite de budget. Quel est l'argent de poche que reçoit Amy chaque semaine ?

**1.6** [0] Dans une petite ville près de la mer Baltique, seulement trois biens sont disponibles : les pommes de terre, des boulettes de viande et de la confiture. Les prix ont été remarquablement stables durant les 50 dernières années. Les pommes de terre coûtent 2 couronnes le sac, les boulettes de viande 4 couronnes la "cruche" et la confiture coûte 6 couronnes le pot.

**(a)** Ecrivez l'équation de la droite de budget de Gunnar, un citoyen dont le revenu est de 360 couronnes par an. Soit $P$ le nombre de sacs de pommes de terre, $B$ le nombre de "cruches" de boulettes, et $C$ le nombre de pots de confiture consommés par Gunnar pendant une année.

**(b)** Les citoyens de ce pays sont en général des personnes très intelligentes, mais ils ont du mal à faire correctement les multiplications par 2. Le commerce des pommes de terre en est rendu extrêmement difficile. Il est donc décidé d'introduire une nouvelle unité de compte telle que les pommes de terre seront le numéraire. Un sac de pommes de terre coûte donc une unité de la nouvelle monnaie ; les mêmes prix relatifs que précédemment s'appliquent.

**(c)** Quel est le prix des boulettes exprimé dans la nouvelle monnaie ?

**(d)** Quel est le prix de la confiture exprimé dans la nouvelle monnaie ?

**(e)** Quel doit être le revenu de Gunnar, exprimé dans la nouvelle unité de compte, pour qu'il puisse se procurer exactement les mêmes paniers de consommation que ceux qu'il consommait avant l'introduction de cette nouvelle monnaie ?

**(f)** Ecrivez l'équation de la nouvelle droite de budget de Gunnar. L'ensemble budgétaire de Gunnar est-il différent par rapport à ce qu'il était avant le changement ?

**1.7** [0]   Edmond Stench consomme deux biens : des poubelles et des cassettes vidéo de punk rock. Il récupère les poubelles et les stocke dans une cour où des chèvres, des porcs et toute sortes de vermines se chargent de les manger. Il accepte les poubelles parce que les gens le payent 2 francs par sac qu'il récupère. A ce prix, Edmond accepte autant de sacs qu'il souhaite. Il n'a pas d'autre source de revenu. Les cassettes vidéo lui coûtent 6 francs pièce.

**(a)** Si Edmond n'accepte aucun sac de poubelles, combien de cassettes peut-il acheter ?

**(b)** S'il accepte 15 sacs, combien de cassettes peut-il acheter ?

**(c)** Ecrivez l'équation de sa droite de budget.

**(d)** Sur un graphique, tracez la droite de budget d'Edmond et hachurez son ensemble budgétaire.

**1.8** [0]   Vous pensez qu'Edmond est un peu bizarre ! ? Qu'allez-vous dire d'Emmett, son frère ? Emmett consomme des discours tenus par des hommes politiques et par des administrateurs d'université. Il est payé 1 franc de l'heure pour écouter les hommes politiques et 2 francs de l'heure pour écouter les administrateurs d'université (Emmett est extrêmement demandé pour remplir les chaises vides dans les conférences à cause de son allure distinguée et de sa capacité à bien se tenir en public). Emmett consomme un bien dont il peut payer le prix. Nous nous sommes mis d'accord pour ne pas vous révéler de quel bien il s'agit, mais nous pouvons vous dire qu'il coûte 15 francs l'unité. Nous l'appellerons le bien *X*. En plus de ce qu'il est payé pour consommer les discours, Emmett reçoit une allocation de 50 francs par semaine.

**(a)** Ecrivez l'équation de la droite de budget indiquant les combinaisons de ces trois biens, le bien *X*, les heures de discours politiques (*P*) et les heures de discours d'administrateurs (*A*) qu'Emmett peut se permettre de consommer par semaine.

**(b)** Faites un graphique. Dessinez un diagramme en deux dimensions montrant le lieu des consommations des deux types de discours possibles si Emmett consommait 10 unités de bien *X* par semaine.

**1.9** [0]   Jonathan Livingstone Yuppie est un juriste prospère. Il a, selon sa propre expression, "dépassé le stade élémentaire des paniers de consommations de 2 biens". J.L. consomme 3 biens, du scotch écossais, des chaussures de tennis dessinées par des grands couturiers et des repas dans des restaurants français chics. Le whisky que J.L. achète a un prix de $20 la bouteille; le prix des chaussures est de $80 la paire et, dans les restaurants français, il paye un repas $50. Après avoir payé ses impôts et ses pensions alimentaires, J.L. a un revenu de $400 par semaine.

**(a)** Ecrivez l'équation du budget de J.L. où $W$ représente le nombre de bouteilles de whisky, $T$ le nombre de paires de chaussures de tennis et $M$ le nombre de repas dans les restaurants français.

**(b)** Représentez son ensemble budgétaire dans un graphique en trois dimensions. Donnez un nom aux intersections de l'ensemble budgétaire avec chaque axe.

**(c)** Supposons que J.L. ait choisi d'acheter une paire de chaussures de tennis par semaine. Quelle équation doit être vérifiée par les combinaisons de repas au restaurant et de whisky qu'il pourrait se procurer ?

**1.10** [0]  Martha prépare ses examens de sociologie et d'économie. Elle a le temps de lire 40 pages d'économie et 30 pages de sociologie. Dans le même temps, elle pourrait également lire 30 pages d'économie et 60 pages de sociologie.

**(a)** Supposons que le nombre de pages de chaque matière qu'elle peut lire par heure ne dépende pas de la manière dont elle répartit son temps. Combien de pages de sociologie pourrait-elle lire si elle décidait de consacrer la totalité de son temps à la sociologie et non à l'économie ? (Indication : vous connaissez deux points de sa droite de budget, vous devriez donc être capable de tracer la droite dans sa totalité).

**(b)** Combien de pages d'économie pourrait-elle lire si elle décidait d'employer tout son temps à lire de l'économie ?

**1.11** [1]  Harry Hype a un revenu de 5.000 francs à dépenser pour une campagne de publicité pour une nouvelle marque de sushis déshydratés. Les études de marché ont montré que les gens les plus disposés à acheter ce nouveau produit étaient les jeunes diplômés d'écoles de commerce et les juristes. Harry étudie la possibilité de diffuser ses messages publicitaires dans deux magazines, une (très ennuyeuse) revue d'économie et un journal branché pour les gens dont le rêve est de vivre en Californie.

**Fait 1 :** chaque message coûte 500 francs dans le journal économique et 250 francs dans le journal branché.

**Fait 2 :** Chaque publicité dans le journal économique sera lue par 1000 jeunes diplômés d'écoles de commerce et par 300 juristes.

**Fait 3 :** Chaque publicité dans la revue branchée sera lue par 300 jeunes diplômés d'écoles de commerce et par 250 juristes.

**Fait 4 :** Personne ne lit plus d'une publicité et un individu qui lit un journal ne lit pas l'autre.

**(a)** Supposons qu'Harry consacre la totalité de son budget publicitaire à placer des messages dans le magazine économique. Combien de jeunes diplômés et de juristes liront sa publicité ?

**(b)** Si Harry consacre la totalité de son budget publicitaire à placer des messages dans le journal branché, combien de jeunes diplômés et de juristes liront sa publicité ?

**(c)** Supposons qu'il consacre la moitié de son budget à chaque publication. Combien de jeunes diplômés et de juristes liront sa publicité ?

**(d)** Faites un graphique. Tracez une "droite de budget" montrant les combinaison de nombres de lectures de la part de jeunes diplômés et de la part des juristes qu'il peut obtenir avec son budget publicitaire (Indication : vous avez déjà trouvé trois points figurant sur cette droite). La droite de budget se prolonge-t-elle vers les axes de manière rectiligne ?

**(e)** Soit $M$ le nombre de fois où une publicité sera lue par un jeune diplômé et $L$ le nombre de fois où la publicité sera lue par un juriste. Quelle est l'équation de la droite sur laquelle se trouve la droite de budget ? Avec un budget publicitaire fixé, combien de lectures par des jeunes diplômés peut-il sacrifier pour obtenir une lecture supplémentaire par un juriste ?

**1.12** [0] Sur la planète Mungo il y a deux sortes de monnaies — une rouge et une bleue. Chaque bien a deux prix — un prix en monnaie bleue (ou prix bleu) et un prix en monnaie rouge (ou prix rouge). Chaque Mungoien a deux revenus — un revenu en monnaie bleue (revenu bleu) et un revenu en monnaie rouge (revenu rouge).

Lorsqu'il veut acheter un objet un Mungoien doit payer le prix rouge de cet objet en monnaie rouge et son prix bleu en monnaie bleue. Les magasins ont deux caisses enregistreuses et vous devez payer aux deux caisses pour acheter un objet. Il est interdit d'échanger une monnaie contre l'autre et cette règle est mise en pratique de manière très efficace par la police monétaire Mungoienne.

- Il y a seulement deux biens disponibles sur Mungo : l'ambroisie et le chewing-gum. Tous les mungoiens préfèrent plus de chaque bien que moins.

- Les prix bleus s'élèvent à 1 unité monétaire bleue (umb) par unité d'ambroisie et 1 umb par chewing-gum.

- Les prix rouges s'élèvent à 2 unités monétaire rouge (umr) par unité d'ambroisie et 6 umr par chewing-gum.

**(a)** Faites un graphique. Tracez la droite de budget rouge (à l'encre rouge) et la droite de budget bleue (à l'encre bleue) pour un Mungoien de base, Harry, dont le revenu bleu est de 10 et le revenu rouge de 30. Hachurez "l'ensemble budgétaire" contenant tous les paniers de consommation que Harry peut se procurer, étant donné ses deux contraintes budgétaires. Souvenez-vous, Harry doit avoir assez de monnaie bleue et assez de monnaie rouge pour payer à la fois le coût en monnaie bleue et le coût en monnaie rouge d'un panier de consommation.

**(b)** Une Mungoienne, Gladys, est confrontée aux mêmes prix qu'Harry et a le même revenu rouge que lui, mais son revenu bleu est différent. Il est de 20. Expliquez pourquoi Gladys ne dépensera pas la totalité de son revenu bleu, quels que soient ses goûts ? (Indication : tracez la droite de budget de Gladys).

**(c)** Un groupe d'économistes réformateurs croit que les règles monétaires en vigueur sur Mungo sont injustes. "Pourquoi tout le monde devrait-il payer 2 prix ?" demandent-ils ? Ils proposent de modifier le système. Le nouveau système serait le suivant : Mungo continuera à avoir deux monnaies, chaque bien aura un prix bleu et un prix rouge et chaque Mungoien aura un revenu rouge et un revenu bleu. Mais personne ne devra payer deux prix. A la place, chaque Mungoien devra dire s'il est un acheteur en monnaie bleue (un bleu) ou s'il est un acheteur en monnaie rouge (un rouge) avant d'acheter quoi que ce soit. Les bleus doivent effectuer tous leurs achats en monnaie bleu aux prix bleus et ne dépenser que leur revenu bleu. Les rouges doivent effectuer tous leurs achats en monnaie rouge aux prix rouges et ne dépenser que leur revenu rouge.

Supposons qu'Harry ait le même revenu après cette réforme et que les prix ne changent pas. Avant de déclarer quel type d'acheteur il est, Harry compare les paniers qu'il pourra s'acheter dans l'un et l'autre cas. Un panier est dit "accessible" si Harry peut se le procurer en déclarant qu'il est un "bleu" et en achetant ce panier avec la monnaie bleue, ou s'il peut se le procurer en déclarant qu'il est un "rouge" et en achetant ce panier avec la monnaie rouge. Faites un graphique. Représentez tous les paniers accessibles.

**1.13** [0]    Les ensembles budgétaires des Mungoiens sont-ils réellement extravagants ? Pouvez-vous imaginer des situations concrètes, sur terre, dans lesquelles des individus devraient satisfaire simultanément plus d'une contrainte ? La monnaie est-elle la seule ressource rare que les individus utilisent quand ils consomment ?

# Les préférences

## INTRODUCTION

Dans le chapitre précédent, vous avez appris à représenter graphiquement les paniers de consommation qu'un consommateur peut obtenir. Dans ce chapitre, vous allez apprendre à compléter ce type de graphique en intégrant des informations sur les préférences du consommateur. La plupart des problèmes posés vous demandent de tracer des courbes d'indifférence.

Quelquefois, la formule de la courbe d'indifférence vous sera donnée. Vous aurez alors simplement à représenter graphiquement une équation connue. Mais dans quelques exercices, vous disposerez simplement d'une information "qualitative" sur les préférences du consommateur et nous vous demanderons de tracer les courbes d'indifférence correspondant à cette information. Ceci nécessitera une réflexion plus poussée. Ne soyez ni surpris ni déçu si la réponse ne vous apparaît pas au premier coup d'œil et ne vous attendez pas à la trouver cachée ailleurs dans votre manuel. La meilleure manière de résoudre les exercices est de "réfléchir et de griffoner". Tracez des systèmes d'axes au brouillon, indiquez ce qu'ils représentent, placez un point sur votre graphique et posez-vous la question : "à quels autres points du graphique le consommateur serait-il indifférent ?" Si c'est possible, dessinez une courbe reliant ces points, en vous assurant que la forme de la courbe tracée reflète les propriétés données dans l'énoncé. Vous aurez obtenu une courbe d'indifférence. Tracez alors un autre point préféré au premier et faites passer une nouvelle courbe d'indifférence par ce point.

**EXEMPLE**

Jocaste aime danser et déteste faire le ménage. Ses préférences sont strictement convexes. Elle préfère danser à n'importe quelle autre activité et cela ne la fatigue jamais. En revanche, plus elle passe de temps à faire du ménage, plus elle est triste. Dessinons une courbe d'indifférence correspondant à ses préférences. Il n'y a pas assez d'information pour savoir exactement comment les représenter. Mais nous avons assez d'information pour déterminer quelle est leur forme. Dessinez des axes sur un morceau de papier brouillon. Sur l'axe vertical représentez les "heures de danse par jour" et sur l'axe horizontal les "heures de ménage par jour". Indiquez un point sur l'axe vertical et écrivez 4 à côté. En ce point, elle passe 4 heures par jour à danser et ne consacre aucun temps au ménage. Les points qui seront indifférents à ce point seront tels qu'elle passera plus de temps *à la fois* à danser *et* à faire du ménage. Le déplaisir occasionné par ce surplus de temps passé au ménage est compensé par l'augmentation de plaisir lié au surplus de temps passé à danser. Ainsi, la pente d'une courbe d'indifférence de Jocaste doit être croissante. Parce qu'elle aime danser et déteste le ménage, elle doit préférer tous les points au-dessus de cette courbe d'indifférence à tous les points situés en-dessous. Si Jocaste a des préférences strictement convexes, alors si vous tracez une ligne reliant deux points sur la même courbe d'indifférence, tous les points situés sur cette ligne (sauf les extrémités) sont préférés aux extrémités. Pour que cela soit le cas, la courbe d'indifférence doit s'incliner vers le haut, de manière de plus en plus raide, lorsque vous vous déplacez le long de cette courbe vers la droite. Vous pourrez vous convaincre de cela en le représentant au brouillon. Dessinez une courbe de pente croissante passant par le point (0, 4) et augmentant lorsque vous vous déplacez vers la droite.

Quand vous aurez terminé ces exercices, nous espérons que vous serez capable de faire les choses suivantes :

• Etant donné la formule d'une courbe d'indifférence, dessiner la courbe et trouver sa pente en n'importe quel point de cette courbe.

• Déterminer si un consommateur préfère un panier à un autre ou est indifférent entre les deux, pour une courbe d'indifférence spécifique.

• Tracer des courbes d'indifférence dans les cas particuliers de parfaite substituabilité et de parfaite complémentarité.

• Tracer les courbes d'indifférence pour une personne qui n'aime pas un ou les deux biens qu'elle consomme.

• Tracer des courbes d'indifférence pour un consommateur qui aime les biens jusqu'à un certain point mais peut avoir "trop" d'un bien ou de plusieurs.

• Identifier les ensembles de biens faiblement préférés et déterminer si ces ensembles sont convexes et si les préférences sont convexes.

• Savoir ce qu'est le taux marginal de substitution et être capable de déterminer si une courbe d'indifférence présente des "taux marginaux de subsitution décroissants".

• Déterminer si une relation de préférence est transitive, réflexive, complète.

**2.1** [0]  Charlie aime à la fois les pommes et les bananes. Il ne consomme rien d'autre. Le panier de consommation pour lequel Charlie consomme $x_A$ boisseaux de pommes par an et $x_B$ régimes de bananes par an est noté $(x_A, x_B)$. L'an passé Charlie a consommé 20 boisseaux de pommes et 5 régimes de bananes. L'ensemble des paniers de consommation $(x_A, x_B)$ tel que Charlie est indifférent entre $(x_A, x_B)$ et $(20, 5)$ est l'ensemble des paniers tels que $x_B = 100/x_A$. L'ensemble des paniers de consommation $(x_A, x_B)$ tel que Charlie est indifférent entre $(x_A, x_B)$ et $(10, 15)$ est tel que $x_B = 150/x_A$.

**(a)**  Faites un graphique. Indiquez les points situés sur la courbe d'indifférence passant par le point $(20, 5)$ et tracez cette courbe en utilisant de l'encre bleue. Faites la même chose, en rouge, pour la courbe d'indifférence passant par le point $(10, 15)$.

**(b)**  A l'aide des mêmes couleurs, hachurez l'ensemble des paniers de consommation faiblement préférés par Charlie au panier $(10, 15)$ (en rouge) et ceux faiblement préférés au panier $(20, 5)$ (en bleu).

Indiquez pour chacune des affirmations suivantes lesquelles sont "vraies" ou "fausses" :

**(c)**  $(30, 5) \sim (10, 15)$

**(d)**  $(10, 15) > (20, 5)$

**(e)**  $(20, 5) \succsim (10, 10)$

**(f)**  $(24, 4) \succsim (11, 9,1)$

**(g)**  $(11, 14) > (2, 49)$

**(h)**  Un ensemble est dit convexe si tout segment reliant deux points de cet ensemble appartient également à l'ensemble. L'ensemble des paniers que Charlie préfère faiblement à $(20, 5)$ est-il un ensemble convexe ?

**(i)**  L'ensemble de paniers que Charlie considère comme inférieurs à $(20, 5)$ est-il convexe ?

**(j)**  Comment s'appelle la pente de la courbe d'indifférence en un point, $(x_A, x_B)$ ?

**(k)**  Souvenez-vous que la courbe d'indifférence passant par $(10, 10)$ a comme équation $x_B = 100/x_A$. Ceux qui connaissent leur cours de mathématiques savent que la pente d'une courbe est sa dérivée, qui est dans ce cas - $100/x_A^2$. (Si vous ne connaissez pas votre cours, vous devez nous croire sur parole). Quel est le taux marginal de substitution de Charlie en ce point, $(10, 10)$ ?

**(l)**  Quel son taux marginal de substitution au point $(5, 20)$ ?

**(m)**  Quel son taux marginal de substitution au point $(20, 5)$ ?

**(n)**  Les courbes d'indifférence que vous avez tracées pour représenter les préférences de Charlie présentent-elles des taux marginaux de substitution décroissants ?

**2.2** [0]  Ambroise ne consomme que des noisettes et des baies sauvages. Par chance, il aime autant les deux. $(x_1, x_2)$ représente le panier de consommation d'Ambroise lorsque celui-ci consomme $x_1$ noisettes et $x_2$ baies sauvages par semaine. L'ensemble des paniers de consommation $(x_1, x_2)$ qui laissent Ambroise indifférent entre $(x_1, x_2)$ et $(1, 16)$ est tel que $x_1 \geq 0$, $x_2 \geq 0$, et $x_2 = 20 - 4\sqrt{x_1}$. L'ensemble des paniers $(x_1, x_2)$ tels que $(x_1, x_2) \sim (36, 0)$ est tel que $x_1 \geq 0$, $x_2 \geq 0$, et $x_2 = 24 - 4\sqrt{x_1}$.

**(a)** Faites un graphique. Indiquez les points situés sur la courbe d'indifférence passant par le point (1, 16) et tracez cette courbe en utilisant de l'encre bleue. Faites la même chose, en rouge, pour la courbe d'indifférence passant par le point (36, 0).

**(b)** A l'aide des mêmes couleurs, hachurez l'ensemble des paniers de consommation $(x_1, x_2)$ faiblement préférés par Ambroise au panier (1, 16) (en bleu) et au panier (36, 0) (en rouge). L'ensemble des paniers faiblement préférés à (1, 16) est-il convexe ?

**(c)** Quelle est la pente de la courbe d'indifférence d'Ambroise au point (9, 8) ? (Rappellez-vous comment calculer la pente d'une courbe. Si vous ne connaissez pas votre cours de maths, faites un graphique précis et estimez la pente).

**(d)** Quelle est la pente de la courbe d'indifférence d'Ambroise au point (4, 12) ?

**(e)** Quelle est la pente de la courbe d'indifférence d'Ambroise au point (9, 12) ? Au point (4, 16) ?

**(f)** Les courbes d'indifférence que vous avez tracées pour représenter les préférences d'Ambroise présentent-elles des taux marginaux de substitution décroissants ?

**(g)** Ambroise a-t-il des préférences convexes ?

**2.3** [0]   Shirley Packdedouze a l'habitude de boire de la bière chaque soir en regardant "Le meilleur de la Pétanque" à la TV. Elle a de la force dans la main et un grand réfrigérateur. La taille des canettes de bière ne l'inquiète pas. Elle est seulement intéressée par la quantité de bière qu'elle peut boire.

**(a)** Faites un graphique. Dessinez quelques courbes d'indifférences de Shirley Packdedouze entre des canettes de 50 cl et des canettes de 25 cl. Utilisez de l'encre bleue.

**(b)** Lorraine Quiche apprécie de boire de la bière en regardant "Au théâtre ce soir". Elle s'autorise seulement des verres de 25 cl de bière à n'importe quel moment. Son chat n'aimant pas la bière et elle-même détestant la bière tiède, s'il y a plus de 25 cl dans la bouteille, elle vide le reste dans l'évier (elle n'a aucun scrupule moral à gaspiller ainsi de la bière!). Sur le diagramme précédent, utilisez de l'encre rouge pour tracer quelques unes des courbes d'indifférence de Lorraine.

**2.4** [0]   Par un dimanche chaud et sec, Elmo se trouve près d'un distributeur de boissons. La machine ne rendant plus la monnaie, Elmo doit faire l'appoint — 2 pièces de 2 francs et une pièce de 50 centimes. Aucune autre combinaison ne lui permettra de faire sortir quoique ce soit de la machine. Tous les magasins sont fermés; personne n'est en vue. Elmo a tellement soif qu'il se préoccupe uniquement du nombre de boissons qu'il pourra acheter avec sa monnaie; plus il en achètera, plus il sera satisfait. Pendant qu'Elmo fouille ses poches à la recherche de pièces de monnaie, vous devez dessiner quelques courbes d'indifférences décrivant ses préférences.

**(a)** Si Elmo a 2 fois 2 francs et 1 fois 50 centimes, il peut acheter un soda. Combien peut-il en acheter avec 4 pièces de 2 francs et 2 pièces de 50 centimes ?

**(b)** Utilisez de l'encre rouge pour représenter sur le graphique toutes les combinaisons de francs et de centimes avec lesquelles Elmo pense être indifférent avec 2 fois 2 francs et 1 fois 50 centimes. Puis, avec de l'encre bleue, représentez sur le graphique toutes les combinaisons de francs et de centimes avec lesquelles Elmo pense être indifférent avec 4 fois 2 francs et 2 fois 50 centimes.

**(c)** Elmo a-t-il des préférences convexes entre les francs et les centimes ?

**(d)** Elmo préfère-t-il toujours avoir plus des deux sortes de pièces de monnaie que moins ?

**(e)** Existe-t-il un point de satisfaction maximale ?

**(f)** Si Elmo était arrivé à la machine à boissons un samedi, le drugstore de l'autre côté de la rue aurait été ouvert. Ce drugstore a une fontaine à soda qui vous vend autant de boisson que vous le souhaitez pour un prix de 50 centimes le verre de 5 cl. Le vendeur accepte en paiement n'importe quelle combinaison de francs et de centimes. Supposons qu'Elmo projette de dépenser toute sa monnaie à la fontaine du drugstore le samedi. Sur le même graphique que précédemment, représentez en noir, une ou deux courbes d'indifférence entre les francs et les centimes. (Pour plus de simplicité, réalisez votre graphique en admettant que les francs et les centimes se divisent). Décrivez ces courbes d'indifférence.

**2.5** [0] Randy Ratpack déteste étudier l'histoire aussi bien que l'économie. Plus il passe de temps à travailler chacune de ces deux matières, moins il est heureux. Mais Randy a des préférences convexes.

**(a)** Tracez une courbe d'indifférence pour Randy, les deux biens étant respectivement les heures passées à étudier l'économie et les heures passées à étudier l'histoire chaque semaine. La pente de la courbe d'indifférence est-elle positive ou négative ?

**(b)** Les courbes d'indifférence de Randy s'élèvent-elles ou s'applatissent-elles lorsqu'on se déplace de la gauche vers la droite le long de l'une d'entre elles ?

**2.6** [0] Flossy Toothsome aime passer son temps à étudier et à sortir. En fait, ses courbes d'indifférence entre les heures passées à étudier et celles passées à sortir sont des cercles concentriques autour de sa combinaison favorite qui est 20 heures d'étude et 15 heures de sortie par semaine. Lorsqu'elle se rapproche de sa combinaison favorite, sa satisfaction augmente.

**(a)** Supposons que Flossy ait l'habitude d'étudier 25 heures et de sortir 3 heures par semaine. Préfèrerait-elle étudier pendant 30 heures et sortir pendant 8 heures par semaine ? (Indication : vous souvenez-vous de la formule de la distance entre 2 points dans le plan ?).

**(b)** Faites un graphique. Dessinez quelques unes des courbes d'indifférence de Flossy et montrez graphiquement laquelle des deux répartitions de temps de la question précédente Flossy préfère.

**2.7** [0] Annie aime les gateaux au chocolat et les sucettes à l'anis. Mais après 10 tranches de gateau, elle en a assez et en manger plus diminue son plaisir. Annie préfère avoir plus de sucettes à en avoir moins. Et ses parents l'obligent toujours à finir ce qui est dans son "assiette". Faites un graphique. Représentez en bleu l'ensemble des courbes d'indifférence qui décrivent ses préférences entre des "assiettes" remplies avec des quantités différentes de gateaux et de sucettes.

**(a)** Supposons que les préférences d'Annie soient celles indiquées ci-dessus, mais que ses parents l'autorisent à laisser ce qui est dans son "assiette" et qu'elle ne veut pas manger. Sur le graphique précédent, dessinez à l'encre rouge quelques courbes d'indifférences représentant ses préférences entre des "assiettes" contenant des quantités différentes de gateaux et de sucettes à l'anis.

**2.8** [0] Le professeur Boncœur fait toujours passer deux examens partiels aux élèves qui suivent son cours de communication. Il conserve la plus élevée des deux notes pour calculer la note finale de l'étudiant.

**(a)** Nancy Lerner cherche à maximiser sa note d'examen. Soit $x_1$ la note obtenue au premier des deux examens partiels et $x_2$, la note obtenue au second. Quelle combinaison de notes Nancy préfèrera-t-elle : $x_1 = 20$ et $x_2 = 70$; ou $x_1 = 60$ et $x_2 = 50$ ?

**(b)** Faites un graphique. Tracez en rouge une courbe d'indifférence montrant les combinaisons de notes qui procurent à Nancy exactement le même niveau d'utilité que $x_1 = 20$ et $x_2 = 70$. Utilisez aussi du rouge pour dessiner une courbe d'indifférence qui montre les combinaisons qui procurent à Nancy exactement le même niveau d'utilité que $x_1 = 60$ et $x_2 = 50$.

**(c)** Les préférences de Nancy pour ces combinaisons sont-elles convexes ?

**(d)** Nancy suit aussi le cours d'économie du professeur Stern. Le professeur Stern organise également deux examens partiels. Au lieu d'écarter la plus mauvaise note, il écarte la meilleure. Soit $x_1$ la note obtenue au premier des deux examens partiels et $x_2$, la note obtenue au second. Quelle combinaison de notes Nancy préfèrera-t-elle : $x_1 = 20$ et $x_2 = 70$; ou $x_1 = 60$ et $x_2 = 50$ ?

**(e)** Faites un graphique. Tracez en bleu une courbe d'indifférence montrant les combinaisons de notes d'économie qui procurent à Nancy exactement le même niveau d'utilité que $x_1 = 20$ et $x_2 = 70$. Utilisez aussi du bleu pour dessiner une courbe d'indifférence qui montre les combinaisons qui procurent à Nancy exactement le même niveau d'utilité que $x_1 = 60$ et $x_2 = 50$. Les préférences de Nancy pour ces combinaisons sont-elles convexes ?

**2.9** [0]  Marie Muesli aime consommer deux biens, les pamplemousses et les avocats.

**(a)**  Faites un graphique. La pente d'une courbe d'indifférence passant par tout point en lequel elle a plus de pamplemousse que d'avocat est -2. Par conséquent, lorsqu'elle a plus de pamplemousse que d'avocats, combien est-elle prête à abandonner de pamplemousse (s) pour obtenir un avocat ?

**(b)**  Restons sur le même graphique. La pente d'une courbe d'indifférence aux points où elle a moins de pamplemousse que d'avocats est -1/2. Par conséquent, lorsqu'elle a moins de pamplemousse que d'avocats, combien accepterait-elle de sacrifier de pamplemousse (s) pour obtenir un avocat ?

**(c)**  Restons sur le même graphique. Tracez une courbe d'indifférence passant par le panier (10$A$, 10$P$). Tracez-en une autre passant par (20$A$, 20$P$).

**(d)**  Les préférences de Marie sont-t-elles convexes ?

**2.10** [2]  Ralph Rigid aime prendre son repas à midi pile. Cependant, il est aussi près de ses sous et il peut bénéficier des promotions que fait le restaurant du coin à ceux qui aiment déjeuner tôt et à ceux qui aiment déjeuner tard. Ralph a 15 francs à dépenser par jour pour son repas et autres achats. Le repas à midi coute 5 francs. S'il retarde son repas de $t$ heures après midi, il peut alors acheter son repas pour un prix de 5-$t$ francs. De même, s'il mange t heures avant midi, il ne le paiera que 5-$t$ dollars (ceci est vrai pour les heures entières comme pour les parties d'heures).

**(a)**  Si Ralph prends son repas à midi, de combien d'argent disposera-t-il pour effectuer d'autres achats ?

**(b)**  Combien lui reste-t-il d'argent par jour s'il mange à 2 heures de l'après-midi ?

**(c)**  Faites un graphique. Utilisez de l'encre bleue pour tracer la ligne brisée qui montre les combinaisons heures de repas/argent restant que Ralph peut se payer. Sur le même graphique, tracez quelques courbes d'indifférence si Ralph choisissait de prendre son repas à 11 heures.

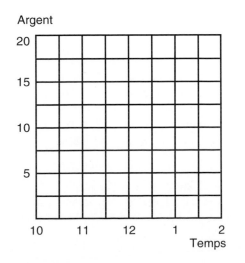

**2.11** [0]  Henry Hanovre consomme habituellement 20 cheeseburgers et 20 bières à la cerise par semaine. Une courbe d'indifférence représentative des préférences d'Henry est représentée ci-dessous.

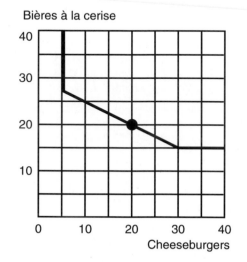

**(a)**  Henry accepterait-il d'échanger un cheeseburger supplémentaire pour chaque bière abandonnée ?

**(b)**  Dans l'autre sens, pour chaque cheeseburger refusé, Henry aurait une bière supplémentaire. Accepterait-il ?

**(c)**  A quel taux d'échange Henry serait-il prêt à conserver son niveau habituel de consommation ?

**2.12** [1]  Lorsqu'il peut consommer 8 cookies et 4 verres de lait par jour Tommy Twit est le garçon plus heureux du monde. Lorsqu'il a plus que sa quantité préférée de chacun de ces deux aliments, lui en donner encore plus réduit sa satisfaction. Lorsqu'il a moins que sa quantité préférée, augmenter ces quantités le rend plus heureux. Sa mère lui fait boire 7 verres de lait et ne lui permet de manger que 2 cookies par jour. Un jour, sa mère étant partie, la sœur sadique de Tommy lui fait manger 13 cookies et lui donne à boire seulement 1 verre de lait — bien que Tommy se soit plaint amèrement d'avoir dû manger les 5 derniers cookies et l'ait suppliée pour avoir plus de lait. Quoique Tommy se soit plaint à sa mère, il doit admettre qu'il a davantage apprécié le régime administré par sa sœur que celui que sa mère lui impose.

**(a)**  Représentez les courbes d'indifférence de Tommy correspondant à cette histoire.

**(b)**  La mère de Tommy croit que la quantité optimale qu'il préfère consommer est 7 verres de lait et 2 cookies. Elle mesure les écarts en valeur absolue. Si Tommy consomme d'autres paniers, disons $(c, l)$, elle mesure l'écart par rapport à son panier optimal par D = |7 - *l*| + |2 -*c*|. Plus D est élevé, plus elle pense que la satisfaction de Tommy se dégrade. Représentez, avec de l'encre bleue, quelques-unes des courbes d'indifférence de Madame Twit pour la consommation de son fils. (Indication : avant de dessiner les courbes d'indifférence, nous vous suggérons de représenter sur un graphique au brouillon les points $(x_1, x_2)$ tels que $|x_1| + |x_2| = 1$).

**2.13** [0]   Stéroid, l'entraîneur de football, aime que ses joueurs soient gros, rapides et obéissants. Si un joueur A est meilleur que B pour 2 de ces 3 caractéristiques, alors Stéroid préfère le joueur A à B; mais si B est meilleur que A dans 2 de ces 3 caractéristiques, alors il préfère B à A. Dans les autres cas de figure, Steroid est indifférent entre les joueurs. Wilbur Westinghouse pèse 340 livres, court très doucement et est assez obéissant. Harold Hotpoint pèse 240 livres, court très vite et est très désobéissant. Jerry Jaccuzzi pèse 150 livres, court à une vitesse moyenne et est extrêmement obéissant.

**(a)**   Steroid préfère-t-il Westinghouse à Hotpoint ou est-ce l'inverse ?

**(b)**   Steroid préfère-t-il Hotpoint à Jacuzzi ou est-ce l'inverse ?

**(c)**   Steroid préfère-t-il Westinghouse à Jacuzzi ou est-ce l'inverse ?

**(d)**   Les préférences de cet entraîneur sont-elles transitives ?

**(e)**   Après plusieurs saisons d'échecs, Steroid décide de changer sa manière d'évaluer les joueurs. D'après ses nouvelles préférences, Steroid préfère le joueur A à B si A est meilleur sur les trois critères retenus; mais si B est meilleur que A sur ces 3 critères, alors il préfère B à A. Il est indifférent entre A et B si leurs poids est identique, s'ils courent à la même vitesse et sont également obéissants. Dans les autres cas de figure, Steroid considère que "les joueurs ne sont pas comparables".

**(f)**   Les nouvelles préférences de l'entraîneur sont-elles complètes ?

**(g)**   Les nouvelles préférences de l'entraîneur sont-elles transitives ?

**(h)**   Les nouvelles préférences de l'entraîneur sont-elles réflexives ?

**2.14** [0]   La famille Ours essaie de savoir ce qu'elle aura pour le dîner. Bébé Ours dit que son classement est (miel, asticots, Boucles d'Or). Maman Ours établit le classement suivant (asticots, Boucles d'Or, miel). Papa Ours classe les trois possibilités ainsi : (Boucles d'Or, miel, asticots). Ils décident de comparer chacune des alternatives par paire et de voter à la majorité pour déterminer le classement de la famille.

**(a)**   Papa Ours suggère de comparer d'abord le miel et les asticots, puis de comparer le bien "vainqueur" à Boucles d'Or. Quelle est leur choix ?

**(b)**   Maman Ours suggère plutôt de considérer d'abord miel contre Boucles d'Or, puis de comparer le bien "vainqueur" aux asticots. Qui est choisi ?

**(c)**   Quel ordre doit proposer Bébé Ours s'il veut avoir sa nourriture favorite pour le repas ?

**(d)** Les "préférences collectives" de la famille Ours, déterminées par le vote, sont-elles transitives ?

**2.15** [0]    Olson aime le café fort — plus il est fort, meilleur il est. Mais il est incapable de distinguer les petites différences de dosage. Au fil des ans, Madame Olson a découvert que si elle change la quantité de café de plus d'une cuillère à café pour une cafetière de 6 tasses, Olson s'en rend compte. Mais il ne peut pas distinguer les différences plus petites qu'une cuillère à café par cafetière. Si A et B sont deux tasses de café différentes, nous écrirons que A > B si Olson préfère A à B. Ecrivons A ≳ B, si Olson soit préfère A à B, soit ne peut voir de différence entre les deux. Ecrivons A ∼ B lorsqu'Olson ne peut dire la différence entre les tasses A et B. Supposons que soient offertes à Olson 3 tasses A, B et C, toutes trois passées dans la cafetière des Olson. La tasse A correspond aux proportions de 14 cuillères à café pour une cafetière; la tasse B, une proportion de 14,75 cuillères et la tasse C, 15,5 cuillères à café. Dites, de chacune des propositions suivantes, si elle est vraie ou fausse :

**(a)**    A ∼ B

**(b)**    B ∼ A

**(c)**    B ∼ C

**(d)**    A ∼ C

**(e)**    C ∼ A

**(f)**    A ≳ B

**(g)**    B ≳ A

**(h)**    B ≳ C

**(i)**    A ≳ C

**(j)**    C ≳ A

**(k)**    A > B

**(l)**    B > A

**(m)**    B > C

**(n)**    A > C

**(o)**    C > A

**(p)**    La relation établie par Olson "au-moins-aussi-bon-que", ≳, est-elle transitive ?

**(q)**    La relation établie par Olson "ne-peut-pas-dire-la-différence", ∼, est-elle transitive ?

**(r)**    La relation établie par Olson "meilleur-que", >, est-elle transitive ?

# L'utilité

## INTRODUCTION

Le chapitre précédent vous a permis d'étudier les préférences et les courbes d'indifférence. Ce chapitre est consacré a une autre façon de décrire les préférences, les *fonctions d'utilité*. Une fonction d'utilité, représentant les préférences d'un individu, est une fonction qui fait correspondre un indice d'utilité à chaque panier de consommation. Ces indices sont assignés de telle façon qu'un panier $(x, y)$ aura un indice d'utilité plus élevé qu'un panier $(x', y')$, si et seulement si le consommateur préfère $(x, y)$ à $(x', y')$. Un consommateur sera indifférent entre deux paniers s'ils lui procurent la même utilité.

A partir de la fonction d'utilité d'un consommateur, vous pouvez trouver la courbe d'indifférence passant par n'importe lequel des paniers de consommation possibles. Rappellez-vous que, lorsque le bien 1 est représenté sur l'axe des abscisses et le bien 2 sur l'axe des ordonnées, la pente de la courbe d'indifférence passant par le point de coordonnées $(x_1, x_2)$ est le *taux marginal de substitution*. Un autre élément très important est que la pente d'une courbe d'indifférence est l'opposé du rapport des utilités marginales des biens 1 et 2. Pour ceux d'entre vous sachant un peu de mathématiques, le calcul des utilités marginales est facile. L'utilité marginale d'un bien est obtenue en dérivant la fonction d'utilité par rapport au bien concerné, l'autre bien étant constant. (Si vous ne connaissez absolument rien au calcul des dérivées,

vous pouvez utilisez des méthodes d'approximation. Au début du chapitre correspondant du manuel, une liste des fonctions d'utilité marginales les plus fréquentes
vous est présentée. Si vous ne pouvez les calculez vous-mêmes, rapportez-vous à
cette liste pour résoudre les problèmes posés).

---

**Exemple**　　La fonction d'utilité d'Adèle est $U(x_1, x_2) = x_1 x_2$. Essayons de trouver une des courbes
d'indifférence d'Adèle passant par le point (3, 4). Tout d'abord, calculons $U(3, 4) = 3 \times 4$
$= 12$. La courbe d'indifférence passant par ce point est constituée par tous les points ($x_1$,
$x_2$) tels que $x_1 x_2 = 12$. Cette dernière équation est équivalente à $x_2 = 12/x_1$. Par conséquent, pour dessiner la courbe d'indifférence d'Adèle passant par (3, 4), il suffit de tracer
la courbe d'équation $x_2 = 12/x_1$. Au point ($x_1, x_2$), l'utilité marginale du bien 1 est $x_2$ et
l'utilité marginale du bien 2 est $x_1$. Ainsi, le taux marginal de substitution d'Adèle au point
(3, 4) est $- x_2/x_1 = - 4/3$.

---

**Exemple**　　Le frère d'Adèle, Thibault, a la fonction d'utilité $U^*(x_1, x_2) = 3x_1 x_2 - 10$. Remarquez que
$U^*(x_1, x_2) = 3U(x_1, x_2) - 10$, où $U(x_1, x_2)$ est la fonction d'utilité d'Adèle. $U^*$ est donc un
multiple positif de $U$ moins une constante. Tout changement de consommation qui augmente $U$ augmentera également $U^*$ (et vice versa). La fonction d'utilité de Thibault est donc
une *transformation monotone croissante* de la fonction d'utilité d'Adèle. Déterminons à
présent la courbe d'indifférence de Thibault passant par le point (3, 4). Tout d'abord, nous
avons $U^*(3,4) = 3 \times 3 \times 4 - 10 = 26$. La courbe d'indifférence passant par ce point est constituée par tous les points ($x_1, x_2$) tels que $3x_1 x_2 - 10 = 26$. Simplifions en ajoutant 10 de
chaque côté de l'équation et en divisant chaque terme par 3. Nous obtenons $x_1 x_2 = 12$,
ou de manière équivalente, $x_2 = 12/x_1$. Ce qui est exactement la même courbe que la
courbe d'indifférence d'Adèle passant par (3, 4). En fait, nous aurions pu le savoir plus
tôt. En effet, lorsque les fonctions d'utilité de deux consommateurs sont des transformations
monotones croissantes l'une de l'autre, alors la relation de préférence de ces consommateurs pour toute paire de paniers de consommations sont les mêmes.

Quand vous aurez terminé ces exercices, nous espérons que vous serez capable de
faire les choses suivantes :

• Tracer une courbe d'indifférence passant par un panier de consommation donné
  quand vous connaissez la fonction d'utilité.

• Calculer les utilités marginales et les taux marginaux de substitution quand vous
  connaissez la fonction d'utilité.

• Déterminer si une fonction d'utilité est une "transformation monotone croissante" d'une autre et savoir quelles en sont les implications en termes de préférences.

• Trouver les fonctions d'utilité qui représentent les préférences quand les biens
  sont des substituts parfaits et lorsqu'ils sont parfaitement complémentaires.

• Reconnaître les fonctions d'utilité correspondant aux relations de préférence les
  plus communément étudiées tels que substituts parfaits, compléments parfaits et
  d'autres types de courbes d'indifférence coudées, fonctions d'utilité quasilinéaire et Cobb-Douglas.

## 3.0 Exercice d'échauffement

Vous trouverez plusieurs exercices d'échauffement dans cet ouvrage. Celui-ci est le premier d'entre eux. Ces exercices doivent vous permettre de voir comment effectuer les calculs requis dans les exercices. Les réponses à ces exercices figurent à la fin de l'ouvrage. Si vous trouvez ces exercices faciles et ennuyeux, sautez-les. Vous pourrez éventuellement y revenir plus tard.

Vous devez, dans cet exercice, calculer des utilités marginales et des taux marginaux de substitution pour quelques fonctions d'utilité classiques. Ces fonctions d'utilités seront utilisées à plusieurs reprises, y compris dans d'autres chapitres; les connaître est donc une bonne chose. Si vous maniez correctement les calculs mathématiques, vous ferez cet exercice très facilement. Même si vos notions mathématiques sont chancelantes ou nulles, vous devez pouvoir traiter les trois premières fonctions d'utilité en vous référant au manuel. Ces trois-là sont faciles parce que les fonctions d'utilité sont linéaires. Si vous ne connaissez absolument rien, recopiez les autres réponses d'après le manuel et gardez-en un exemplaire de référence pour les exercices futurs.

| $U(x_1, x_2)$ | $Um_1(x_1, x_2)$ | $Um_2(x_1, x_2)$ | $TMS(x_1, x_2)$ |
|---|---|---|---|
| $2x_1 + 3x_2$ | | | |
| $4x_1 + 6x_2$ | | | |
| $ax_1 + bx_2$ | | | |
| $2\sqrt{x_1} + x_2$ | | | |
| $lnx_1 + x_2$ | | | |
| $V(x_1) + x_2$ | | | |
| $x_1x_2$ | | | |
| $x_1{}^a x_2{}^b$ | | | |
| $(x_1 + 2)(x_2 + 1)$ | | | |
| $(x_1 + a)(x_2 + b)$ | | | |
| $x_1{}^a + x_2{}^b$ | | | |

## 3.1 [0]

Vous souvenez-vous de Charlie (chapitre 2) ? Charlie mange des bananes et des pommes. Nous cherchions alors deux de ses courbes d'indifférence. Dans cet exercice, nous vous donnons plus d'information. Vous pourrez trouver *toutes* les courbes d'indifférence de Charlie. Sachez donc que la fonction d'utilité de Charlie semble être $U(x_A, x_B) = x_A x_B$.

**(a)** Charlie consomme 40 pommes et 5 bananes. Quelle utilité retire-t-il du panier (40, 5) ? Quelle est la valeur du produit $x_A x_B$ pour tous les paniers de consommation $(x_A, x_B)$ situés sur la même courbe d'indifférence que le panier (40, 5) ? Quelle est donc l'équation de cette courbe d'indifférence ? Faites un graphique. Tracez la courbe d'indifférence indiquant tous les paniers de consommation qui procurent à Charlie autant d'utilité que (40, 5).

**(b)** Donna propose de donner à Charlie 15 bananes s'il lui donne, en retour, 25 pommes. S'il accepte cet échange, Charlie aura-t-il un panier de consommation qu'il préfère à (40, 5) ? Quel est le nombre de pommes le plus élevé que Donna peut exiger de Charlie en échange de 15 bananes si elle espère qu'il accepte l'échange ou, au moins, qu'il soit indifférent ? (Indication : si Donna lui donne 15 bananes, Charlie en aura au total 20. S'il a 20 bananes, de combien de pommes a-t-il besoin pour avoir la même satisfaction que s'il n'avait pas accepté l'échange ?)

**3.2 [0]** Se nourrissant toujours de noisettes et de baies sauvages, Ambroise, rencontré dans les pages du chapitre précédent, a une santé florissante. Vous aviez déterminé deux de ses courbes d'indifférence. L'une d'entre elle a pour équation $x_2 = 20 - 4\sqrt{x_1}$ ; l'autre, pour équation $x_2 = 24 - 4\sqrt{x_1}$ — où $x_1$ est sa consommation de noisettes et $x_2$ sa consommation de baies. A l'aide de ce que nous savons à présent, il est possible de dire qu'Ambroise a une fonction d'utilité quasilinéaire. En fait ses préférences peuvent être représentées par la fonction d'utilité : $U(x_1, x_2) = 4\sqrt{x_1} + x_2$.

**(a)** Ambroise consommait 9 noisettes et 10 baies. Sa consommation de noisettes est réduite à 4 unités mais il a en plus un nombre suffisant de baies pour conserver la même satisfaction qu'avant. Après ce changement, combien de baies sont consommées par Ambroise ?

**(b)** Faites un graphique. Indiquez la consommation originale d'Ambroise et tracez une courbe d'indifférence passant par ce point. Vous pouvez vérifier ainsi qu'Ambroise est indifférent entre le panier (9, 10) et le panier (25, 2). Si les quantités consommées de ces deux biens sont doublées, vous aurez alors les paniers (18, 20) et (50, 4). Ces deux paniers sont-ils situés sur la même courbe d'indifférence ? (Indication : comment vérifiez-vous qu'un consommateur est indifférent entre deux paniers lorsque vous connaissez sa fonction d'utilité ?)

**(c)** Quel est le taux marginal de substitution d'Ambroise — $TMS(x_1, x_2)$ — quand il consomme le panier (9, 10) ? (donnez une réponse numérique). Quel est son taux marginal de substitution quand il consomme le panier (9, 20) ?

**(d)** Nous pouvons donner une expression générale du taux marginal de substitution d'Ambroise pour un panier consommé $(x_1, x_2)$. Quelle est-elle ? Bien que le $TMS(x_1, x_2)$ soit écrit en fonction de deux variables, $x_1$ et $x_2$, nous voyons que l'utilité d'Ambroise est telle que son taux marginal de substitution ne change pas quand l'une des deux variables change. Laquelle ?

**3.3 [0]** La fonction d'utilité de Burt est $U(x_1, x_2) = (x_1 + 2)(x_2 + 6)$, où $x_1$ est le nombre de cookies et $x_2$ le nombre de verres de lait qu'il consomme.

**(a)** Quelle est la pente de la courbe d'indifférence de Burt au point correspondant à la consommation du panier (4, 6) ? Faites un graphique. A l'aide d'un stylo rouge ou noir, tracez une droite ayant cette pente au point (4, 6) (Essayez de faire un dessin assez net et précis; les détails sont importants). La droite que vous venez de tracer est la tangente de la courbe d'indifférence de ce consommateur au point (4, 6).

**(b)** Donnez des exemples de points par lesquels passe la courbe d'indifférence sur laquelle est situé le point (4, 6). Représentez cette courbe d'indifférence en bleu. Incidemment, quelle est l'équation de la courbe d'indifférence passant par le point (4, 6) ?

**(c)** Burt consomme d'habitude le panier (4, 6). Ernie propose de donner à Burt 9 verres de lait si Burt lui donne 3 cookies. Quel sera son panier de consommation si Burt accepte un tel échange ? Burt refuse. A-t-il raison de prendre cette décision ? Indiquez le panier (1, 15) sur le graphique.

**(d)** Ernie dit à Burt : "Ton taux marginal de substitution est de -2. Donc, un cookie de plus vaut pour toi 2 fois plus qu'un verre de lait supplémentaire. Je t'offre 3 verres de lait pour chaque cookie que tu me donnes. Je t'offre plus que ton taux marginal de substitution, tu dois accepter l'échange". Burt lui réplique : "Tu as parfaitement raison. Mon taux marginal de substitution est de -2. Ce qui signifie que je suis prêt à accepter de *petits échanges* quand je peux avoir plus de 2 verres de lait chaque fois que je te donne 1 cookie. Mais 9 verres de lait contre 3 cookies est un trop gros échange. Vois-tu, mes courbes d'indifférence ne sont pas des droites". Burt serait-il prêt à échanger 1 cookie pour 3 verres de lait ? Aurait-il des objections à donner 2 cookies pour 6 verres de lait ?

**(e)** Sur le même graphique, tracez en rouge une droite de pente -3 au point (4, 6). Cette ligne représente tous les paniers que Burt peut obtenir en échangeant des cookies contre du lait (ou du lait contre des cookies) à un taux d'1 cookie pour 3 verres de lait. Seul ce segment représente les échanges augmentant la satisfaction de Burt plus que l'absence d'échange.

**3.4** [0] La fonction d'utilité de Philippe Rupp est $U(x, y) = max \{x, 2y\}$.

**(a)** Faites un graphique. Tracez (en bleu) la droite d'équation $x = 10$. Représentez également en bleu la droite d'équation $2y = 10$.

**(b)** Que vaut $U(x, y)$ si $x = 10$ et $2y < 10$ ? Que vaut $U(x, y)$ si $x < 10$ et $2y = 10$ ?

**(c)** Maintenant, utilisez de l'encre rouge pour tracer les courbes d'indifférences telles que $U(x, y) = 10$. Les préférences de Philippe sont-elles convexes ?

**3.5** [0] Vous vous en souvenez, Nancy Lerner suit le cours d'économie du professeur Stern. Elle subira deux examens partiels et sa note générale sera la plus petite des deux. Evidemment, Nancy souhaite obtenir la note la plus élevée à ce cours.

**(a)** Ecrivez une fontion d'utilité, $U(x_1, x_2)$, représentant les préférences de Nancy sur les combinaisons de notes $x_1$ et $x_2$ qu'elle obtiendra respectivement au premier et au second examen.

**3.6** [0]    Vous souvenez-vous de Shirley Packdedouze et Lorraine Quiche du chapitre précédent ? Shirley pense qu'une bouteille de bière de 50 centilitres lui procure deux fois plus de satisfaction qu'une canette de 25 centilitres. Lorraine ne boit que 25 centilitres de bière à la fois parce qu'elle répugne à boire de la bière tiède; elle pense donc qu'une bouteille de 50 centilitres ne procure ni plus ni moins de satisfaction qu'une canette de 25 cl.

**(a)**    Ecrivez une fonction d'utilité représentant les préférences de Shirley entre des paniers constitués de canettes de 25 et de canettes de 50 centilitres de bière. $X$ étant le nombre de canettes de 25 et $Y$ étant le nombre de bouteilles de 50 cl.

**(b)**    Ecrivez une fonction d'utilité qui représente les préférences de Lorraine.

**(c)**    La fonction $U(X, Y) = 100X + 200Y$ représente-t-elle les préférences de Shirley ? Qu'en est-il de la fonction $U(X, Y) = 100X + 200Y$; et, enfin, de la fonction $U(X, Y) = X + 3Y$ ?

**(d)**    Donnez un exemple de deux paniers de consommation tels que Shirley préfère le premier au second alors que Lorraine préfère le second au premier.

**3.7** [0]    Harry Mazzola a la fonction d'utilité $U(x_1, x_2) = min\{x_1 + 2x_2, 2x_1 + x_2\}$, où $x_1$ représente sa consommation de chips et $x_2$ sa consommation de frites.

**(a)**    Faites un graphique. Indiquez au crayon le lieu des points tels que $x_1 + 2x_2 = 2x_1 + x_2$. Utilisez de l'encre bleue pour représenter le lieu des points pour lesquels $x_1 + 2x_2 = 12$, ainsi que (toujours en bleu) les points pour lesquels $2x_1 + x_2 = 12$.

**(b)**    Sur ce même graphique, noircissez la région où les deux inégalités suivantes sont satisfaites *simultanément* : $x_1 + 2x_2 \geq 12$ et $2x_1 + x_2 \geq 12$. Quelles valeurs prennent $2x_1 + x_2$ et $x_1 + 2x_2$ pour le panier $(x_1, x_2) = (8, 2)$ ? Quelle est alors l'utilité retirée de la consommation de ce panier ?

**(c)**    Utilisez de l'encre noire pour représenter la courbe d'indifférence sur laquelle l'utilité d'Harry est de 12 et, en rouge, celle correspondant à une utilité de 6. (Indication : y-a-t-il quelque chose d'Harry qui vous rappelle Marie Muesli ?)

**(d)**    Lorsqu'Harry consomme 5 chips et 2 frites, combien de chips serait-il prêt à échanger contre une frite ?

**3.8** [1]    Vanna Boogie aime organiser des soirées gigantesques dans lesquelles elle préfère fortement qu'il y ait exactement autant d'hommes que de femmes. Les préférences de Vanna quant à ces soirées peuvent être représentées par la fonction d'utilité $U(x, y) = min\{2x - y, 2y - x\}$ où $x$ est le nombre de femmes et $y$ le nombre d'hommes présents à la soirée. Faites un graphique. Essayez de tracer la courbe d'indifférence pour laquelle l'utilité de Vanna est de 10.

**(a)**    Au crayon, tracez le lieu des points tels que $x = y$. Quel point de cette droite procure à Vanna une utilité de 10 ? En bleu, tracez la droite d'équation $2y - x = 10$. Quand $min\{2x - y, 2y - x\} = 2y - x$, y-a-t-il plus d'hommes que de femmes ou plus de femmes que d'hommes ? Tracez une ligne rouge sur la partie de la ligne bleue pour laquelle $U(x, y) = min\{2x - y, 2y - x\} = 2y - x$. Ceci représente toutes les combinaisons qui procurent à Vanna autant de satisfaction que (10, 10) et pour lesquelles il y a (selon votre réponse) soit plus d'hommes que de femmes, soit plus de femmes que d'hommes. Maintenant, tracez une ligne bleue le long de laquelle $2x - y = 10$. Tracez une ligne rouge sur la partie de la ligne bleue pour laquelle $min\{2x - y, 2y - x\} = 2x - y$. Utilisez un crayon pour noircir la partie du graphique qui représente toutes les combinaisons qui procurent à Vanna au moins autant d'utilité que (10, 10).

**(b)** Supposons qu'il y ait 9 hommes et 10 femmes à la soirée organisée par Vanna. Pense-t-elle que cette partie est plus réussie ou moins réussie que si 5 hommes de plus venaient à sa soirée ?

**(c)** Supposons que 16 femmes viennent à la soirée de Vanna et qu'il y ait plus d'hommes que de femmes. Elle pense que sa soirée est aussi réussie que s'il y avait eu 10 hommes et 10 femmes. En conséquence, combien d'hommes veut-elle voir à sa soirée ? Supposons que 16 femmes viennent à la soirée de Vanna et qu'il y ait plus de femmes que d'hommes. Elle pense que sa soirée est aussi réussie que s'il y avait eu 10 hommes et 10 femmes. En conséquence, combien d'hommes y-a-t-il à sa soirée ?

**(d)** Les courbes d'indifférence de Vanna ressemblent à une lettre de l'alphabet. Laquelle ?

**3.9** [0] Supposons que les fonctions d'utilité $u(x, y)$ et $v(x, y)$ soient liées par la relation $v(x, y) = f(u(x, y))$. Dans chacun des cas proposés ci-dessous, dites si la fonction $f$ est une transformation monotone croissante. (Indication pour les "matheux" : une fonction différentiable $f(u)$ est une fonction croissante de $u$ si sa dérivée est positive).

**(a)** $f(u) = 3,141592u$.

**(b)** $f(u) = 5.000 - 23u$.

**(c)** $f(u) = u - 100.000$.

**(d)** $f(u) = log_{10}u$.

**(e)** $f(u) = -e^{-u}$.

**(f)** $f(u) = 1/u$.

**(g)** $f(u) = -1/u$.

**3.10** [0] Les préférences de Martha Modeste sont représentées par la fonction d'utilité $U(a, b) = ab/100$, où $a$ est le nombre de crackers et $b$ le nombre de haricots qu'elle consomme.

**(a)** Faites un graphique. Représentez l'ensemble des paniers pour lesquels Martha est indifférente par rapport au panier constitué de 8 crackers et de 2 haricots. Représentez également les paniers pour lesquels Martha est indifférente par rapport au panier composé de 6 crackers et de 4 haricots.

**(b)** La fonction d'utilité qui représentent les préférences de Berthe Brassy est $V(a, b) = 1000a^2b^2$, où a est le nombre de crackers et b le nombre de haricots qu'elle consomme. Faites un graphique. Représentez l'ensemble des paniers pour lesquels Berthe est indifférente par rapport au panier formé de 8 crackers et de 2 haricots. Faites une représentation graphique pour les paniers indifférents au panier composé de 6 crackers et de 4 haricots.

**(c)** Les préférences de Martha sont-elles convexes ? Celles de Berthe sont-elles convexes ?

**(d)** Commentez les différences entre les courbes d'indifférence de Bertha et celles de Martha.

**(e)** Vous auriez pu arriver à ces conclusions avant d'avoir tracé les courbes d'indifférence. Pourquoi ?

**3.11** [0] Les préférences de Willy Wheeler sur des paniers contenant des quantités non-négatives de $x_1$ et $x_2$ sont représentées par la fonction d'utilité $U(x_1, x_2) = x_1^2 + x_2^2$.

**(a)** Dessinez quelques unes des courbes d'indifférences de Willy. A quelle figure géométrique ressemblent-elles ? Les préférences de Willy sont-elles convexes ?

**3.12** [0] Joe Bob a une fonction d'utilité donnée par $U(x_1, x_2) = x_1^2 + 2x_1x_2 + x_2^2$.

**(a)** Calculez le taux marginal de substitution de Joe, $TMS(x_1, x_2)$.

**(b)** Al, le cousin germain de Joe, a la fonction d'utilité $V(x_1, x_2) = x_2 + x_1$. Calculez le taux marginal de substitution d'Al, $TMS(x_1, x_2)$.

**(c)** Les fonctions $U(x_1, x_2)$ et $V(x_1, x_2)$ représentent-elles les mêmes préférences ? Pouvez-vous montrer que la fonction d'utilité de Joe est une transformation monotone de celle de Al ? (Indication : on dit que Joe Bob est quelqu'un de carré!).

# Le choix

## INTRODUCTION

Vous avez étudié le budget du consommateur et vous avez également étudié ses préférences. Il est temps de mettre ces deux idées ensemble et d'essayer d'en faire quelque chose. Ce chapitre est ainsi consacré à l'étude des paniers de consommation que choisit un consommateur maximisant son utilité à partir d'un budget donné.

Les prix et le revenu étant donnés, vous savez comment représenter graphiquement l'ensemble budgétaire d'un consommateur. Si vous connaissez également les préférences de ce consommateur, il vous est facile de tracer quelques unes de ses courbes d'indifférence. Le consommateur choisira la "meilleure" courbe d'indifférence qu'il peut atteindre, son budget étant donné. Vous vous demandez alors "comment trouver la courbe d'indifférence la plus désirable que le consommateur puisse atteindre ?" La réponse est la suivante : "regardez au bon endroit". C'est-à-dire ? Ainsi que votre manuel vous l'indique, ces bons endroits sont au nombre de trois : (i) le point de tangence entre la courbe d'indifférence et la droite de budget; (ii) un coude dans une courbe d'indifference ; (iii) un "coin" lorsque le consommateur ne consomme qu'un seul bien.

Voilà comment trouver un point de tangence si vous connaissez la fonction d'utilité du consommateur, les prix des deux biens et le revenu du consommateur. Le point

$(x_1, x_2)$ est un point de tangence entre une droite de budget et une courbe d'indifférence si elles ont la même pente en ce point. Or, la pente d'une courbe d'indifférence en $(x_1, x_2)$ est égale à $-Um_1(x_1, x_2)/Um_2(x_1, x_2)$ (cette pente est également connue comme étant le taux marginal de substitution). La pente de la droite de budget est $-p_1/p_2$. Par conséquent, une droite de budget et une courbe d'indifférence sont tangentes au point $(x_1, x_2)$ quand $-Um_1(x_1, x_2)/Um_2(x_1, x_2) = -p_1/p_2$. Ceci est *une* équation à *deux* inconnues. Si nous voulons la résoudre, nous avons besoin d'une autre équation. Il s'agit de l'équation de la droite de budget $p_1x_1 + p_2x_2 = R$. Vous avez donc un système de *deux* équations à *deux* inconnues dont la résolution vous donne $(x_1, x_2)$.

---

**EXEMPLE**  Un consommateur a pour fonction d'utilité $U(x_1, x_2) = x_1^2x_2$. Le prix du bien 1 est $p_1 = 1$; le prix du bien 2 est $p_2 = 3$; le revenu du consommateur est $R = 180$. Les utilités marginales sont $Um_1(x_1, x_2) = 2x_1x_2$ et $Um_2(x_1, x_2) = x_1^2$. Le taux marginal de subsitution est donc : $-Um_1(x_1, x_2)/Um_2(x_1, x_2) = -2x_1x_2/x_1^2 = -2x_2/x_1$. Ceci implique que la courbe d'indifférence sera tangente à la droite de budget lorsque $-2x_2/x_1 = p_1/p_2 = -1/3$. En simplifiant, on obtient $6x_2 = x_1$. Ceci est la première des deux équations que nous devons avoir pour trouver les deux inconnues que sont $x_1$ et $x_2$. L'autre équation est l'équation de la contrainte de budget, en l'occurence, $x_1 + 3x_2 = 180$. La résolution du système formé par ces deux équations donne $x_1 = 120$ et $x_2 = 20$. Le consommateur choisira donc le panier $(x_1, x_2) = (120, 20)$.

Pour l'équilibre au coude d'une courbe d'indifférence ou à un coin, il n'est pas nécessaire que la pente de la courbe d'indifférence soit égale à la droite de budget. Nous ne travaillerons donc pas avec l'équation de la tangente, mais nous conservons l'équation de la droite de budget. La seconde équation que vous utiliserez est celle qui vous dit que vous êtes à un coude ou à un coin. Vous verrez exactement comment cela fonctionne dans quelques-uns des exercices.

---

**EXEMPLE**  Un consommateur a pour fonction d'utilité $U(x_1, x_2) = min\{x_1, 3x_2\}$. Le prix du bien 1 est $p_1 = 2$; le prix du bien 2 est $p_2 = 1$; le revenu du consommateur est $R = 140$. Ses courbes d'indifférence ont une forme en *L*. Les coins des "*L*" sont tous situés sur la droite $x_1 = 3x_2$. Ce consommateur choisira une consommation située sur l'un des coins; ceci nous indique donc l'une des deux équations dont nous avons besoin. La seconde équation est toujours donnée par la droite de budget, qui est $2x_1 + x_2 = 140$. La résolution du système nous donne $x_1 = 60$ et $x_2 = 20$. Le consommateur choisira le panier $(x_1, x_2) = (60, 20)$.

Quand vous aurez terminé ces exercices, nous espérons que vous serez capable de faire les choses suivantes :

- Calculer le panier optimal qu'un consommateur peut obtenir à un revenu et des prix donnés pour une fonction d'utilité simple, c'est-à-dire lorsque ce panier est situé à un point de tangence.

---

1   Quelques uns parmi vous ont des problèmes pour se souvenir si le taux marginal de substitution est $-Um_1/Um_2$ ou $-Um_2/Um_1$. Il n'est pas réellement important de se souvenir du sens dans lequel le *TMS* se calcule dès lors que vous vous souvenez que le point de tangence est celui pour lequel le rapport des utilités marginales de deux biens est égal au rapport des prix de ces deux biens.

- Trouver le panier optimal, à un revenu et des prix donnés, dans le cas de courbes d'indifférence coudées.

- Reconnaître les exemples standards de paniers optimaux d'un consommateur situés à un coin de l'ensemble budgétaire.

- Représenter graphiquement chacun de ces différents types d'équilibre.

- Appliquer les méthodes apprises à des situations de choix où les contraintes budgétaires sont non-linéaires, ainsi que cela se produit dans la réalité.

**4.1** [0]  Nous commençons à nouveau avec Charlie, ses pommes et ses bananes. Rappellez-vous que sa fonction d'utilité est $U(x_A, x_B) = x_A x_B$. Supposons que le prix des pommes soit de 1, le prix des bananes de 2, et le revenu de Charlie de 40.

**(a)**  Faites un graphique. Tracez en bleu la droite de budget de Charlie. (Utilisez une règle et représentez cette droite de la manière la plus précise possible). Représentez des points procurant à Charlie une utilité de 150 et tracez en rouge la courbe d'indifférence correspondant. Maintenant, représentez des points sur la courbe d'indifférence procurant à Charlie une utilité de 300 et tracez en noir cette courbe d'indifférence.

**(b)**  Charlie peut-il obtenir au moins l'un des paniers lui procurant une utilité de 150 ?

**(c)**  Charlie peut-il obtenir au moins l'un des paniers lui procurant une utilité de 300 ?

**(d)**  Sur le graphique, indiquez le point que Charlie peut atteindre et qui lui donne une utilité plus grande que 150. Soit A ce point.

**(e)**  Aucune des deux courbes d'indifférence tracées à la question (a) n'est tangente à la droite de budget de Charlie. Essayons d'en trouver une. En tout point $(x_A, x_B)$, le taux marginal de substitution de Charlie est une fonction de $x_A$ et $x_B$. En calculant le rapport des utilités marginales, vous trouvez que le taux marginal de substitution de Charlie est $TMS(x_A, x_B) = -x_B/x_A$. Ceci est la pente de la courbe d'indifférence au point $(x_A, x_B)$. Quelle est la pente de la droite de budget de Charlie ? (Donnez une réponse numérique).

**(f)**  Ecrivez l'équation d'une droite telle que la droite de budget soit tangente à la courbe d'indifférence en $(x_A, x_B)$. Cette équation a plusieurs solutions. Chacune de ces solutions correspond à un point sur une courbe d'indifférence. Tracez en noir la droite qui relie tous ces points.

**(g)**  Le panier optimal que Charlie peut se procurer doit se trouver sur cette droite. Il doit également être situé sur la droite de budget. Si ce point est au-dessus de la droite de budget, Charlie ne peut pas se procurer le panier correspondant; si le point est en-dessous, il peut obtenir un panier supérieur en achetant plus des deux biens. Soit $E$ ce panier optimal que Charlie peut obtenir. Donnez les coordonnées, $x_A$ et $x_B$, de ce point. Vérifiez que cette réponse est une solution du système d'équations formé par l'équation de la droite de budget et l'équation de la condition de tangence.

**(h)**  Quelle utilité procure à Charlie la consommation du panier (20, 10) ?

**(i)**   Sur le graphique, représentez en rouge la courbe d'indifférence passant par (20, 10). Cette courbe coupe-t-elle la droite de budget de Charlie, la touche juste ou ne la touche pas ?

**4.2** [0]   La fonction d'utilité de Clara est $U(X, Y) = (X + 2)(Y + 1)$ ou $X$ est sa consommation de bien $X$ et $Y$ sa consommation de bien $Y$.

**(a)**   Ecrivez l'équation de la courbe d'indifférence de Clara qui passe par le point $(X, Y) = (2, 8)$. Faites un graphique. Représentez la courbe d'indifférence correspondant à une utilité $U = 36$.

**(b)**   Supposons que le prix de chaque bien soit de 1 et que le revenu de Clara soit de 11. Tracez sur le graphique sa contrainte de budget. Clara peut-elle atteindre une utilité de 36 avec son revenu ?

**(c)**   Au panier de consommation $(X, Y)$, quel est le taux marginal de substitution de Clara ?

**(d)**   En posant l'égalité entre la valeur absolue du *TMS* et du rapport des prix, quelle équation obtenons nous ?

**(e)**   Quelle est l'équation de la droite de budget ?

**(f)**   Quelles sont les solutions de ce système de deux équations à deux inconues, $X$ et $Y$ ?

**4.3** [0]   Ambroise, le consommateur de noisettes et de baies sauvages, a une fonction d'utilité $U(x_1, x_2) = 4\sqrt{x_1} + x_2$, où $x_1$ est sa consommation de noisettes et $x_2$, sa consommation de baies sauvages.

**(a)**   Le panier de consommation (25, 0) procure à Ambroise une utilité de 20. (16, 4) lui procure la même utilité. Donnez des exemples d'autres paniers lui procurant une utilité identique. Faites un graphique sur lequel vous indiquerez ces points. Tracez, en rouge, la courbe d'indifférence qui relie ces points.

**(b)**   Supposons que le prix d'une noisette soit de 1, et celui d'un baie de 2. Le revenu d'Ambroise est de 24. Tracez, sur le même graphique et à l'encre bleue, la droite de budget d'Ambroise. Combien de noisettes choisit-il d'acheter ?

**(c)**   Combien de baies sauvages ?

**(d)**   Trouvez des paniers qui procurent à Ambroise une utilité de 25 et tracez (en rouge) sur le graphique la courbe d'indifférence correspondant à cette utilité.

**(e)**   Maintenant, supposons que les prix n'aient pas varié, mais que le revenu d'Ambroise soit de 34. Représentez sa nouvelle droite de budget (à l'aide d'un crayon). Combien de noisettes va-t-il choisir d'acheter ? Combien de baies sauvages ?

**(f)**   A présent, étudions un cas où il y a une "solution frontière". Supposons que le prix des noisettes soit inchangé (toujours égal à 1) et que le prix des baies soit toujours de 2. Cependant, dans cette nouvelle situation, le revenu d'Ambroise est seulement de 9. Tracez la nouvelle droite de budget (encre bleue). Dessinez la courbe d'indifférence passant par le point (9, 0). Quelle est la pente de la courbe d'indifférence en ce point ?

**(g)** Quelle est la pente de la droite de budget en ce point ?

**(h)** Laquelle des deux a, en ce point, la pente la plus forte ?

**(i)** Ambroise peut-il acheter des paniers qu'il préfère au panier (9, 0) ?

**4.4** [1]    Nancy Lerner essaye de déterminer comment répartir son temps d'études pour son cours d'économie. Il y a deux examens. Sa note globale sera constituée par le *minimum* des deux notes obtenues lors des deux examens partiels. Elle a décidé de consacrer 1200 minutes de travail pour ces deux examens; elle désire évidemment avoir la note globale la plus élevée possible. Elle sait que, si elle ne travaille pas du tout pour son premier examen, sa note sera de 0. Pour chaque 10 minutes passées à étudier pour son premier examen partiel, elle accroît sa note d'un point. Le raisonnement de Nancy est le même en ce qui concerne le second examen : si elle n'étudie pas, elle aura 0; sa note augmentera d'un point pour chaque 20 minutes passées à étudier pour ce second examen.

**(a)** Faites un graphique. Représentez la "droite de budget" montrant les différentes combinaisons de notes que Nancy peut obtenir à chacun des examens avec un temps total d'étude de 1200 minutes. Représentez également 2 ou 3 "courbes d'indifférence" de Nancy. Tracez une droite qui passe par les coudes des courbes d'indifférence de Nancy. Soit A le point pour lequel cette droite coupe la contrainte budgétaire de Nancy. Représentez la courbe d'indifférence de Nancy en ce point.

**(b)** Ecrire une équation pour la droite passant par les coudes des courbes d'indifférence de Nancy.

**(c)** Ecrire une équation pour la droite de budget de Nancy.

**(d)** Résoudre le système de deux équations à deux inconnues ainsi formé. La solution $(x_1, x_2)$ correspond à l'intersection entre ces deux droites.

**(e)** Sachant qu'elle passe 1200 minutes à étudier, quel volume horaire (nombre de minutes) devra-t-elle consacrer à la révision de son premier examen et de son second examen pour maximiser sa note globale ?

**4.5** [1]    Dans son cours de communication, Nancy passe aussi deux examens partiels. Dans ce cours, la note globale sera constituée par le *maximum* des deux notes partielles. Nancy décide de passer 400 minutes pour préparer ces deux examens. Si elle passe $m_1$ minutes à étudier pour le premier examen, sa note sera de $x_1 = m_1/5$; si elle passe $m_2$ minutes à étudier pour le second examen, sa note sera de $x_2 = m_2/10$.

**(a)** Faites un graphique. Représentez une "droite de budget" montrant les différentes combinaisons de notes que Nancy peut obtenir à chacun des examens avec un temps total d'étude de 400 minutes. Représentez également 2 ou 3 "courbes d'indifférence" de Nancy. Trouvez le point de la droite de budget qui donne la meilleure note globale.

**(b)** Sachant qu'elle passe 400 minutes à étudier, quel volume horaire (nombre de minutes) devra-t-elle consacrer à la révision de son premier examen et de son second examen pour maximiser sa note globale ?

**(c)** Quelle sera alors sa note globale ?

**4.6** [0]    Elmer a comme fonction d'utilité $U(x, y) = min \{x, y^2\}$.

**(a)** Quelle utilité Elmer retire-t-il de la consommation de 4 unités de $x$ et 3 unités de $y$ ?

**(b)** Quelle utilité Elmer retire-t-il de la consommation de 4 unités de $x$ et 2 unités de $y$ ?

**(c)** Quelle utilité Elmer retire-t-il de la consommation de 5 unités de $x$ et 2 unités de $y$ ?

**(d)** Faites un graphique. Tracez à l'encre bleue la courbe d'indifférence d'Elmer qui correspond aux paniers qui lui procurent autant d'utilité que le panier (4, 2).

**(e)** Sur ce même graphique, et toujours en bleu, tracez les courbes d'indifférence d'Elmer qui correspondent aux paniers qui lui procurent autant d'utilité que le panier (1, 1) et celle qui passe par le point (16, 5).

**(f)** Sur ce graphique, utilisez du noir pour indiquer le lieu des points pour lesquels les courbes d'indifférence d'Elmer présentent des coudes. Quelle est l'équation de cette courbe ?

**(g)** Sur le même graphique, en noir, dessinez la droite de budget d'Elmer lorsque le prix de $x$ est égal à 1, le prix de $y$ égal à 2 et son revenu égal à 8. Quel panier Elmer choisit-il de consommer dans ce cas ?

**(h)** Supposons que le prix de $x$ est 10, celui de $y$ de 15 et qu'Elmer achète 100 unités de $x$. Quel est son revenu ? (Indication : à première vue, vous pourriez penser ne pas avoir assez d'information pour répondre à cette question. Mais cherchez à savoir combien d'unités de $y$ Elmer demandera s'il choisit de consommer 100 unités de $x$).

**4.7** [0]    Linus a la fonction d'utilité $U(x, y) = x + 3y$.

**(a)** Faites un graphique. Représentez en bleu la courbe d'indifférence passant par le point $(x, y) = (3, 3)$. En noir, dessinez la courbe d'indifférence qui relie les paniers donnant à Linus une utilité de 6.

**(b)** Sur le même graphique, utilisez de l'encre rouge pour dessiner la droite de budget de Linus si le prix de $x$ est de 1, le prix de $y$ de 2 et son revenu de 8. Quel panier Linus choisit-il de consommer dans cette situation ?

**(c)** Quel panier Linus choisirait-il dans le cas où le prix de $x$ serait de 1, celui de $y$ de 4 et son revenu de 8 ?

**4.8** [2]    Vous souvenez-vous de notre ami Ralph Rigid du chapitre 2 ? Son restaurant préféré, *Manger pour Penser*, a mis au point la formule suivante pour réduire l'affluence à l'heure du déjeuner : si vous vous présentez pour manger $t$ heures avant ou après midi, l'addition se trouve réduite de $t$ francs (ceci est aussi valable pour les parties d'heures).

**(a)** Faites un graphique. L'axe horizontal mesure l'heure du jour à laquelle Ralph prends son repas et l'axe vertical, la quantité d'argent qu'il dépensera pour autre chose que son repas. Utilisez de l'encre bleue pour représenter l'ensemble budgétaire de Ralph. Supposons qu'il ait 20 francs à dépenser et que son repas lui en coûte 10. (Indication : essayez de répondre aux questions : combien d'argent lui restera-t-il s'il déjeune à midi ? à 13 heures ? à 11 heures ?)

**(b)** Rappelez-vous que l'heure préférée de Ralph pour prendre son repas est midi. Mais il est prêt à déjeuner à une autre heure si son repas est suffisamment bon marché. Représentez des courbes d'indifférence si Ralph choisit de déjeuner à 11 heures.

**4.9** [0]    Joey Ramone a de la chance. Après avoir eu son DEUG de sciences économiques en France, il a obtenu une bourse pour poursuivre ses études aux Etats-Unis. Sa bourse couvre uniquement ses frais d'inscription et la location d'un appartement. S'il veut s'en sortir, Joey doit travailler, et gagner $ 100 par mois. Avec ces $ 100, il doit payer sa nourriture et les charges de fonctionnement de son appartement, c'est-à-dire des dépenses de chauffage quand il chauffe et des dépenses de climatiseur quand il veut rafraîchir l'atmosphère. Pour augmenter la température de son appartement de 1 degré, il doit dépenser $ 2 par mois (ou $ 20 par mois pour 10 degrés). Utiliser la climatisation pour rafraîchir son appartement d'un degré lui coûte $ 3 par mois. Une fois réglées ses dépenses de chauffage et de climatisation, il dépense tout ce qui lui reste pour acheter de la nourriture à $ 1 l'unité.

**(a)** Quand Joey Ramone arrive en septembre à l'université, la température de son appartement est de 60 degrés (Farenheit!) [2]. S'il ne dépense rien en chauffage ou climatisation, la température restera à 60 degrés et il lui restera $ 100 à dépenser pour se nourrir. S'il chauffe son appartement jusqu'à 70 degrés, combien lui restera-t-il à dépenser pour la nourriture ? S'il rafraîchit son appartement jusqu'à 50 degrés, combien lui restera-t-il à dépenser pour la nourriture ? Faites un graphique. Représentez la contrainte de budget de Joey pour septembre (encre noire). (Indication : il vous suffit de trouver 3 points que Joey peut se payer. Apparemment, son ensemble budgétaire n'est pas limité par une seule droite).

**(b)** En décembre, la température extérieure est de 30 degrés et en août, quand le pauvre Joey Ramone s'échine à comprendre son cours de macroéconomie, la température est de 85 degrés. Sur le même graphique que précédemment, dessinez les contraintes budgétaires auxquelles Joey est confronté en décembre (en bleu) et en août (en rouge).

**(c)** Tracez quelques courbes d'indifférence (normales) de Joey pour que les affirmations suivantes soient vraies : (i) la température (intérieure) favorite de Joey est de 65 degrés s'il ne dépense rien pour augmenter ou baisser la température; (ii) Joey choisit d'utiliser le chauffage en décembre, le climatiseur en août et ni l'un ni l'autre en septembre; (iii) Joey préfère le mois de décembre au mois d'août.

---

2 Environ 15° centigrades.

**(d)** Quels sont les mois pour lesquels la pente de la contrainte budgétaire de Joey est égale à la pente de sa courbe d'indifférence ?

**(e)** En décembre, quel est le taux marginal de substitution de Joey entre la nourriture et les degrés Farenheit ? Quel est son TMS en août ?

**(f)** Puisque Joey ne chauffe ni ne refroidit son appartement en septembre, ne ne pouvons pas déterminer la valeur exacte de son TMS. Nous pouvons néanmoins déterminer les valeurs limites (inférieure et supérieure) entre lesquelles il est compris. Quelles sont ces valeurs ? (Indication : regardez avec attention votre graphique).

**4.10** [0]  L'Ecole Centrale des Hautes Etudes Commerciales dispose d'un budget de 600 000 francs pour acheter des ordinateurs et autre équipement. Sa contrainte de budget s'écrit $I + X = 600\,000$, dans laquelle $I$ représente les dépenses en matériel informatique et $X$ les autres dépenses d'équipement. L'objectif de l'E.C.H.E.C. est de dépenser 200 000 francs pour les ordinateurs. La Commission Nationale pour l'Education cherche à promouvoir le savoir-faire informatique dans les Grandes Écoles. Dans ce but, elle propose les plans suivants :

**Plan A :** Ce plan consiste à accorder 100 000 francs à chaque école — celle-ci les dépensant selon ses désirs.

**Plan B :** D'après ce plan, chaque école reçoit 100 000 francs à condition de dépenser au moins 100 000 francs de plus que ses dépenses courantes en matériel informatique. Chaque école peut décider de ne pas participer. Dans ce cas, elle ne reçoit aucune subvention mais n'a pas à augmenter ses dépenses informatiques.

**Plan C :** Ce plan prévoit que, chaque fois qu'une école dépense une valeur de 1 franc en matériel informatique, l'Etat lui verse 0,5 franc.

**Plan D :** Ce plan est le même que le plan $C$, à l'exception d'une limite aux fonds que l'école pourra recevoir de l'Etat fixée à 100 000 francs.

**(a)** Ecrivez l'équation de budget de l'Ecole Centrale des Hautes Etudes Commerciales si le plan $A$ est adopté. Représentez cette contrainte de budget avec de l'encre noire.

**(b)** Si le plan $B$ est adopté, l'ensemble budgétaire de l'Ecole Centrale des Hautes Etudes Commerciales est borné par deux demi-droites de pente décroissante. L'une de ces demi-droites décrit le cas pour lequel l'E.C.H.E.C. achète au moins pour 300 000 francs d'ordinateurs. Cette demi-droite est comprise entre deux points. L'un a pour coordonnées $(I, X) = (700\,000, 0)$. Quelles sont les coordonnées de l'autre ?

**(c)** L'autre demi-droite correspond au cas pour lequel l'E.C.H.E.C. dépense moins de 300 000 francs pour acheter des ordinateurs. Cette demi-droite est comprise entre deux points. L'un a pour coordonnées $(I, X) = (0, 600\,000)$. Quelles sont les coordonnées de l'autre ? Représentez graphiquement ces deux demi-droites avec de l'encre rouge.

**(d)** Le plan $C$ étant choisi, si l'Ecole Centrale des Hautes Etudes Commerciales dépense $I$ francs pour les ordinateurs, alors il lui restera $X = 600\,000 - 0,5\,I$ francs à répartir sur les autres dépenses. Quelle est alors l'équation de sa contrainte budgétaire ? Représentez la en bleu.

**(e)** Si le plan *D* est adopté, le budget de l'école est constitué de deux segments. Quelles sont les dépenses en ordinateurs et en autre matériel correspondant à l'intersection entre ces deux segments de droite ?

**(f)** Quelle est la pente de la demi-droite la plus plate ? Quelle est la pente de la demi-droite la plus raide ? Dessinez-la au crayon.

**4.11** [0] Supposons que l'Ecole Centrale des Hautes Etudes Commerciales ait des préférences qu'il soit possible de représenter par la fonction d'utilité $U(I, X) = IX^2$. Essayons de voir comment les différents plans décrits dans l'exercice précédent affectent les dépenses consacrées par l'Ecole aux ordinateurs.

**(a)** Si l'Etat n'adopte aucun des plans présentés, trouvez les sommes consacrées à l'achat d'ordinateurs qui maximisent l'utilité de l'Ecole sous sa contrainte budgétaire.

**(b)** Si le plan *A* est adopté, trouvez les sommes consacrées à l'achat d'ordinateurs qui maximisent l'utilité de l'Ecole sous sa contrainte budgétaire.

**(c)** Sur le graphique, dessinez la courbe d'indifférence passant par le point (300 000, 400 000) si le plan *B* est adopté. En ce point, laquelle, de la courbe d'indifférence ou la droite de budget, a la pente la plus forte ?

**(d)** Si le plan *B* est choisi, trouvez les sommes consacrées à l'achat d'ordinateurs qui maximisent l'utilité de l'Ecole sous sa contrainte budgétaire. (Indication : regardez votre graphique).

**(e)** Si le plan *C* est choisi, trouvez les sommes consacrées à l'achat d'ordinateurs qui maximisent l'utilité de l'Ecole sous sa contrainte budgétaire.

**(f)** Si le plan *D* est choisi, trouvez les sommes consacrées à l'achat d'ordinateurs qui maximisent l'utilité de l'Ecole sous sa contrainte budgétaire.

**4.12** [0] Les *Télécoms* veulent modifier la tarification des communications téléphoniques. Ils se proposent de choisir entre deux options. (1) Pour 60 francs par mois, vous pouvez donner autant de communications locales que vous le souhaitez sans supplément. (2) Les communications locales sont facturées 40 francs par mois et 0,25 franc en plus par communication. Supposons que vous dépensiez 100 francs par mois.

**(a)** Faites un graphique. Représentez en noir la contrainte budgétaire d'une personne qui choisit la première tarification; en rouge, celle d'une personne qui choisit la seconde. Où se coupent ces deux droites ?

**(b)** Sur le graphique précédent, représentez en noir les courbes d'indifférence d'une personne qui préfère la seconde tarification à la première. Représentez en bleu les courbes d'indifférence d'une personne qui préfère la première tarification à la seconde.

**4.13** [1] Enigme — *just for fun* ! Lewis Carrol (1832-1898), l'auteur d'*Alice au pays des merveilles* et d'*A travers le miroir*, était un mathématicien, logicien et un politiste. Carrol aimait réfléchir sur des énigmes. Dans le passage suivant, Alice présente un joli morceau d'analyse économique. A première vue, il pourrait sembler que ce que dit Alice n'ait aucun sens. Pourtant son raisonnement est impeccable.

*"J'aimerais acheter un œuf s'il vous plaît, dit-elle, intimidée : Combien les vendez-vous ?"*

*"Cinq pence et un farthing l'un ; deux pence les deux" répondit la Brebis.*

*"Deux œufs coûtent donc moins cher qu'un seul ?" demanda Alice, surprise, tirant de sa poche son porte-monnaie.*

*"Oui, mais si vous en achetez deux, vous êtes absolument obligée de les manger tous les deux" répliqua la Brebis.*

*"Alors je n'en prendrai qu'un seul, s'il vous plaît" dit Alice en déposant l'argent sur le comptoir. Car en son for intérieur, elle pensait : Il est possible qu'ils ne soient pas fameux, voyez-vous bien"* [3].

**(a)** Essayons de dessiner l'ensemble budgétaire et les courbes d'indifférence qui correspondent à cette histoire. Supposons qu'Alice ait un total de 8 pence à dépenser et qu'elle puisse acheter soit 0, soit 1, soit 2 œufs à la brebis — seulement des œufs entiers. Son ensemble budgétaire est donc constitué uniquement de 3 points. Faites un graphique sur lequel vous indiquerez ces points. Le point $A$ pour lequel elle n'achète aucun œuf est $(0, 16)$. Le point $B$, pour lequel elle achète 1 œuf, est $(1, 2,75)$ (un farthing vaut $1/4$ de penny).

**(b)** Quelles sont les coordonnées du point pour lequel elle achète 2 œufs ? Soit $C$ ce point. Indiquez le sur le graphique. Si Alice choisit d'acheter 1 œuf, préfère-t-elle le panier $B$ au panier $A$ ou au panier $C$ ? Représentez les courbes d'indifférence cohérentes avec ce comportement.

---

3  "De l'autre côté du miroir", L. Carrol, traduction Henri Parisot, in *Tout Alice*, Paris, Garnier-Flammarion, 1979, p. 273.

# La demande

## INTRODUCTION

Le chapitre précédent vous a appris à trouver le panier de consommation qu'un consommateur, avec une fonction d'utilité donnée, choisira dans une situation prix-revenu spécifique. Franchissons une étape supplémentaire. Dans ce chapitre, nous déterminons les *fonctions* de demande. Celles-ci nous indiquent, pour n'importe quelle combinaison de prix et de revenu, la quantité de chaque bien désirée par le consommateur. De manière générale, la quantité demandée de chaque bien dépend non seulement du prix de ce bien mais également du prix des autres biens et du revenu. Lorsqu'il y a deux biens, nous écrivons les fonctions de demande pour les biens 1 et 2 sous la forme $x_1(p_1, p_2, R)$ et $x_2(p_1, p_2, R)$ [1].

Quand le consommateur choisit des quantités positives de tous les biens et que les courbes d'indifférence ne présentent aucune anomalie, le consommateur choisit un panier correspondant au point de tangence entre la droite de budget et la courbe d'indifférence la plus élevée qu'il puisse atteindre.

---

1 Pour certaines fonctions d'utilité, la demande pour un bien ne sera pas affectée par toutes ces variables. C'est le cas des fonctions Cobb-Douglas. La demande pour un bien ne dépend que du prix de ce bien et du revenu mais non du prix de l'autre bien. Quoi qu'il en soit, écrire la fonction de demande pour le bien comme une fonction de $p_1$, $p_2$ et $R$ est toujours valable. Dans le cas de ces fonctions, il vient tout simplement que la dérivée de $x_1(p_1, p_2, R)$ par rapport à $p_2$ est nulle.

---

**EXEMPLE**   Soit un consommateur dont la fonction d'utilité est $U(x_1, x_2) = (x_1 + 2)(x_2 + 10)$. Pour trouver $x_1(p_1, p_2, R)$ et $x_2(p_1, p_2, R)$, il nous faut déterminer un panier de consommation ($x_1$, $x_2$) situé sur la droite de budget de ce consommateur et pour lequel sa courbe d'indifférence est tangente à la droite de budget. La droite de budget sera tangente à une courbe d'indifférence au point ($x_1$, $x_2$) si le rapport des prix est égal au taux marginal de substitution. Pour cette fonction d'utilité, $Um_1(x_1, x_2) = x_2 + 10$ et $Um_2(x_1, x_2) = x_1 + 2$. Par conséquent, l'équation de la tangente est $p_1/p_2 = (x_2 + 10)/(x_1 + 2)$. Le produit en croix donne $p_1 x_1 + 2p_1 = p_2 x_2 + 10p_2$.

Le panier choisi doit aussi satisfaire la contrainte budgétaire, $p_1 x_1 + p_2 x_2 = R$. Vous disposez donc de deux équations à deux inconnues, $x_1$ et $x_2$, que vous pouvez résoudre tout seul. Vous trouvez alors les deux fonctions de demande :

$$x_1 = (R - 2p_1 + 10p_2) / 2p_1$$
$$x_2 = (R + 2p_1 - 10p_2) / 2p_2$$

Le travail n'est pas tout à fait terminé. Vous devez vous inquiéter encore d'une chose à propos de ces fonctions de demande. Vous remarquez que ces expressions ne sont positives que si $R - 2p_1 + 10p_2 > 0$ et $R + 2p_1 - 10p_2 > 0$. S'il arrivait que l'une de ces expressions (ou les deux) soit négative, les fonctions de demande n'auraient plus aucun sens. En effet, cela signifierait que le consommateur choisirait une solution en coin, telle qu'il ne consommerait que l'un des deux biens. En ce point, sa courbe d'indifférence n'est plus tangente à sa droite de budget.

Quand un consommateur a des courbes d'indifférence coudées, il peut choisir un panier qui correspond à un de ces coudes. Lorsque vous serez confronté à ce type de problèmes, vous pourrez trouver les fonctions de demande assez facilement en regardant les graphiques et en faisant un peu d'algèbre. Par exemple, au lieu de trouver l'équation de la tangente, vous devrez chercher l'équation qui vous dit où se trouve le coude. Vous trouverez la fonction de demande en résolvant le système formé par cette équation et par l'équation de la contrainte budgétaire.

Vous vous demandez sans doute pourquoi ne pas porter plus d'attention à ces courbes d'indifférence droites ou anormales, et autres problèmes tout aussi amusants. La raison est que ces cas amusants sont généralement assez faciles à traiter. Souvent, vous aurez à faire un graphique et à réfléchir à ce que vous faites. Penser et utiliser des graphiques : voilà ce que nous voulons vous incviter à faire. Ne vous contentez pas d'apprendre par cœur des formules. Vous oublierez les formules mais vous ne perdrez jamais l'habitude de réfléchir.

Quand vous aurez terminé ces exercices, nous espérons que vous serez capable de faire les choses suivantes :

- Trouver les fonctions de demande de consommateurs ayant des fonctions d'utilité Cobb-Douglas ou similaires.

- Trouver les fonctions de demande de consommateurs ayant des fonctions d'utilité quasi-linéaires.

- Trouver les fonctions de demande de consommateurs ayant des courbes d'indifférence coudées et de consommateurs dont les courbes d'indifférence sont des droites.

- Reconnaître les biens complémentaires et substituables à partir de la forme des fonctions de demande.

- Reconnaître les biens normaux, inférieurs, de luxe et nécessaires à partir de la forme des fonctions de demande.

- Calculer l'équation d'une courbe de demande inverse, étant donné l'équation d'une fonction de demande simple.

**5.1 [0]** Charlie est de retour! Il consomme toujours des pommes et des bananes. Sa fonction d'utilité est $U(x_A, x_B) = x_A x_B$. Nous voudrions que vous trouviez sa fonction de demande de pommes, $x_A(p_A, p_B, R)$ et sa fonction de demande de bananes, $x_B(p_A, p_B, R)$.

**(a)** Quand les prix sont $p_A$ et $p_B$ et que le revenu de Charlie est $R$, l'équation de sa droite de budget est $p_A x_A + p_B x_B = R$. Quelle est la pente de la courbe d'indifférence de Charlie au point $(x_A, x_B)$ ? Quelle est la pente de la droite de budget de Charlie ? Donnez l'expression de l'équation qui indique que la courbe d'indifférence de Charlie est tangente à sa droite de budget au point $(x_A, x_B)$.

**(b)** Vous avez maintenant deux équations, l'équation de la contrainte budgétaire et l'équation de la tangente, qui doivent être vérifiées par le panier demandé. Résolvez ces deux équations en $x_A$ et $x_B$. Quelle est la fonction de demande de pommes de Charlie ? Quelle est sa fonction de demande de bananes ?

**(c)** De manière générale, la fonction de demande des deux biens dépend des prix des deux biens et du revenu. Mais pour la fonction d'utilité de Charlie, la fonction de demande de pommes ne dépend que du revenu et du prix des pommes. De même, la fonction de demande des bananes ne dépend que du revenu et du prix des bananes. Charlie dépense donc toujours la même part de son revenu pour acheter des bananes. Quelle est-elle ?

**5.2 [0]** Les préférences de Douglas Champdeblé sont représentées par la fonction d'utilité $U(x_1, x_2) = x_1^2 x_2^3$. Les prix de $x_1$ et $x_2$ sont $p_1$ et $p_2$.

**(a)** Quelle est la pente de la courbe d'indifférence de Champdeblé au point $(x_1, x_2)$ ?

**(b)** Si la droite de budget de Champdeblé est tangente à sa courbe d'indifférence au point $(x_1, x_2)$, que vaut le rapport $p_1 x_1 / p_2 x_2$ ? (Indication : jetez un coup d'œil à l'équation qui donne l'égalité entre la pente de la courbe d'indifférence et la droite de budget). Quand Douglas consomme le meilleur panier qu'il puisse obtenir, quelle est la part de son revenu qu'il dépense en $x_1$ ?

**(c)** Des membres de la famille de Douglas ont des fonctions d'utilité similaires mais dont les exposants sont différents ou dont les utilités sont multipliées par des constantes positives. Si un parent de Douglas a comme fonction d'utilité $U(x, y) = c x^a y^b$, où $c$, $a$ et $b$ sont des nombres positifs, quelle fraction de son revenu ce proche parent de Douglas dépensera-t-il en $x$ ?

**5.3** [0]    Ambroise consomme toujours des noisettes et des baies sauvages. Sa fonction d'utilité est $U(x_1, x_2) = 4 \sqrt{x_1} + x_2$, où $x_1$ et $x_2$ représentent respectivement les quantités de noisettes et de baies sauvages qu'il consomme.

**(a)**    Déterminons sa fonction de demande en noisettes. Quelle est la pente de la courbe d'indifférence d'Ambroise au point $(x_1, x_2)$ ? En posant l'égalité entre la pente de la courbe d'indifférence et la pente de la droite de budget, vous pouvez trouver $x_1$, sans même utiliser l'équation de la droite de budget. Quelle est la valeur de $x_1$ ?

**(b)**    Déterminons sa demande en baies. Nous avons besoin de l'équation de la droite de budget. Dans la question (a), vous avez déterminé le montant de $x_1$ qu'Ambroise demandera. L'équation de budget nous dit que $p_1 x_1 + p_2 x_2 = R$. Remplacez la valeur de $x_1$ que vous avez trouvée dans cette équation et déterminez $x_2$ en fonction des prix et du revenu. Quelle est la valeur de $x_2$ ?

**(c)**    Quand nous avions retrouvé Ambroise au chapitre 4, nous avions trouvé une "solution frontière" telle qu'Ambroise ne consommait que des noisettes et pas de baies. Dans cet exemple, $p_1 = 1$, $p_2 = 2$ et $R = 9$. Si vous remplacez ces nombres dans les formules trouvées dans les questions précédentes, quelles sont les quantités demandées $x_1$ et $x_2$ ? Que nous trouvions une solution négative pour $x_2$ signifie que la droite de budget $x_1 + 2x_2 = 9$ n'est pas tangente à la courbe d'indifférence quand $x_2 \geq 0$. Le mieux qu'Ambroise puisse faire est de dépenser la totalité de son revenu en noisettes. En regardant les formules, pour les prix $p_1 = 1$ et $p_2 = 2$, à partir de quelle valeur de $R$ Ambroise demandera-t-il des quantités positives pour les deux biens ?

**5.4** [0]    Donald Fibble collectionne les sceaux. En dehors des sceaux, la seule autre chose qu'il consomme sont des tomates. Les préférences de Fribble sont alors représentées par la fonction d'utilité $u(s, t) = s + \ln t$ où s est le nombre de sceaux qu'il collectionne et $t$ le nombre de tomates qu'il consomme. Le prix des sceaux est $p_s$ et le prix des tomates est $p_t$.

**(a)**    Donnez une expression qui indique que le rapport entre l'utilité marginale de Fribble pour les tomates et son utilité marginale pour les sceaux est égal au rapport entre le prix des tomates et le prix des sceaux. (Indication : la dérivée de $\ln t$ par rapport à $t$ est $1/t$ et la dérivée de $s$ par rapport à $s$ est 1).

**(b)**    A partir de l'équation trouvée dans la question précédente, vous pouvez montrer que s'il achète des deux biens, la fonction de demande de Donald pour les tomates ne dépend que du rapport des prix et non de son revenu. Quelle est cette fonction de demande ?

**(c)**    Remarquez que, pour cette fonction d'utilité spéciale, si Fribble achète des deux biens, alors le montant total d'argent qu'il dépense pour les tomates a la propriété particulière de ne dépendre que de l'une des trois variables $R$, $p_t$, et $p_s$. Laquelle ? (Indication : le montant d'argent qu'il dépense pour les tomates est $p_t t(p_s, p_t, R)$).

**(d)** Puisqu'il n' y a que deux biens, l'argent qui n'est pas dépensé pour acheter des tomates doit être utilisé pour les sceaux. Utilisez l'équation de budget et la fonction de demande de Donald pour les tomates pour trouver une expression donnant le nombre de sceaux qu'il achètera si son revenu est de $R$, le prix des sceaux est $p_s$ et le prix des tomates, $p_t$.

**(e)** L'expression que vous venez d'écrire est négative si $R < p_s$. Cela n'a aucun sens pour Donald de demander des quantités négatives de sceaux. Si $R < p_s$, quelle sera la quantité de sceaux demandée par Fribble ? Quelle sera sa demande de tomates ? (Indication : souvenez-vous de la discussion sur les optimums frontière).

**(f)** L'épouse de Donald se plaint que son mari dépense tout franc supplémentaire gagné pour acheter des sceaux. A-t-elle raison ? (nous supposons que $R > p_s$).

**(g)** Supposons que les prix des tomates soit de 20 francs et le prix des sceaux de 10 francs. Faites un graphique. Tracez la courbe d'Engel de Fribble pour les tomates et sa courbe d'Engel pour les sceaux. (Indication : commencez par dessiner la courbe d'Engel pour des revenus supérieurs à 1 franc, puis dessinez celle pour des revenus inférieurs à 1 franc).

**5.5 [0]** Shirley Packdedouze, vous vous en souvenez, pense que des canettes de bière de 25 centilitres ont autant d'utilité que des canettes de 50 centilitres. Supposons que ce soient les seuls types de canette à sa disposition et qu'elle ait 30 francs à dépenser pour acheter de la bière. Supposons qu'une canette de 25 centilitres coute 0,75 franc et une canette de 50 centilitres coûte 1 franc. Faites un graphique. Tracez la droite de budget de Shirley en bleu et quelques courbes d'indifférence en rouge.

**(a)** A ces prix, quelle taille de bouteille pourra-t-elle acheter ? Ou achètera-t-elle des deux ?

**(b)** Supposons que le prix des 50 centilitres reste à 1 franc et le prix des 25 centilitres tombe à 0,55 franc. Achètera-t-elle plus de canettes de 25 cl ?

**(c)** Qu'en est-il si le prix de ces bouteilles baisse à 0,40 franc ? Combien achètera-telle de bouteilles de 25 cl ?

**(d)** Si le prix des 50 cl est de 1 franc et si Shirley choisit de consommer quelques bières de 50 cl et quelques unes de 25 cl, quel doit être le prix des bouteilles de 25 cl ?

**(e)** Essayons de décrire la fonction de demande de Shirley pour les canettes de 50 cl en fonction de l'ensemble des prix et du revenu. Soit $p_{25}$ le prix des bouteilles de 25 cl et $p_{50}$, le prix des bouteilles de 50 cl. Soit $R$ son revenu. Si $p_{50} < 2p_{25}$, combien de bouteilles de bière de 50 cl Shirley demandera-t-elle ? Si $p_{50} > 2p_{25}$, combien de bouteilles de bière de 50 cl Shirley demandera-t-elle ? Quelle relation entre $p_{50}$ et $p_{25}$ indique qu'elle sera indifférente entre les combinaisons possibles ?

**5.6 [0]** Le petit Marcel est une personne très pointilleuse, en particulier en ce qui concerne la nourriture. Il ne consomme les madeleines que dans les proportions suivantes : 2 madeleines de Commercy pour une madeleine de Liverdun. Le soir, avant qu'il ne s'endorme, sa mère lui donne un revenu de 20 francs. Les madeleines de Commercy valent 75 centimes l'unité. Les madeleines de Liverdun coûtent 1 franc l'unité. Faites un graphique. Représentez la droite de budget du petit Marcel ainsi que quelques-unes de ses courbes d'indifférence (Indication : quelque chose d'étrange ne vous a-t-il pas frappé en ce qui concerne Marcel ?)

**(a)**   Combien de madeleines de Liverdun Marcel demandera-t-il dans sa situation ? Combien de madeleines de Commercy ?

**(b)**   Ecrivez la fonction de demande de Marcel pour les madeleines de Commercy dépendant du prix des madeleines de Liverdun, de celles de Commercy et de son revenu — $p_l$ et $p_c$ étant respectivement les prix des madeleines de Liverdun et de Commercy et $R$, son revenu. (Indication : vous trouverez la réponse en résolvant un système de deux équations à deux inconnues. L'une des deux équations décrit le fait que Marcel consomme deux fois plus de madeleines de Commercy que de Liverdun. La seconde est l'équation de la droite de budget).

**5.7** [0]   Albertine a une fonction d'utilité $U(b, c) = b + 100c - c^2$, où $b$ est le nombre de bégonias qu'elle a dans son jardin et $c$ le nombre de camélias. Son jardin a une surface de 500 mètres carrés qu'elle doit répartir entre les bégonias et les camélias. Pour se développer, les bégonias occupent 1 mètre carré et les camélias 4 mètres carrés. Elle a obtenu gratuitement des graines de ces deux types de fleurs.

**(a)**   Etant donnée la taille de son jardin, donnez le nombre de bégonias et de camélias qu'Albertine doit planter pour maximiser son utilité. (Indication : écrivez une contrainte budgétaire pour l'espace dont Albertine dispose et résolvez le problème comme un problème ordinaire de demande).

**(b)**   Son jardin voit sa surface s'accroître, soudainement, de 100 mètres carrés. Combien de bégonias supplémentaires plantera-t-elle ? De combien augmentera-t-elle le nombre de camélias plantés ?

**(c)**   Si Albertine avait seulement 144 mètres carrés, combien de camélias planterait-elle ?

**(d)**   Si Albertine plante à la fois des bégonias et des camélias, quelle doit être la surface minimale de son jardin ?

**5.8** [0]   Gaspard consomme du cacao et du fromage. Son revenu est de 16 francs. Le cacao est vendu de manière inhabituelle. Il y a seulement un vendeur et plus on lui achète de cacao, plus il augmente le prix à payer par unité. Ainsi, $x$ unités de cacao coûteront à Gaspard un total de $x^2$ francs. Le fromage est vendu comme d'habitude et coûte 2 francs l'unité. La droite de budget de Gaspard est par conséquent $x^2 + 2y = 16$, $x$ étant la consommation de cacao et $y$ représentant la consommation de fromage. La fonction d'utilité de Gaspard est $U(x, y) = 3x + y$.

**(a)**   Faites un graphique. Tracez les limites de l'ensemble budgétaire de Gaspard en bleu. En rouge, dessinez 2 ou 3 de ses courbes d'indifférence.

**(b)** Ecrivez l'équation qui dit que, au point $(x, y)$, la pente de la "droite" de budget de Gaspard est égale à la pente de sa "courbe" d'indifférence. Combien d'unités de cacao et d'unités de fromage Gaspard demande-t-il ?

**5.9 [0]** Peut-être, après tous ces exercices avec des personnages imaginaires, serez-vous intéressé par essayer de vous rapprocher de la réalité. Utilisons des données tirées des études faites par le Bureau des Statistiques sur le Travail du gouvernement américain sur les budgets des familles. Ces études ainsi que beaucoup d'autres données économiques intéressantes sont compilées dans l'*Annuaire des Statistiques du Travail*. Les tableaux présentés ci-dessous donnent le total des dépenses de consommation courante et la répartition de ces dépenses sur certaines des catégories de biens pour 5 groupes de revenu aux E.U. pour l'année 1961. Chacun de ces groupes est constitué d'individus ayant des revenus homogènes. Le groupe A est celui ayant le revenu le plus bas, et le groupe E, le plus élevé.

**Tableau 5.1 :** *Dépenses par catégories pour différents groupes de revenus en 1961*

| Groupe de revenu | A | B | C | D | E |
|---|---|---|---|---|---|
| Repas pris à domicile | 465 | 783 | 1078 | 1382 | 1848 |
| Repas pris à l'extérieur | 68 | 171 | 213 | 384 | 872 |
| Logement | 626 | 1090 | 1508 | 2043 | 4205 |
| Habillement | 119 | 328 | 508 | 830 | 1745 |
| Transports | 139 | 519 | 826 | 1222 | 2048 |
| Autres | 364 | 745 | 1039 | 1554 | 3490 |
| Total | 1781 | 3636 | 5172 | 7415 | 14208 |

**Tableau 5.2 :** *Pourcentages des budgets familiaux*

| Groupe de revenu | A | B | C | D | E |
|---|---|---|---|---|---|
| Repas pris à domicile | 26 | 22 | 21 | 19 | 13 |
| Repas pris à l'extérieur | 3,8 | 4,7 | 4,1 | 5,2 | 6,1 |
| Logement | 35 | 30 | | | |
| Habillement | 6,7 | 9,0 | | | |
| Transports | 7,8 | 14 | | | |

**(a)** Complétez le tableau 5.2

**(b)** Lesquels de ces biens sont des biens normaux ?

**(c)** Lesquels de ces biens satisfont la définition donnée dans le manuel de *biens de luxe* pour la plupart des niveaux de revenu ?

**(d)** Lesquels de ces biens satisfont la définition donnée dans le manuel de *biens nécessaires* pour la plupart des niveaux de revenu ?

**(e)** Faites un graphique. A partir du tableau 5.1 tracez la courbe d'Engel (utilisez le montant total des dépenses comme un revenu pour tracer cette courbe). En rouge, dessinez la courbe d'Engel pour les repas pris à domicile. En bleu, la courbe d'Engel des repas pris à l'extérieur. En noir, la courbe d'Engel de l'habillement. En quoi la forme d'une courbe d'Engel pour un bien de luxe diffère-t-elle de celle d'un bien nécessaire ?

**5.10 [0]** Percy consomme des cakes aux fruits et de l'eau pétillante. Sa fonction de demande pour les cakes au fruit est $q_c = R - 30p_c + 20p_e$, où $R$ est le revenu de Percy, $p_c$ le prix des cakes et $p_e$, le prix de l'eau. Le revenu de Percy est de 100 francs et le prix d'une unité d'eau est de 1 franc.

**(a)** L'eau pétillante est-elle complémentaire ou substituable aux cakes aux fruits ? Justifiez votre réponse.

**(b)** Ecrivez l'équation de la fonction de demande de Percy pour les cakes aux fruits quand son revenu et le prix de l'eau sont respectivement fixés à 100 francs et 1 franc.

**(c)** Ecrivez l'équation de la fonction de demande inverse de Percy pour les cakes aux fruits quand son revenu et le prix de l'eau sont toujours de 100 francs et 1 franc. Pour quel prix Percy achètera-t-il 30 cakes ? Faites un grapique. Utilisez de l'encre bleue pour dessiner la fonction de demande inverse de Percy pour les cakes.

**(d)** Le prix de l'eau pétillante augmente à 2,5 francs l'unité. Ecrivez l'équation de la fonction de demande inverse de Percy pour les cakes aux fruits. Utilisez de l'encre rouge pour dessiner la fonction de demande inverse de Percy pour les cakes.

**5.11 [0]** Jesus et Marie Chain traversent une période difficile mais restent des consommateurs rationnels. Ils ont 80 francs à dépenser par semaine, répartis en 40 francs pour la nourriture et 40 francs pour le reste de leurs dépenses. La nourriture leur coûte 1 franc l'unité. Faites un graphique. Représentez en noir leur droite de budget. Soit A leur panier de consommation.

**(a)** Les Chain ont droit à des bons de nourriture. Ils vont donc pouvoir se procurer des coupons qu'ils échangeront pour une valeur de 2 francs de nourriture. Chaque coupon leur coûte 1 franc. Cependant, le maximum de coupons qu'ils peuvent acheter par semaine est de 10. Sur le graphique, tracez en rouge leur nouvelle droite de budget.

**(b)** Si les Chains ont des préférences homothétiques, combien de nourriture achèteront-ils à partir du moment où ils auront droit aux coupons ?

**5.12 [2]** Comme vous vous en souvenez, Nancy Lerner suit un cours d'économie dont la note sera la plus basse de celles obtenues lors des deux examens partiels qu'elle aura passés. Lors du premier examen, chaque réponse correcte coûte à Nancy 10 minutes de travail. Lors du second examen, chaque réponse correcte coûte à Nancy 20 minutes de travail. Au chapitre précédent, vous aviez calculé la meilleure façon pour Nancy d'allouer les 1200 minutes de travail entre les deux examens. Dans sa classe, certains étudiants travaillent plus rapidement que Nancy; d'autres plus lentement. Certains choisiront d'étudier plus longtemps qu'elle et d'autres décideront de passer moins de temps à étudier. Nous allons essayer à présent de trouver une solution générale au problème du choix de la durée de travail et des notes d'examen en fonction du coût en temps nécessaire à l'amélioration de ses résultats.

**(a)** Supposons qu'un étudiant qui ne travaille pas du tout son examen n'ait aucune réponse correcte. Chaque réponse correcte au premier examen coûte à un étudiant $P_1$ minutes d'étude. Chaque réponse correcte au second examen coûte à un étudiant $P_2$ minutes d'étude. Supposons que cet étudiant travaille au total, pour les deux examens, $R$ minutes. Il cherchera à répartir son temps de travail de la manière la plus efficace possible entre les deux examens. Cet étudiant aura-t-il le même nombre de réponses correctes aux deux examens ? Ecrivez une formule générale donnant, en fonction de $P_1$, $P_2$ et $R$, la note globale que cet étudiant aura en économie. Si cet étudiant veut avoir la note $N$ avec le temps d'étude le plus petit possible, combien de temps (nombre de minutes) devra-t-il passer à étudier pour le premier examen et pour le second examen ?

**(b)** Supposons que cet étudiant ait la fonction d'utilité

$$U(N, R) = N - \frac{A}{2} \cdot R^2$$

où $N$ est la note globale de l'étudiant en économie, $R$, le temps passé à étudier (en nombre de minutes) et $A$ une variable qui reflète combien cet étudiant n'aime pas étudier. Dans la question (a), vous avez trouvé qu'un étudiant qui répartit son temps de travail entre les deux examens de manière avisée obtiendra un note globale de $N = R/(P_1 + P_2)$. Remplacez $N$ par $R/(P_1 + P_2)$ dans la fonction d'utilité et calculez la dérivée partielle de $U$ par rapport à $R$. Vous trouvez ainsi le temps de travail, $R$, qui maximise l'utilité de l'étudiant. Quelle est cette valeur de $R$ ? Votre réponse dépend des variables $P_1$, $P_2$, et $A$. Si l'étudiant choisit le temps de travail qui maximise son utilité, et le répartit intelligemment entre les deux examens, quelle sera sa note globale en économie ?

**(c)** La fonction d'utilité de Nancy ressemble à celle présentée ci-dessus. Elle cherche le temps qu'elle doit passer à étudier afin de maximiser son utilité. Ainsi, $P_1 = 10$, $P_2 = 20$. Elle passe, au total, $R = 1200$ minutes à étudier. Voilà assez d'informations pour déterminer la variable $A$ dans la fonction d'utilité de Nancy. Pour Nancy, quelle est la valeur de $A$ ?

**(d)** Ed Légume est étudiant dans la même classe que Nancy. Sa fonction d'utilité est la même que celle de Nancy, avec la même valeur de $A$. Mais Ed travaille plus lentement que Nancy. En fait, Ed travaille 2 fois moins vite que Nancy. Pour lui, $P_1 = 20$ et $P_2 = 40$. Par ailleurs, Ed choisit le temps qu'il va passer à étudier. Trouvez le rapport entre le temps qu'Ed va passer à étudier et le temps que passe Nancy. Sa note globale sera-t-elle plus que la moitié, la moitié ou moins que la moitié de la note de Nancy ?

**5.13** [1]    Voici une énigme. Au premier coup d'œil, vous aurez l'impression désagréable de ne pas avoir assez de données pour répondre à la question. Mais, une fois que vous aurez dessiné la courbe d'indifférence et réfléchi un peu, vous verrez que la solution est très facile à calculer.

Léopold dépense la totalité de son revenu pour acheter des fouets et des blousons en cuir. Sa fonction d'utilité est $U(x, y) = min\{4x, 2x + y\}$, où $x$ est sa consommation de fouets et $y$ sa consommation de blousons de cuir. Actuellement, Léopold achète 15 fouets et 10 blousons. Le prix des fouets est de 50 francs. Vous devez trouver le revenu de Léo.

**(a)**    Dessinez la courbe d'indifférence de Léopold passant par le point (15, 10). Quelle est la pente de ce courbe en ce point ? Quel doit être le prix des blousons en cuir si Leo choisit de consommer ce panier ? Donc, quel est le revenu de Léo ?

# Les préférences révélées

## INTRODUCTION

Dans le chapitre précédent, vous avez étudié la demande d'un consommateur dont les préférences vous étaient connues. Dans ce chapitre, nous inversons le raisonnement : à partir d'informations sur le comportement de demande d'un consommateur, vous devez en déduire des éléments concernant ses préférences. Le principal outil utilisé est *l'axiome faible des préférences révélées*. Cet axiome dit la chose suivante : si un consommateur choisit un panier de consommation *A* alors qu'il pourrait obtenir le panier *B*, alors il ne choisira jamais *B* avec un budget lui permettant aussi d'avoir *A*. L'idée sous jacente est que si vous choisissez *A* alors que *B* est accessible, cela signifie que vous devez préférer *A* à *B*. Et si vous préférez *A* à *B*, alors vous ne choisirez jamais *B* si vous pouvez avoir *A*. Si quelqu'un choisit *A* quand il peut atteindre *B*, nous disons que *A* est *directement révélé préféré* à *B*. L'axiome faible dit que si *A* est directement révélé préféré à *B*, alors *B* n'est pas directement révélé préféré à *A*.

---

**EXEMPLE**    Etudions sur un exemple la manière de vérifier si un panier est révélé préféré à un autre. Supposons qu'un consommateur achète le panier $(x_1^A, x_2^A) = (2, 3)$ aux prix $(p_1^A, p_2^A) = (1, 4)$. Le coût du panier $(x_1^A, x_2^A)$ à ces prix est $(2 \times 1) + (3 \times 4) = 14$. Le panier $(2, 3)$ est directement révélé préféré à tous les autres paniers que ce consommateur peut se procurer pour les prix $(1, 4)$ avec un revenu de 14. Par exemple, le panier $(5, 2)$ coûte seulement 13. Pour ce consommateur, nous pouvons dire que le panier $(2, 3)$ est révélé préféré pour les prix $(1, 4)$.

Le chapitre comporte quelques problèmes à propos des indices de prix et de quantité. Un indice de prix est une comparaison de prix moyens entre deux périodes de temps ou deux lieux différents. S'il y a plus d'un bien, tous les prix ne vont pas nécessairement changer dans les mêmes proportions. Supposons que nous voulions comparer le niveau de "prix de l'année" courante avec le niveau de prix de l'"année de base". Une première façon de procéder consistera dans la comparaison du coût d'un panier de référence entre chacune des deux années. Il existe deux manières de choisir le panier de référence (1) soit en choisissant le panier de consommation de l'année courante; (2) soit en utilisant le panier de consommation de l'année de base. Ces deux paniers seront différents. Si le panier de référence est celui consommé l'année de base, l'indice de prix est appelé *indice de prix de Laspeyres*. Si c'est le panier de l'année courante qui sert de référence, l'indice est appelé *indice de prix de Paasche*.

---

**EXEMPLE**    Supposons qu'il n'y ait que deux biens. En 1980, les prix étaient de (1, 3) et un consommateur consommait le panier (4, 2). En 1990, les prix étaient de (2, 4) et le panier de consommation était (3, 3). Le coût du panier de 1980 aux prix de 1980 est (1x4) + (3x2) = 10. Le coût de ce même panier aux prix de 1990 est (2x4) + (4x2) = 16. Si 1980 est l'année de base et 1990 l'année courante, l'indice de Laspeyres est 16/10. Pour calculer l'indice de prix de Paasche, vous devez trouver le rapport entre le coût du panier aux prix de 1990 et le coût du même panier aux prix de 1980. Le panier de 1990 coûte (2x3) + (4x3) = 18 aux prix de 1990. Ce même panier coûte, aux prix de 1980, (1x3) + (3x3) = 12. L'indice de prix de Paasche est 18/12.
Remarquons que les deux indices indiquent une augmentation des prix. Mais, du fait d'une pondération différente des changements de prix, les rapports donnés par les deux approches ne sont pas les mêmes.

Le problème sera identique si vous souhaitez construire un indice de quantité de biens consommés lors de deux périodes. Comment pondérer les changements dans les quantités consommées de bien 1 par rapport aux changements dans les quantités consommées de bien 2 ? Les coûts des paniers aux deux périodes sont à présent calculés à l'aide de prix de référence. Cela donne donc deux solutions également raisonnables : un indice de quantité de Laspeyres et un indice de quantité de Paasche. Les prix de référence sont les prix de l'année de base pour l'indice de Laspeyres. L'indice de Paasche est calculé en utilisant les prix de l'année courante comme prix de référence.

---

**EXEMPLE**    Dans l'exemple ci-dessus, l'indice de prix de Laspeyres est le rapport entre le coût du panier de 1990 évalué aux prix de 1980 et le coût du panier de 1980 évalué aux prix de 1980. le coût du panier de 1990 aux prix de 1980 est 12 et le coût du panier de 1980 aux prix de 1980 est de 10. l'indice de quantité de Laspeyres est 12/10. Par ailleurs, le coût du panier de 1990 aux prix de 1990 est 18 et le coût du panier de 1980 aux prix de 1990 est de 16. L'indice de quantité de Paasche est 18/16.

Quand vous aurez terminé ces exercices, nous espérons que vous serez capable de faire les choses suivantes :

- Décider, à partir de données sur les prix et les quantités consommées, quels sont les paniers préférés.
- Calculer, à partir de données sur les prix et les quantités consommées, des indices de prix et de quantités de Laspeyres et de Paasche.
- Utiliser l'axiome faible des préférences révélées pour faire des déductions logiques sur le comportement des individus.
- Utiliser la notion de préférences révélées pour faire des comparaisons de bien-être dans le temps et entre pays.

**6.1** [0]　Quand les prix sont (4, 6) Goldie choisit le panier (6, 6). Elle choisit le panier (10, 0) quand les prix sont (6,3).

**(a)**　Faites un graphique. Représentez (en rouge) la première droite de budget de Goldie et (en bleu) la seconde. Soit A le point indiquant son choix dans le premier cas et B dans le second.

**(b)**　Le comportement de Goldie est-il compatible avec l'axiome faible des préférences révélées ?

**6.2** [0]　Fred Frolic consomme seulement de l'asparagus et des tomates, qui sont des légumes saisonniers dans le pays de Fred. Fred vend, pour vivre, des parapluies. Son revenu est donc soumis à des variations en fonction des fluctuations climatiques. Mais Fred s'en moque. Il vit au jour le jour et dépense immédiatement tout ce qu'il gagne. La semaine dernière, le prix de l'asparagus et des tomates était le même : 1 franc le kilo. Fred en a alors consommé 15 kilos de chaque. Faites un graphique. Représentez sa droite de budget en bleu. Soit A le panier de consommation de Fred.

**(a)**　Quel est le revenu de Fred ?

**(b)**　La semaine suivante, le prix des tomates augmentait à 2 francs le kilo mais le prix de l'asparagus restait de 1 franc. Par chance, le revenu de Fred changeait et le panier qu'il consommait la semaine précédente (15, 15) lui était toujours accessible avec les nouveaux prix. Sur le même graphique, représentez en rouge sa nouvelle droite de budget. Celle-ci passe-t-elle par le point A ? Quelle est la pente de cette droite ?

**(c)**　Combien d'asparagus peut-il acheter s'il dépense la totalité de son revenu pour en acheter ?

**(d)**　Quel est à présent le revenu de Fred ?

**(e)**　Sur la nouvelle droite de budget (celle tracée en rouge), noircissez au crayon les paniers que Fred a définitivement renoncé à acheter avec ce budget. Peut-on envisager que Fred augmente sa consommation de tomates quand sa droite de budget passe du bleu au rouge ?

**6.3** [0]　Pierre ne consomme que du pain et du vin. Pour Pierre, le prix du pain est de 4 francs la tranche et le prix du vin de 4 francs le verre. Son revenu est de 40 francs par jour. Pierre consomme 6 verres de vin et 4 tranches de pain par jour. Bob ne consomme lui aussi que du vin et du pain. Pour Bob, le prix du vin est de 2 dollars le verre et le prix du pain de 1/2 dollar la tranche. Son revenu est de $ 15 par jour.

**(a)** Si Bob et Pierre avaient les mêmes goûts, pouvez-vous dire lequel des deux est le plus satisfait de sa situation ? Justifiez.

**(b)** Supposons que les prix et revenus de Pierre et Bob et la consommation de Pierre soient ceux donnés ci-dessus. Supposons que Bob dépense la totalité de son revenu. Donnez un exemple d'un panier de consommation composé de pain et de vin tel que, si Bob l'achetait, nous saurions que les goûts de Bob ne sont pas les mêmes que ceux de Pierre.

**6.4** [0]    Voici les prix et les demandes d'un consommateur, Ronan, dont le comportement a été observé dans 5 situations prix-revenus différentes.

| Situation | $p_1$ | $p_2$ | $x_1$ | $x_2$ |
|:---------:|:-----:|:-----:|:-----:|:-----:|
| A | 1 | 1 | 5 | 35 |
| B | 1 | 2 | 35 | 10 |
| C | 1 | 1 | 10 | 15 |
| D | 3 | 1 | 5 | 15 |
| E | 1 | 2 | 10 | 10 |

**(a)** Faites un graphique. Dessinez chacune de ces droites de budget. Les points choisis dans chaque cas sont appelés respectivement $A$, $B$, $C$, $D$ et $E$.

**(b)** Le comportement de Ronan est-il compatible avec l'axiome faible des préférences révélées ?

**(c)** Entourez de rouge tous les points dont vous êtres certains qu'ils procurent moins d'utilité à Ronan que le panier $C$.

**(d)** On vous dit que les préférences de Ronan sont monotones et convexes et que son comportement obéit à l'axiome fort des préférences révélées. Entourez de rouge tous les points dont vous êtes certains qu'ils lui procurent au moins autant d'utilité que le panier $C$.

**6.5** [0]    Horst et Nigel vivent dans des pays différents. Peut-être ont-ils des préférences différentes. Les prix auxquels ils achètent les différents biens sont eux certainement différents. Tous deux ne consomment que deux biens, $x$ et $y$. Horst doit payer 14 marks l'unité de bien $x$ et 5 marks l'unité de bien $y$. Horst a un revenu de 167 marks qu'il dépense en totalité en achetant 8 unités de $x$ et 11 unités de $y$. Le bien $x$ coûte à Nigel 9 francs l'unité et le bien $y$ lui coûte 7 francs l'unité. Nigel achète 10 unités de $x$ et 9 unités de $y$.

**(a)** Quels sont les prix et le revenu que Horst préfère ? Les prix et le revenu de Nigel ou les siens ? Avez-vous assez d'informations pour répondre ?

**(b)** Même question pour Nigel.

**6.6** [0]   Voici les prix et les choix de consommation pour trois biens dans trois situations différentes.

| Situation | $p_1$ | $p_2$ | $p_3$ | $x_1$ | $x_2$ | $x_3$ |
|-----------|-------|-------|-------|-------|-------|-------|
| $A$ | 1 | 2 | 8 | 2 | 1 | 3 |
| $B$ | 4 | 1 | 8 | 3 | 4 | 2 |
| $C$ | 3 | 1 | 2 | 2 | 6 | 2 |

**(a)**   Nous remplirons le tableau ci-dessous de la manière suivante : $i$ et $j$ sont respectivement les indices de ligne et de colonne; $i = A, B, C$ et $j = A, B, C$. A l'intersection de la ligne $i$ et de la colonne $j$, indiquez la valeur du panier de la situation $j$ au prix de la situation $i$. Par exemple, pour $i = A$ et $j = A$, c'est-à-dire à l'intersection de la ligne $A$ et de la colonne $A$, nous indiquons la valeur du panier acheté dans la situation $A$ aux prix de la situation $A$. Ainsi, à partir du tableau donné, nous voyons que dans la situation $A$, le consommateur achète le panier $(2, 1, 3)$ aux prix $(1, 2, 8)$. Le coût de ce panier $A$ aux prix $A$ est donc $(2x1) + (1x2) + (3x8) = 28$. Nous mettons donc 28 à l'intersection de la ligne $A$ et de la colonne $A$. Dans la situation $B$, le consommateur achète le panier $(3, 4, 2)$. La valeur du panier $B$ évaluée aux prix de la situation $A$ est $(1x3) + (2x4) + (8x2) = 27$. Ainsi, dans ce cas $i = A$ et $j = B$, 27 s'inscrit donc dans la ligne $A$ et dans la colonne $B$. Certaines case ont été remplies. Vous devez remplir les autres.

| Prix/Quantités | $A$ | $B$ | $C$ |
|----------------|-----|-----|-----|
| $A$ | 28 | 27 |  |
| $B$ |  | 32 | 30 |
| $C$ | 13 | 17 |  |

**(b)**   Vous devez à présent remplir le tableau ci-dessous. Vous procéderez de la manière suivante : mettez un $D$ à l'intersection de la ligne $i$ et de la colonne $j$ si le panier de la situation $i$ est directement révélé préféré au panier de la situation $j$. Par exemple, dans la situation $A$, les dépenses du consommateur sont de 28. Pour les prix de la situation $A$, il peut aussi se procurer le panier $B$ qui lui coûte 27. Par conséquent, le panier $A$ est directement révélé préféré au panier $B$. Nous mettons un $D$ dans la case située à l'intersection de la ligne $A$ et de la colonne $B$. Regardons maintenant l'intersection de la ligne $B$ et de la colonne $A$. Le coût du panier de la situation $B$ au prix de la situation $B$ est 32. Le coût du panier $A$ aux prix de la situation $B$ est 33. Donc, dans la situation $B$, le consommateur ne peut se procurer le panier $A$. Ainsi, la situation $B$ n'est pas directement révélée préférée à la situation $A$. Nous laissons la case correspondante dans le tableau vide.

De manière générale, il y aura un $D$ à l'intersection de la ligne $i$ et la colonne $j$ si le nombre de l'entrée $ij$ du tableau de la question ($a$) est inférieur ou égal à l'entrée de la ligne $i$, colonne $i$.

Il y aura violation de l'axiome faible des préférences révélées si quel que soit $i$ et $j$, il y a un $D$ à l'intersection d'une ligne $i$ et d'une colonne $j$ et aussi un $D$ à l'intersection d'une ligne $j$ et d'une colonne $i$. Y-a-t-il des violations de l'axiome faible des préférences révélées ?

| Situation | $A$ | $B$ | $C$ |
|---|---|---|---|
| $A$ | — | | |
| $B$ | | — | $D$ |
| $C$ | | | — |

**(c)** Maintenant, remplissez la case de l'intersection de la ligne $i$ et de la colonne $j$ avec un $I$, si l'observation $i$ est indirectement préférée à $j$. Ces observations violent-elles l'axiome fort des préférences révélées ?

**6.7 [0]** C'est l'hiver! Nous sommes en janvier et Joey Ramone, que nous avons rencontré au chapitre 4, tremble de froid dans son appartement. Le téléphone sonne. C'est Courtney Hole, qui a obtenu son diplôme lors du trimestre précédent. Courtney lui propose de passer le mois de février dans son appartement. Courtney, qui a quitté la section économie pour les sciences politiques, projette d'aller à Aspen pour passer un mois de vacances à skier. Hélas, pendant tout ce temps son appartement sera vide. Tout ce qu'elle lui demande en échange est de payer les charges mensuelles que lui réclame le propriétaire. Le montant est de $ 40 qui seront à payer pour février. L'appartement de Courtney étant beaucoup mieux isolé que celui de Joey, augmenter la température de 1 degré ne lui en coutera que $ 1 par mois. Joey la remercie. Il lui donnera la réponse demain. Joey remet ses protections d'oreille et réfléchit à la proposition de Courtney. S'il accepte, il devra toujours payer le loyer de son propre appartement mais il n'aura plus à le chauffer. Chez Courtney, le chauffage est moins cher mais il devra payer $ 40 de charges.

Rappelons que la température moyenne extérieure est en février de 20 degrés Farenheit, et que le coût de chauffage de son appartement est de $ 2 par degré supplémentaire de chaleur. Joey passe toujours son examen. Après avoir payé son loyer, il a toujours un revenu de $ 100 à dépenser en nourriture et biens divers. Le prix de la nourriture est toujours de $ 1 l'unité.

**(a)** Faites un graphique. Dessinez la droite de budget de Joey pour le mois de février s'il accepte d'aller chez Courtney et celle s'il reste chez lui.

**(b)** Après avoir lui-même fait ces représentations graphiques, Joey décide qu'il ferait mieux de rester chez lui. D'après le principe des préférences révélées, quelle est la température minimale à laquelle Joey a décidé de chauffer son appartement ?

**(c)** Joey appelle Courtney pour lui donner sa réponse. Courtney est déçue. Elle lui propose, pour le convaincre, de payer la moitié des charges. Dessinez la contrainte de budget de Joey s'il accepte la nouvelle offre de Courtney. Il accepte cette proposition. Que pouvons-nous en déduire quant à la valeur de la température au-dessus de laquelle il a projeté de chauffer l'appartement de Courtney ?

**6.8** [0]   Lord Peter Pommy est un criminologue distingué, formé aux dernières techniques de l'expertise basée sur les préférences révélées. Lord Peter est chargé de l'enquête sur la disparition de Sir Cedric Pinchbottom qui a été vu pour la dernière fois quittant sa vieille mère. Lord Peter a appris que Sir Cedric a quitté l'Angleterre et qu'on le soupçonne de vivre dans l'un des pays du Commonwealth. Il y a trois suspects : R. Preston McAfee de Brass Monkey, Ontario, Canada; Richard Manning de North Shag, Nouvelle Zélande, et Richard Stevenson de Gooey Shoes, dans les îles Falklands. Pour mener son enquête, Lord Peter s'est procuré le journal de Sir Cedric, dans lequel figurent, rapportées en détail, les habitudes de consommation de celui-ci. Une observation attentive lui permet de découvrir les consommations de McAfee, Manning et Stevenson. Ces trois gentlemen, comme Sir Cedric, dépensent la totalité de leurs ressources pour acheter des saucisses et de la bière. Leurs dossiers révèlent les faits suivants :

- **Sir Cedric Pinchbottom** — L'année précédant son départ, Sir Cedric a consommé 10 kilos de saucisse et 20 litres de bière par semaine. A cette époque, la bière coûtait 1 livre anglaise le litre et la saucisse 1 livre anglaise le kilogramme.

- **R. Preston McAfee** — On sait que McAfee a l'habitude de consommer 5 litres de bière et 20 kilos de saucisse. A Brass Monkey, Ontario, la bière coûte 1 dollar canadien le litre et la saucisse 2 dollars canadien le kilogramme.

- **Richard Manning** — Manning consomme 5 kilogrammes de saucisse et 10 litres de bière par semaine. A North Shag, un litre de bière coûte 2 dollars néo-zélandais et la saucisse coûte 2 dollars néo-zélandais le kilogramme.

- **Richard Stevenson** — Stevenson consomme 5 kilogrammes de saucisse et 30 litres de bière par semaine. A Gooey Shoes, un litre de bière coûte 10 livres des Falklands et la saucisse coûte 20 livres des Falklands le kilogramme.

**(a)** En utilisant une couleur différente à chaque fois, dessinez les droites de budget pour chacun des trois fugitifs. Donnez un nom pour chacun des paniers de consommation choisi. Sur le même graphique, superposez la droite de budget de Sir Cedric et le panier de consommation qu'il a choisi.

**(b)** Après un petit moment de réflexion, Lord Peter annonce : "A moins que Sir Cedric ait changé de goûts, je peux éliminer un des suspects. Les préférences révélées me disent que l'un d'entre eux est innocent". Duquel des trois s'agit-il ?

**(c)** Réfléchissant un peu plus, Lord Peter déclare : "Si Sir Cedric est parti volontairement, alors il doit préférer sa situation actuelle à celle dans laquelle il se trouvait auparavant. Donc, s'il est parti volontairement et s'il n'a pas changé de goûts, je sais où Sir Cedric vit". Pouvez-vous dire quel est cet endroit ?

**6.9** [1]   Pour la famille Dupont les temps sont difficiles et ils ont du mal à joindre les deux bouts. Ils dépensent 100 francs par semaine pour la nourriture et 50 francs pour le reste. L'Etat lançant un nouveau programme d'aide aux personnes en difficulté se propose soit de leur donner chaque semaine une subvention de 50 francs qu'ils peuvent dépenser comme ils le désirent, soit de leur permettre d'acheter des bons alimentaires de 2 francs au prix de 1 franc (coupons qu'ils ne peuvent évidemment pas revendre). Pour les Dupont la nourriture est un bien normal. En tant qu'ami de la famille, les Dupont vous demandent de les aider à choisir l'une des deux options. Puisant dans vos connaissances en économie, vous procédez de la façon suivante :

**(a)**   Vous faites un graphique. Vous dessinez en rouge la vieille droite de budget des Duponts et appelez leur choix courant *C*. Maintenant, en noir, vous dessinez leur droite de budget s'ils acceptent de recevoir la subvention. S'ils choisissent de recevoir les coupons, combien de nourriture pourront-ils acheter s'ils dépensent la totalité de leur revenu en coupons ? Combien pourront-ils dépenser pour les autres biens s'ils n'achètent pas de nourriture ? En bleu, vous représentez leur droite de budget s'ils choisissent de recevoir les coupons.

**(b)**   Connaissant ce que les Dupont achetaient précédemment et sachant que la nourriture est un bien normal, vous noircissez les parties de leur droite de budget où pourrait se situer leur consommation s'ils choisissent l'option subvention. Soit *A* et *B* les extrémités de ce segment.

**(c)**   Après avoir étudié le graphique que vous venez de faire, vous allez trouver Mme Dupont et vous lui dites : "J'ai assez d'informations pour vous indiquer le choix à faire". Quelle est l'option que vous lui indiquez ? Quelle raison lui donnez-vous ?

**(d)**   Mme Dupont vous remercie infiniment pour votre aide et vous demande : "Seriez-vous capable de me dire ce que vous auriez fait si vous n'aviez pas su que nous considérons la nouriture comme un bien normal ?" Faites un graphique. Tracez les droites de budget du diagramme précédent. Dessinez les courbes d'indifférence lorsque la nourriture n'est pas un bien normal et pour lesquelles la situation des Dupont serait préférable avec le programme que vous leur avez conseillé de ne pas choisir.

**6.10** [0]   En 1933, un groupe d'économistes suédois de l'université de Stockholm parmi lequel figurait Gunnar Myrdal (qui sera plus tard Prix Nobel d'économie) ont constitué une série de prix et d'indices de prix pour la Suède des années 1830 aux années 1930. Ces données ont été publiées dans un ouvrage intitulé *Le coût de la vie en Suède*. Cet ouvrage vous donne, sur 100 ans, le prix de biens tels que les flocons d'avoine, le pain de seigle, le poisson salé, la viande de bœuf, la viande de renne, le bois de bouleau, les chandelles, les œufs, le sucre et le café. Y figurent également des estimations des quantités consommées de chaque bien pour une famille moyenne en 1850 et en 1890.

Le tableau ci-dessous vous donne les prix de la farine, du lait, des pommes de terre, de la viande pour les années 1830, 1850, 1890 et 1913. A cette époque, ces biens de première nécessité constituaient les 2/3 de la consommation de nourriture des suédois.

Prix de la nourriture de base en Suède :

*les prix sont indiqués en couronne suédoise par kilo,*
*sauf pour le lait qui est évalué en couronne par litre*

|  | 1830 | 1850 | 1890 | 1913 |
|---|---|---|---|---|
| Farine | 0,14 | 0,14 | 0,16 | 0,19 |
| viande | 0,28 | 0,34 | 0,66 | 0,85 |
| Lait | 0,07 | 0,08 | 0,1 | 0,13 |
| Pommes de terre | 0,032 | 0,044 | 0,051 | 0,064 |

A partir des tables publiées dans l'ouvrage de Myrdal, le panier de consommation représentatif d'une famille ouvrière suédoise en 1850 et 1890 est présenté ci-dessous (le lecteur doit être prévenu que nous avons fait des approximations et simplifications pour présenter des tables simples à partir des données beaucoup plus détaillées figurant dans le travail original).

Quantités consommées par une famille suédoise représentative :

*les quantités sont mesurées en kilogramme par année,*
*sauf pour le lait qui est mesuré en litres par année*

|  | 1850 | 1890 |
|---|---|---|
| Farine | 165 | 220 |
| Viande | 22 | 42 |
| Lait | 120 | 180 |
| Pommes de terrre | 200 | 200 |

**(a)** Le tableau ci-dessous rapporte le coût annuel des paniers de 1850 et 1890 évalué aux prix des différentes années. Complétez-le.

| Coût | du panier 1850 | du panier 1890 |
|---|---|---|
| aux prix de 1830 | 44,1 | 61,6 |
| aux prix de 1850 |  |  |
| aux prix de 1890 |  |  |
| aux prix de 1913 | 78,5 | 113,7 |

**(b)** Le panier de 1890 est-il révélé préféré au panier de 1850 ?

**(c)** L'indice de quantité de Laspeyres pour 1890 avec 1850 comme année de base est le rapport entre la valeur du panier de 1890 aux prix de 1850 et la valeur du panier de 1850 aux prix de 1850. Calculez l'indice de quantité de Laspeyres pour les biens de première nécessité pour 1890 avec 1850 comme année de base.

**(d)** L'indice de quantité de Paasche pour 1890 avec 1850 comme année de base est le rapport entre la valeur du panier de 1890 aux prix de 1890 et la valeur du panier de 1850 aux prix de 1890. Calculez l'indice de quantité de Paasche pour les biens de première nécessité pour 1890 avec 1850 comme année de base.

**(e)** L'indice de prix de Laspeyres pour 1890 avec 1850 comme année de base est calculé en pondérant avec les quantités de 1850. Calculez l'indice de prix de Laspeyres pour 1890 avec l'année de base 1850 pour ce groupe de biens de première nécessité.

**(f)** Si, en 1850, un suédois avait été assez riche pour acheter le panier de 1890, combien de fois plus qu'un ouvrier suédois normal aurait-il dépensé ?

**(g)** Si un suédois avait décidé en 1890 d'acheter le même panier de biens de première nécessité que celui consommé en 1850 par un ouvrier représentatif, quelle partie du montant que l'ouvrier représentatif suédois de 1890 dépensait aurait-il dépensé ?

**6.11** [0] Cette question porte sur les données contenues dans les tableaux de l'exercice précédent. Essayons de calculer ce qu'aurait coûté à une famille américaine l'achat du panier consommé par une famille suédoise moyenne en 1850. Aux Etats-Unis, aujourd'hui, le prix de la farine est environ de $ 0,40 le kilo, le prix de la viande de $ 3,75 le kilo, le prix du lait d'environ $ 0,50 le litre et le prix des pommes de terre d'environ $ 1 le kilogramme. Nous pouvons calculer un indice de prix de Laspeyres dans le temps et dans l'espace en estimant la valeur actuelle d'un dollar américain par rapport à la valeur d'une couronne suédoise de 1850.

**(a)** Combien en coûterait-il à un américain pour acheter, aux prix actuels, le panier de consommation de nourriture de base acheté en 1850 par une famille ouvrière suédoise moyenne ?

**(b)** Myrdal estime qu'en 1850 environ les 2/3 du revenu d'une famille moyenne était dépensé en nourriture. C'est-à-dire que les biens de base étudiés représentent les 2/3 du budget de nourriture d'une famille moyenne. Si le rapport des prix des autres biens aux prix des biens de nourriture de base était identique aujourd'hui aux Etats-Unis à ce qu'il était en Suède en 1850, combien en coûterait-il à un américain pour acheter, aux prix actuels, le même panier de consommation total que celui acheté en 1850 par une famille ouvrière suédoise moyenne ?

**(c)** En choisissant le panier de consommation de nourriture de base d'un suédois de 1850 comme pondération, calculez l'indice de prix de Laspeyres pour comparer les prix en dollars américains courants aux prix en couronnes suédoises de 1850. Si nous utilisons ce résultat pour estimer la valeur actuelle du dollar américain par rapport à la valeur de la couronne suédoise de 1850, quel est le rapport entre un dollar US d'aujourd'hui et une couronne suédoise de 1850 ?

**6.12** [0]   Supposons qu'entre 1960 et 1985, le prix de tous les biens ait exactement doublé pendant que le revenu de chaque consommateur triplait.

**(a)**   L'indice de prix de Laspeyres pour 1985, année de base 1960, serait-il inférieur à 2, supérieur à 2 ou égal à 2 ? Qu'en est-il de l'indice de prix de Paasche ?

**(b)**   Si les bananes sont un bien normal, la consommation totale de bananes augmentera-t-elle ? Si chaque consommateur a des préférences homothétiques, pouvez-vous déterminer de quel pourcentage la consommation de bananes doit avoir augmenté ? Justifiez votre réponse.

**6.13** [1]   Jean-Michel et Sylvie consomment seulement des galettes de sarasin et de la bière. Les galettes coûtent habituellement 10 francs chacune et la bière 5 francs la bouteille. Le revenu brut de Jean-Michel et Sylvie est habituellement de 300 francs par semaine mais ils payent un impôt de 50 francs. Faites un graphique. Utilisez de l'encre rouge pour représenter leur droite de budget pour les galettes et la bière.

**(a)**   Ils ont l'habitude de boire 30 bouteilles de bière par semaine et dépensent le reste de leur revenu en galettes. Combien en achètent-ils ?

**(b)**   Le gouvernement décide de supprimer les impôts sur le revenu et de les remplacer par une taxe sur les ventes de 5 francs par bouteille de bière. Le prix de la bière augmente à 10 francs la canette. Supposons que le revenu de Jean-Michel et Sylvie soit toujours celui qu'ils avaient avant la modification des impôts et que le prix des galettes ne change pas. Faites un graphique. Dessinez en bleu leur nouvelle droite de budget.

**(c)**   L'impôt sur les ventes a conduit Jean-Michel et Sylvie a réduire leur consommation de bière à 20 bouteilles par semaine. Que devient leur consommation de galettes ? Quel revenu cet impôt rapporte-t-il ?

**(d)**   Cette partie de l'exercice est plus délicate et réclame plus d'attention. Supposons qu'au lieu d'imposer simplement la bière, le gouvernement décide de taxer à la fois la bière et les galettes au même taux. Supposons également que le prix de la bière et le prix des galettes augmentent de la totalité de l'impôt. Le nouveau taux d'imposition pour chacun des biens est calculé de façon à rapporter le même revenu que celui qu'avait rapporté l'impôt sur la bière. Combien de francs ce nouvel impôt rapporte-t-il pour chaque bouteille de bière vendue ? Combien de francs ce nouvel impôt rapporte-t-il pour chaque galette vendue (Indication : si les deux biens sont taxés au même taux, l'effet est le même que celui produit par un impôt sur le revenu). De combien doit être un impôt sur le revenu pour rapporter le même revenu qu'une taxe de 5 francs sur la bière ? Vous réalisez maintenant combien doit être importante une taxe sur chaque bien pour être équivalente à un impôt sur le revenu du montant trouvé dans la question précédente.

**(e)** A l'encre noire, tracez la droite de budget de Jean-Michel et Sylvie correspondant à l'impôt de la dernière question. Jean-Michel et Sylvie ont-ils une utilité supérieure lorsque seule la bière est taxée ou lorsque les deux biens sont taxés — si les deux impôts rapportent le même revenu ? (Indication : essayez d'utiliser le principe des préférences révélées).

# L'équation de Slutsky

## INTRODUCTION

Il est habituel de considérer qu'un changement de prix a deux effets distincts, un effet de substitution et un effet de revenu. L'effet de substitution lié à une modification des prix est le changement de la demande qui se produirait si le revenu changeait au même moment de telle manière que le consommateur obtienne exactement le même panier de consommation qu'avant les modifications. Le reste du changement de la demande du consommateur est appelé effet de revenu. Pourquoi se préoccuper de dissocier un changement réel de consommation en deux changements hypothétiques ? Parce que cela nous apprend un certain nombre de choses que nous serions incapables de connaître en étudiant la totalité du phénomène. En particulier, nous apprenons que, lorsque le prix d'un bien augmente, l'effet de substitution implique une réduction de la demande de ce bien. Nous apprenons également que l'effet de revenu dû à une augmentation de prix est équivalent à l'effet d'une perte de revenu. Par conséquent, si le bien dont le prix a augmenté est un bien normal, l'effet de revenu et l'effet de substitution réduisent tous les deux la demande de ce bien. Mais, si le bien est inférieur, effet de substitution et effet de revenu agissent dans des directions opposées.

**EXEMPLE**    Un consommateur a pour fonction d'utilité $U(x_1, x_2) = x_1 x_2$ et un revenu de 24. Initialement, le prix du bien 1 est de 1 et le prix du bien 2 est de 2. Puis le prix du bien 2 passe à 3 alors que le prix du bien 1 ne change pas. En utilisant la méthode apprise aux chapitres 4 et 5, vous pouvez calculer les fonctions de demande de ce consommateur. Vous trouvez que sa fonction de demande en bien 1 est $D_1(p_1, p_2, R) = R/2p_1$ et sa fonction de demande en bien 2 est $D_2(p_1, p_2, R) = R/2p_2$. Par conséquent, initialement, sa demande en bien 1 sera $D_1(1, 2, 24) = 24/2 \times 1 = 12$ unités et $D_2(1, 2, 24) = 24/2 \times 2 = 6$ unités de bien 2. Si, quand le prix du bien 2 augmente à 3, le revenu de ce consommateur change suffisamment pour qu'il consomme les mêmes quantités, ce nouveau revenu devra être de $(1 \times 12) + (3 \times 6) = 30$. Ainsi, pour un revenu de 30 et avec les nouveaux prix, le consommateur demandera $D_2(1, 3, 30) = 30/(2 \times 3) = 5$ unités de bien 2. Avant l'augmentation du prix, sa consommation de bien 2 était de 6; l'effet de substitution lié au changement de prix sur la demande de bien 2 est donc de $5 - 6 = -1$. En réalité, le revenu de ce consommateur est resté de 24. Sa demande en bien 2, après le changement de prix, est donc en fait $D_2(1, 3, 24) = 24/2 \times 3 = 4$. La différence entre ce qui est réellement demandé après le changement de prix et ce qui aurait été demandé si le revenu avait augmenté pour que l'ancien panier de consommation soit toujours accessible est l'effet de revenu. Ici, l'effet de revenu est de $4 - 5 = -1$. Remarquez que, dans cet exemple, effet de revenu et effet de substitution vont dans le même sens et contribuent tous deux à réduire la demande pour le bien 2.

Quand ce chapitre d'exercices sera terminé, nous espérons que vous saurez faire les chose suivantes :

- Trouver les effets de revenu et de substitution de Slutsky liés à un changement spécifique de prix si vous connaissez la fonction de demande de ce bien.

- Identifier graphiquement les effets de revenu et de substitution de Slutsky liés à un changement de prix.

- Trouver les effets de revenu et de substitution de Slutsky pour des fonctions d'utilité spéciales, par exemple dans le cas de biens parfaitement substituables, parfaitement complémentaires ou Cobb-Douglas.

- Montrer, à partir de courbes d'indifférence, comment peut se présenter le cas de biens Giffen.

- Montrer que l'effet de substitution d'une augmentation de prix entraîne systématiquement une diminution de la demande pour le bien dont le prix a augmenté.

- Interpréter les effets de revenu et de substitution pour en tirer des conclusions sur le comportement des consommateurs.

**7.1** [0]  Charlie, en bon végétarien qu'il est, continue de se nourrir de pommes et de bananes. Sa fonction d'utilité est $U(x_A, x_B) = x_A x_B$. Le prix des pommes et de 1, le prix des bananes est de 2, et son revenu de 40 par jour. Le prix de la banane chute soudainement à 1.

**(a)**  Avant le changement de prix, combien de pommes et de bananes Charlie consommait-il par jour ? Faites un graphique. Représentez en noir la droite de budget de Charlie. Soit A le point correspondant au panier de consommation choisi.

**(b)**   Si, après le changement de prix, le revenu de Charlie avait changé de façon à ce qu'il puisse toujours se procurer le même panier de consommation, quel devrait-être son nouveau revenu ? Avec ce revenu et les nouveaux prix, quelles quantités de pommes et de bananes Charlie devrait-il consommer ? Représentez, sur le même graphique et en rouge, la droite de budget correspondant à ce revenu et à ces prix. Soit $B$ le point correspondant au panier que Charlie consommerait à ce nouveau revenu et à ces prix.

**(c)**   L'effet de substitution lié à la baisse du prix des bananes le conduit-il à consommer moins ou plus de bananes ? Combien en plus ou en moins ?

**(d)**   Après le changement de prix, combien de pommes et de bananes Charlie achète-t-il en réalité ? Vous représenterez en bleu la droite de budget réelle de Charlie après le changement de prix. Soit $C$ le panier qu'il consomme réellement après le changement de prix. Dessinez trois droites horizontales sur votre graphique : l'une de $A$ à l'axe vertical, la seconde de $B$ à l'axe vertical et la dernière de $C$ à l'axe vertical. Le long de cet axe, indiquez l'effet de revenu, l'effet de substitution et l'effet total de la demande de bananes. Reportez-vous aux trois droites de budget. La droite de budget bleue est-elle parallèle à la droite de budget rouge ou à la noire ?

**(e)**   L'effet de revenu lié à la baisse du prix des bananes sur la demande de bananes de Charlie est-il équivalent à une augmentation ou à une diminution de son revenu ? Quel est le montant de cette variation par jour ? L'effet de revenu le conduit-il à consommer plus ou moins de bananes ? Combien en plus ou en moins ?

**(f)**   A cause de l'effet de substitution lié à la baisse du prix de la banane, Charlie consomme-t-il plus ou moins de pommes ? Combien en plus ou en moins ? A cause de l'effet de revenu de la baisse du prix de la banane, Charlie consomme-t-il plus ou moins de pommes ? Quel est l'effet total du changement de prix des bananes sur la demande de pommes ?

---

**7.2** [0]   Gégé a une passion pour un apéritif amer appelé la Muze. La fonction de demande de Gégé pour la Muze (le prix des autres biens étant normal) est $q = 0{,}02R - 2p$, où $R$ est son revenu, $p$ le prix d'une bouteille et $q$ le nombre de bouteilles de Muze qu'il demande. Le revenu de Gégé est de 7.500 francs par mois et le prix d'une bouteille de 30 francs.

**(a)**   Combien de bouteilles Gégé peut-il acheter ?

**(b)**   Si le prix de la Muze augmente à 40 francs, quelle doit être l'augmentation du revenu de Gégé pour qu'il puisse acheter toujours la même quantité de bouteilles de Muze et d'autres biens qu'il achetait avant le changement de prix ? Pour ce revenu, et un prix de 40 francs la bouteille, combien peut-il acheter de bouteilles ?

**(c)**   Avec un revenu de 7.500 francs et un prix de 40 francs la bouteille, combien de bouteilles de Muze Gégé demandera-t-il ?

**(d)**   Quand le prix de la Muze augmente de 30 à 40, de combien varie la demande de bouteilles de Gégé ? L'effet de substitution augmente-t-il ou réduit-il sa demande ? L'effet de revenu augmente-t-il ou réduit-il sa demande ? De combien de bouteilles l'effet de revenu fait-il varier sa demande ?

**7.3** [0]   *Attention : ne faites ce problème que si vous avez lu la section 8.8 du manuel intitulée "Un autre effet de substitution" qui décrit "l'effet de substitution de Hicks".* La figure ci-dessous montre la contrainte de budget et les courbes d'indifférence du bon Roi Zog. Zog est en situation d'équilibre avec un revenu de 300 et des prix $p_x = 4$ et $p_y = 10$.

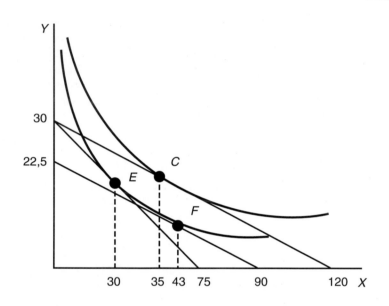

**(a)**   Combien Zog consomme-t-il de $x$ ?

**(b)**   Si le prix de $x$ baisse à 2,5 alors que le revenu de Zog et le prix de $y$ ne changent pas, combien Zog consomme-t-il de $x$ ?

**(c)**   Quel montant de revenu faut-il enlever à Zog pour isoler les effets de revenu et de substitution Hicksiens (i.e. pour lui permettre de rester sur la même courbe d'indifférence avec les nouveaux prix) ?

**(d)**   L'effet total du changement de prix modifie la consommation de Zog. Donnez les quantités consommées avant et après la modification de prix.

**(e)**   Donnez les coordonnées des points correspondant au déplacement entraîné par l'effet de revenu. Donnez les coordonnées des points correspondant au déplacement entraîné par l'effet de substitution.

**(f)**   Le bien $x$ est-il un bien inférieur ou un bien normal ?

**(g)**   Faite un graphique. Dessinez la courbe d'Engel et une courbe de demande pour le bien $X$ qui correspondrait aux informations données dans le graphique précédent. N'oubliez pas de donner un nom aux axes de vos graphiques.

**7.4** [0]   Maud dépense tout son revenu en delphiniums et roses trémières. Elle considère que ces deux sortes de fleurs sont des substituts parfaits. Un delphinium coûte 4 francs l'unité et une rose trémière 5 francs l'unité.

**(a)**   Si le prix des delphiniums baisse à 3 francs l'unité, Maud en achètera-t-elle plus ? Quelle est la part de la modification de consommation qui est due à un effet de revenu et celle due à un effet de substitution ?

**(b)**   Les prix des delphiniums et des roses trémières sont respectivement de $p_d = 4$ et $p_r = 5$ et le revenu de Maud est de 120. Faites un graphique. Tracez la droite de budget, en bleu. Représentez la courbe d'indifférence la plus haute qu'elle peut atteindre en rouge. Soit $A$ le point qu'elle choisit.

**(c)**   Maintenant supposons que le prix des roses trémières baisse à 3 l'unité, alors que le prix des delphiniums ne change pas. Représentez en noir sa nouvelle droite de budget. Représentez la courbe d'indifférence la plus haute qu'elle peut maintenant atteindre en rouge. Soit $B$ le point qu'elle choisit.

**(d)**   Quel doit être le revenu de Maud après la baisse du prix des roses trémières pour qu'elle puisse toujours acheter le panier de consommation $A$ ?

**(e)**   Quand le prix des roses trémières baisse à 3, quelle est la partie du changement dans la demande de Maud qui est due à l'effet de revenu et celle due à l'effet de substitution ?

**7.5** [0]   Supposons que deux biens soient des compléments parfaits. Si le prix de l'un de ces biens change, quelle partie du changement dans la demande est due à l'effet de substitution et laquelle est due à l'effet de revenu ?

**7.6** [0]   La fonction de demande de Douglas Cornfield pour le bien $x$ est $x(p_x, p_y, R) = 2R/5p_x$. Son revenu est de 1.000, le prix de $x$ de 5 et le prix de $y$ de 20. Si le prix de $x$ diminue à 4, comment évolue la demande de bien $x$ ?

**(a)**   Quel serait son nouveau revenu si celui-ci devait changer en même temps que le prix de $x$ de façon à ce qu'il puisse toujours consommer aux prix 4 et 20 le même panier qu'avec les prix 5 et 20 ? Quelle serait alors sa demande de $x$ avec ce nouveau revenu, aux nouveaux prix $p_x = 4$ et $p_y = 20$ ?

**(b)**   À combien s'élève l'effet de substitution ? L'effet de revenu ?

**(c)**   Faites un graphique. Représentez en bleu la droite de budget de Douglas avant le changement de prix et indiquez le panier qu'il choisit à ces prix; soit $A$ ce point. Représentez en noir la droite de budget de Douglas après le changment de prix et indiquez le panier qu'il choisit à ces prix; soit $B$ ce point.

**(d)**   Sur ce graphique, représentez en noir la droite de budget de Douglas avec les nouveaux prix et avec un revenu lui permettant d'acheter le panier $A$. Trouvez le panier qu'il choisirait avec cette droite de budget et appelez ce panier $C$.

**7.7** [0]    Monsieur X dépense 500 francs par mois pour acheter des cigarettes et de la crème glacée. Les préférences de Monsieur X pour les cigarettes et la crème glacée restent inchangées quelle que soit la saison.

**(a)**    En janvier, le prix des cigarettes est de 5 francs le paquet et la crème glacée coûte 10 francs le litre. A ces prix, M. X achète 30 litres de crème glacée et 40 paquets de ci-garettes. Faites un graphique. Dessinez la droite de budget de M. X pour le mois de Janvier. Utilisez de l'encre bleue. Indiquez son panier de consommation de janvier avec la lettre *J*.

**(b)**    En février, il dépense toujours le même revenu; la crème glacée coûte toujours 10 francs le litre mais le prix des cigarettes augmente à 6,25 francs. M. X consomme 30 litres de crème glacée et 32 paquets de cigarettes. Dessinez en rouge la droite de bud-get de M. X pour le mois de février. Indiquez son panier de consommation de février avec la lettre *F*. L'effet de substitution lié à ce changement de prix le conduit-il à con-sommer plus de cigarettes ? Moins de cigarettes ? Ou la même quantité ? Même question pour la crème glacée. Cela étant, et le changement total dans sa consomma-tion de crème glacé étant nul, l'effet de revenu lié à ce changement de prix le conduit-il à consommer plus, moins, ou la même quantité de crème glacée ? L'effet de revenu lié à ce changement de prix est-il équivalent à une augmentation ou à une diminution de son revenu ? Par conséquent, que nous permettent de conclure les informations disponibles quant à la nature du bien ? Est-il normal ? Inférieur ? Neutre ?

**(c)**    En mars, M. X dépense toujours 500. Il y a des promotions sur la crème glacée : 5 francs le litre. Mais, pendant ce temps, le prix des cigarettes s'élève à 7,5 francs le paquet. Faites un graphique. Représentez en noir la droite de budget de M. X pour le mois de mars. Sa satisfaction est-elle supérieure ou inférieure à celle de janvier ? Ou ne pouvez-vous pas comparer les deux situations ? Votre réponse à la dernière ques-tion change-t-elle si le prix des cigarettes augmente jusqu'à 10 francs le paquet ?

**7.8** [0]    Les aventures de M. X continuent !

**(a)**    En avril, le prix des cigarettes augmente à 10 francs le paquet. Pendant ce temps, la crème glacée est toujours en promotion, à 5 francs litre. M. X achète 34 paquets de cigarettes et 32 litres de crème glacée. Tracez au crayon sa droite de budget pour le mois d'avril. Indiquez par la lettre *A* le panier de consommation du mois d'avril. La satisfaction de M. X est-elle supérieure à celle du mois de janvier ? À celle du mois de février ? Ou bien ne peut-on répondre à cette dernière question ?

**(b)**    En mai, le prix des cigarettes reste à 10 francs le paquet mais les promotions sur la crème glacée sont terminées; le prix de ce produit revient à 10 francs le litre. Qu'à cela ne tienne! M. X a de la chance : sur le chemin du magasin, il trouve 150 francs! Maintenant, il a donc 650 francs à dépenser pour acheter cigarettes et crème glacée. Tracez en pointillés la droite de budget de M. X pour le mois de mai. Sans savoir ce qu'il a acheté, peut-on déterminer si sa situation s'est améliorée par rapport aux (ou au) mois précédent(s) ? Quel(s) est (sont) ce(s) mois ?

**(c)** En fait, au mois de mai, M. X achète 40 paquets de cigarettes et 25 litres de crème glacée. Est-ce qu'il satisfait l'axiome faible des préférences révélées ?

**7.9** [0] Dans le chapitre précédent, un problème portait sur le prix de la nourriture et la consommation en Suède en 1850 et 1890.

**(a)** La consommation de pommes de terre était identique pour les deux années. Le revenu réel doit avoir augmenté entre 1850 et 1890, puisque les quantités de nourriture de base achetées, mesurées aussi bien par l'indice de quantité de Laspeyres ou de Paasche, augmentaient. Le prix des pommes de terre augmente moins rapidement que celui du lait ainsi que celui de la viande, et environ au même taux que le prix de la farine. Le revenu réel a donc augmenté et le prix relatif des pommes de terre par rapport aux autres biens a diminué. A partir de ces informations, déterminez si les pommes de terre sont plutôt un bien normal ou un bien inférieur. Justifiez votre réponse.

**(b)** Ces données permettent-elles également de dire si les pommes de terre sont un bien Giffen ?

**7.10** [0] Agatha doit effectuer le voyage entre Istambul et Paris en prenant l'Orient Express. La distance est de 1.500 miles. Un voyageur peut choisir de faire une partie du voyage en voiture de première puis le reste du voyage en seconde. Le prix est de 10 centimes le mile pour une place en seconde et de 20 centimes le mile pour une place en première. Agatha préfère de beaucoup la première classe à la seconde mais, à cause d'une mésaventure au bazar d'Istambul, il ne lui reste que 200 francs pour acheter ses billets. Par chance, elle a toujours sa brosse à dents et une valise pleine de sandwichs au concombre pour ses repas durant le voyage. Elle prévoit donc de dépenser la totalité de ses 200 francs pour acheter ses billets. Elle voyagera en première autant qu'elle peut se le permettre. Or, elle doit impérativement aller jusqu'à Paris et 200 n'est pas une somme suffisante pour effectuer la totalité du voyage en première.

**(a)** Faites un graphique. Représentez en rouge le lieux des combinaisons billets de première classe/billets de seconde classe qu'Agatha peut acheter avec ses 200 francs. En bleu, indiquez les combinaisons billets de première/billets de seconde suffisantes pour lui permettre de faire la totalité du voyage d'Istambul à Paris. Indiquez les combinaisons billets de première/billets de seconde qu'Agatha chosira et appelez ce point $A$.

**(b)** Soit $m_1$, le nombre de miles parcourus en voiture de première et $m_2$ le nombre de miles parcourus alors qu'elle est dans une voiture de seconde. Ecrivez un système de deux équations dont la résolution vous permettra de trouver le nombre de miles qu'elle choisit de faire en voiture de première et le nombre de miles qu'elle choisit de faire en voiture de seconde.

**(c)** Quel est le nombre de miles qu'elle choisit de faire en voiture de seconde ?

**(d)** Juste au moment où elle achète ses billets, le prix du ticket de seconde passe à 5 centimes alors que le ticket de première reste au même prix, 20 centimes. Sur le même graphique que précédemment, vous montrerez (à l'aide d'un crayon) quelles sont les combinaisons billets de première/billets de seconde qu'Agatha peut se permettre d'acheter avec un budget de 200 francs et les nouveaux prix. (Souvenez-vous qu'elle va voyager aussi longtemps qu'elle peut en première classe et qu'elle doit effectuer la totalité des 1.500 miles avec 200 francs). Soit $B$ ce point. Combien de miles parcours-t-elle maintenant en seconde ? (Indication : vous trouverez une solution exacte en résolvant deux équations linéaires à deux inconnues). Le voyage en seconde est-il un bien normal pour Agatha ? Est-ce un bien Giffen ?

**7.11** [0]    Toujours en ce qui concerne Agatha… Aussitôt après que le prix du billet ait baissé de 10 à 5 centimes le mile pour les voyages en seconde, et juste avant qu'elle ait acheté le moindre ticket, Agatha égare son sac à main! Bien qu'elle ait gardé assez d'argent dans ses chaussettes, elle a perdu la somme lui permettant de se payer, aux nouveaux prix, la combinaison billets de première classe/billets de seconde classe qu'elle pouvait acheter avec les anciens prix. Combien d'argent a-t-elle perdu ? Sur le graphique que vous aviez commencé à faire dans l'exercice précédent, représentez en noir le lieux des combinaisons de tickets de première-tickets de seconde qu'elle peut se payer après qu'elle ait perdu son sac à main. Repérez ce point avec la lettre $C$. Combien de miles voyagera-t-elle en seconde maintenant ?

**(a)**    Pour finir, Agatha retrouve son sac à main. Combien de miles voyagera-t-elle en seconde classe maintenant (supposez qu'elle n'avait acheté aucun ticket avant d'avoir retrouvé son sac) ? Quand les prix des billets de seconde baissent de 10 à 5 centimes, quelle partie du changement dans la demande d'Agatha pour les billets de seconde est due à l'effet de substitution ? Combien est dû à l'effet de revenu ?

# Le surplus du consommateur

## INTRODUCTION

Dans ce chapitre vous apprendrez comment mesurer la valeur qu'un consommateur accorde à un bien, étant donnée sa fonction de demande pour ce bien. Le raisonnement est le suivant : le sommet de la courbe de demande mesure ce qu'un consommateur est prêt à payer pour la dernière unité de bien acheté — la disposition à payer pour l'unité marginale. Par conséquent, la somme des dispositions à payer pour chaque unité donne la disposition totale à payer pour la consommation de ce bien.

Géométriquement, cette disposition totale à payer pour consommer une quantité de ce bien est représentée par l'aire située entre la courbe de demande et la droite horizontale correspondant à ce montant. Cette aire est appelée **surplus brut du consommateur** ou **bénéfice total** de la consommation du bien. Si le consommateur doit payer une somme pour obtenir ce bien, en soustrayant cette somme au surplus brut nous obtenons le **surplus (net) du consommateur**.

Quand la fonction d'utilité a une forme quasilinéaire, $u(x) + m$, l'aire située sous la courbe de demande mesure $u(x)$, et l'aire située sous la courbe de demande moins les dépenses pour les autres biens mesure $u(x) + m$. Dans ce cas, le surplus du consommateur mesure exactement l'utilité et un changement dans le surplus du consommateur est une mesure monétaire d'un changement d'utilité.

Si la fonction d'utilité a une forme différente, le surplus du consommateur ne sera pas une mesure exacte de l'utilité, mais servira néanmoins souvent de bonne approximation. Cependant, si nous voulons avoir des mesures plus exactes, nous pouvons utiliser les notions de **variation compensée** et de **variation équivalente**.

La variation compensée est le montant de revenu supplémentaire qu'un consommateur doit recevoir aux *nouveaux* prix pour maintenir sa satisfaction au niveau atteint avec les anciens prix; la variation équivalente est le montant qu'il est nécessaire d'enlever au revenu du consommateur dans la situation avec les anciens prix pour qu'il ait la même satisfaction qu'avec les nouveaux prix. Bien que différents en général, les changements de surplus du consommateur et les variations compensée et équivalente seront les mêmes si les préférences sont quasilinéaires.

Dans ce chapitre vous apprendrez à :

- Calculer le surplus du consommateur et les changements de ce surplus.

- Calculer les variations compensée et équivalente.

---

**EXEMPLE**

Supposons que la fonction de demande inverse soit donnée par $P(q) = 100 - 10q$ et que le consommateur consomme 5 unités du bien. Quel montant devez-vous lui donner pour compenser l'impact de la réduction de sa consommation de ce bien à 0 ?

Réponse : La courbe de demande inverse atteint un maximum de 100 quand $q = 0$ alors que lorsque $q = 5$ la courbe atteint 50. L'aire située en dessous de la courbe de demande est un trapèze avec une base de 5 et des hauteurs de 100 et 50. Nous pouvons calculer l'aire de ce trapèze en appliquant la formule : Aire d'un trapèze = base x 1/2 (hauteur$_1$ + hauteur$_2$). Dans ce cas, l'aire vaut A = 5 x 1/2(100 + 50) = 375.

---

**EXEMPLE**

Supposons que ce consommateur achète les 5 unités à un prix de 50 l'unité. Si vous souhaitez réduire ses achats à 0, quel montant sera nécessaire pour compenser cette réduction ?

Nous avons vu dans l'exemple précédent que son bénéfice brut baisse de 375. D'un autre côté, il doit dépenser 5x50 = 250 en moins. La baisse de son surplus *net* est dans ce cas de 125.

---

**EXEMPLE**

Supposons maintenant que le consommateur ait une fonction d'utilité $U(x_1, x_2) = x_1 + x_2$. A l'origine le consommateur a un revenu de 10 et est confronté à des prix (1, 2). Si les prix deviennent (4, 2), calculez les variations compensée et équivalente.

Réponse : puisque les deux biens sont des substituts parfaits, le consommateur consommera initialement le panier (10, 0) ce qui lui rapportera une utilité de 10. Après le changement de prix, il consommera le panier (0, 5), ce qui lui rapportera une utilité de 5. Après le changement de prix, si ce consommateur veut avoir une utilité de 10, il doit avoir un revenu de 20. Par conséquent, la variation compensée est de 20 - 10 = 10. Avant le changement de prix, un revenu de 5 rapportait au consommateur une utilité de 5. Par conséquent, la variation équivalente est de 10 - 5 = 5.

**8.1** [0]   Monsieur Plus consomme des biscuits d'apéritif et sa fonction de demande pour les crackers au saumon est donnée par $D(p) = 100 - p$, où $p$ est le prix des crackers au saumon en centimes.

**(a)**   Si le prix est de 50 centimes le craker, combien en consommera-t-il ?

**(b)**   Quel surplus brut le consommateur retire-t-il de sa consommation ?

**(c)**   Combien d'argent dépense-t-il pour acheter les crackers ?

**(d)**   Quel surplus net retire-t-il de sa consommation de crackers au saumon ?

**8.2** [0]   Voici la table des prix de réservation pour un appartement :

| Individu | = | A | B | C | D | E | F | G | H |
|----------|---|-----|-----|-----|-----|-----|-----|-----|-----|
| Prix | = | 40 | 25 | 30 | 35 | 10 | 18 | 15 | 5 |

**(a)**   Si le prix de location d'équilibre pour un appartement est de 20, quel consommateur aura cet appartement ?

**(b)**   Si le prix de location d'équilibre est de 20, quel est le surplus net du consommateur créé sur ce marché pour $A$ ? pour $B$ ?

**(c)**   Si le prix de location d'équilibre est de 20, quel est le surplus net des consommateurs total créé sur ce marché ?

**(d)**   Si le prix de location est de 20, quel est le surplus brut sur ce marché ?

**(e)**   Si le prix baisse à 19, de combien augmente le surplus brut ?

**(f)**   Si le prix baisse à 19, de combien augmente le surplus net ?

**8.3** [0]   Quasimodo consomme un certain nombre de biens ainsi que des boules Quies. Sa fonction d'utilité pour les boules Quies, $x$, et l'argent dépensé sur les autres biens, $y$, est donnée par

$$U(x, y) = 100x - \frac{x^2}{2} + y$$

**(a)**   Quel est le type de la fonction d'utilité de Quasimodo ?

**(b)**   Quelle est sa fonction de demande inverse pour les boules Quies ?

**(c)**   Si le prix des boules Quies est de 50, combien en consomme-t-il ?

**(d)**   Si le prix des boules Quies est de 80, combien en consomme-t-il ?

**(e)**   Supposons que Quasimodo ait un revenu de 4000 à dépenser par mois. Quelle est son utilité totale pour les boules Quies et l'argent dépensé pour les autres biens si le prix des boules Quies est de 50 ?

**(f)**   Quelle est son utilité totale pour les boules Quies et les autres biens si le prix des boules Quies est de 80 ?

**(g)**   De combien son utilité diminue-t-elle quand le prix passe de 50 à 80 ?

**(h)**   Quel est le changement du surplus net du consommateur lorsque le prix passe de 50 à 80 ?

**8.4** [2]   Le graphique ci-dessous vous donne une représentation des courbes d'indifférence de Lolita Humbert entre les concombres et d'autres biens. Supposons que le prix de référence des concombres et le prix de référence des "autres biens" soient tous les deux de 1.

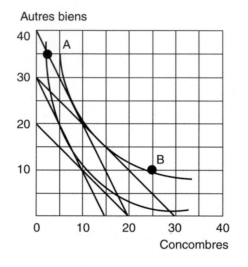

**(a)**   Quel est le montant minimum d'argent nécessaire à Lolita pour acheter un panier indifférent à *A* ?

**(b)**   Quel est le montant minimum d'argent nécessaire à Lolita pour acheter un panier indifférent à *B* ?

**(c)**   Supposons que le prix de référence des concombres soit de 2 et le prix de référence des "autres biens" de 1. Quelle est la somme qui lui permettrait d'acheter un panier indifférent à *A* ?

**(d)**   Avec ces nouveaux prix, quelle est la somme qui lui permettrait d'acheter un panier indifférent à *B* ?

**(e)**   Peu importe les prix auxquels Lolita est confrontée, le montant d'argent nécessaire à Lolita pour acheter un panier indifférent à *A* doit-il être supérieur ou inférieur au montant d'argent nécessaire à Lolita pour acheter un panier indifférent à *B* ?

**8.5** [2]   Les préférences de Bernie peuvent être représentées par $u(x, y) - min\{x, y\}$, où $x$ est le nombre de paires de boucles d'oreilles et $y$ l'argent dépensé pour les autres biens. Les prix sont $(p_x, p_y) = (2, 1)$ et le revenu de Bernie est de 12.

**(a)** Faites un graphique. Dessinez au crayon quelques unes des courbes d'indifférence de Bernie et sa droite de budget. De combien de boucles d'oreille et de francs dépensés pour acheter d'autres biens son panier de consommation optimal est-il composé ?

**(b)** Le prix de la paire de boucle d'oreille passe à 3 francs et le revenu de Bernie reste le même. A l'encre bleue et sur le même graphique, dessinez sa nouvelle droite de budget. De combien de boucles d'oreille et de francs dépensés pour acheter d'autres biens son nouveau panier de consommation optimal est-il composé ?

**(c)** Quel panier Bernie choisira-t-il si les prix sont ceux du début et si son revenu est juste suffisant pour lui permettre d'atteindre la nouvelle courbe d'indifférence ? Dessinez en rouge la droite de budget passant par ce panier. Quel est le supplément de revenu nécessaire pour que Bernie atteigne, avec les prix du début, cette droite de budget (rouge) ?

**(d)** Quel est le montant maximum que Bernie paiera pour éviter que les prix n'augmentent ? Ceci représente-t-il la variation compensée ou la variation équivalente ?

**(e)** Quel panier Bernie choisira-t-il si, aux nouveaux prix, il a juste assez de revenu pour atteindre la courbe d'indifférence initiale ? Tracez en noir la droite de budget qui passe par ce panier aux nouveaux prix. Quel sera alors le revenu de Bernie ?

**(f)** De combien le revenu du Bernie doit-il augmenter pour que sa satisfaction soit égale à celle que lui procurait son panier de consommation initial ? Ceci représente-t-il la variation compensée ou la variation équivalente ?

**8.6** [0]    Ulrich aime les jeux vidéos et les saucisses. Ses préférences peuvent être représentées par $U(x, y) = \ln(x + 1) + y$, où $x$ est le nombre de jeux vidéos auxquels il joue et $y$ l'argent qu'il dépense pour acheter des saucisses. Soit $p_x$ le prix des jeux vidéos et $R$ son revenu.

**(a)** Ecrivez une équation qui exprime l'égalité entre le TMS d'Ulrich et le rapport des prix. (Indication : souvenez-vous de Donald Fribble du chapitre 5).

**(b)** Comment qualifier les préférences d'Ulrich ? Vous pouvez résoudre cette seule équation afin de trouver sa fonction de demande pour les jeux vidéos. Donnez en l'expression. Quelle est sa fonction de demande pour l'argent dépensé pour acheter des saucisses ?

**(c)** Les jeux vidéos coûtent 0,25 et le revenu d'Ulrich est de 10. Combien de jeux vidéos Ulrich demande-t-il ? Quelle valeur en francs de saucisses demande-t-il ? Quelle est l'utilité qu'il retire de ce panier ? (faites les calculs avec 2 décimales).

**(d)** Si nous enlevions tous les jeux vidéos d'Ulrich, combien d'argent devrait-il dépenser sur les saucisses pour que sa satisfaction soit la même qu'avec le panier qu'il achetait précédemment ?

**(e)** Un impôt de 0,25 est instauré sur les jeux vidéos et les consommateurs doivent le payer en totalité. Avec ce nouvel impôt, combien de jeux vidéos Ulrich demande-t-il ? Quelle est la valeur (en francs) de sa demande de saucisses ? Quelle est l'utilité qu'il retire de ce panier ? (faites les calculs avec 2 décimales).

**(f)** Maintenant, si nous enlevons tous les jeux vidéos d'Ulrich, quelle somme devra-t-il consacrer à l'achet de saucisses pour qu'il ait la même satisfaction qu'avec le panier qu'il achetait après que l'impôt ait été mis en place ?

**(g)** Quelle est la modification du surplus du consommateur d'Ulrich due à l'impôt ? Combien d'argent le gouvernement collecte-t-il grâce à cette taxe ?

**8.7** [1]   Zazac est un chien de Normandie très intelligent. Il ne consomme que deux biens, de la nourriture pour chien et des os. Ses préférences sont représentées par la fonction d'utilité $U(x, y) = x - x^2/2 + y$, où $x$ représente sa consommation de nourriture pour chien et $y$ sa consommation d'os. Zazac a été éveillé par sa sœur aux merveilles et mystères de l'optimisation et maximise toujours son utilité sous contrainte de budget. Zazac a un revenu de $R$ écus qu'il répartit, selon ses désirs les plus profonds, entre nourriture pour chiens et os. Le prix d'un os est de 1 écu. Le prix de la nourriture de chien est noté $p$, avec $0 < p \leq 1$.

**(a)** Ecrivez la fonction de demande inverse de Zazac pour la nourriture pour chien. (Indication : la fonction d'utilité de Zazac est quasilinéaire. Quand $y$ est le numéraire et le prix de $x$ est $p$, la fonction de demande inverse pour quelqu'un dont la fonction d'utilité est quasilinéaire $f(x) + y$ est obtenue en posant simplement $p = f'(x)$.)

**(b)** Si le prix de la nourriture pour chien est $p$ et le revenu de Zazac est $R$, quelle quantité d'os consommera-t-il ? (Indication : l'argent non dépensé pour acheter de la nourriture est utilisé pour les os).

**(c)** Remplacez les nombres trouvés dans la fonction d'utilité de Zazac pour trouver son niveau d'utilité aux prix et revenu donnés.

**(d)** Supposons que le revenu journalier de Zazac soit de 3 et le prix de la nourriture de 0,5. Quel panier achètera-t-il ? Quel panier achètera-t-il si le prix de la nourriture augmente jusqu'à 1 écu ?

**(e)** Combien d'argent Zazac sera-t-il prêt à débourser pour éviter d'avoir à supporter une augmentation du prix de la nourriture à 1 ? Ce montant correspond-il à la variation compensée ou à la variation équivalente ?

**(f)** Supposons que le prix de la nourriture soit passé à 1 écu. Combien de revenu supplémentaire devrez vous lui donner pour que sa satisfaction soit la même qu'avant l'augmentation ? Ce montant correspond-il à la variation compensée ou à la variation équivalente ? La variation compensée est-elle plus ou moins élevée que la variation équivalente ? Sont-elles égales ?

**(g)** Avec un prix de 0,5 écu et un revenu de 3, quel est le surplus (net) du consommateur de Zazac ?

**8.8** [2]  F. Fuztone a des préférences quasilinéaires et sa fonction de demande inverse pour les steacks de bison est $p(b) = 30 - 2b$. Monsieur Fuztone consomme 10 steacks à un prix de 10 écus.

**(a)**  Combien d'argent est-il prêt à dépenser pour consommer ses 10 steacks plutôt que de rien avoir du tout ? Quel est le niveau du surplus (net) du consommateur ?

**(b)**  Cazenaze et fils, seule entreprise produisant des steacks de bison, décide d'augmenter le prix de 10 à 14 écus. Quel est le changement du surplus du consommateur de M. Fuztone ?

**8.9** [1]  Karl Doublezero est prêt à produire $p/2 - 20$ chaises à n'importe quel prix $p > 40$. Pour des prix inférieurs à 40, il ne produit rien. Combien produira-t-il de chaises si le prix des chaises est de 100 ? A ce prix quel est le montant du surplus du producteur ?

**8.10** [2]  Mademoiselle Q. Moto adore sonner les cloches de l'église pendant 10 heures chaque jour. Elle dépense $c$ sur les autres biens qu'elle consomme et elle passe $x$ heures à sonner les cloches, sa fonction d'utilité est : $u(c, x) = c + 3x$ pour $x \leq 10$. Si $x > 10$, elle attrape des ampoules extrêmement douloureuses et se sent plus mal que si elle ne sonnait pas les cloches. Son revenu est égal à 100 et le sacristain l'autorise à sonner les cloches pendant 10 heures.

**(a)**  A cause des plaintes dans le village, le sacristain a décidé de permettre à Melle Moto de ne sonner les cloches que pendant 5 heures par jour. Ceci est une mauvaise nouvelle pour Melle Moto. Pour elle, cela équivaut à une perte de revenu. Quel est le montant de cette perte de revenu ?

**(b)**  Le sacristain lui fait une nouvelle offre : lui laisser sonner la cloche autant qu'elle le désire à condition qu'elle paye ce privilège 2 francs de l'heure. Combien de temps sonnera-t-elle les cloches maintenant ? Quelle perte de revenu lui causerait le même déplaisir que cette taxe ?

**(c)**  Les villageois continuent de se plaindre. Le sacristain augmente le prix qu'il demande à Melle Moto pour sonner les cloches à 4 francs de l'heure. Combien de temps Melle Moto passera-t-elle à sonner les cloches à présent ? Par rapport à la situation dans laquelle elle pouvait sonner gratuitement les cloches, quelle perte de revenu lui causerait le même déplaisir que cette taxe ?

# La demande du marché

## INTRODUCTION

Quelques uns des problèmes posés dans ce chapitre vous demanderont de construire la courbe de demande du marché à partir des courbes de demande individuelles. La demande du marché pour un prix donné est simplement la somme des demandes individuelles à ce prix. Le point central dont vous devez vous souvenir est que, pour passer des demandes individuelles à la demande du marché, il vous faudra ajouter les quantités. Graphiquement, pour obtenir la demande du marché vous sommez les demandes individuelles horizontalement. La courbe de demande du marché présentera un coude chaque fois que le prix du marché sera suffisamment élevé pour qu'il y ait un consommateur dont la demande soit nulle.

Quelquefois, vous aurez besoin de trouver le prix de réservation d'un consommateur pour un bien. Le prix de réservation est le prix tel que le consommateur est indifférent entre avoir ce bien à ce prix et ne pas l'avoir du tout. Mathématiquement, le prix de réservation, $p^*$, satisfait l'égalité $U(0, R) = U(1, R\text{-}p^*)$, où $R$ est le revenu et où la quantité des autres biens est mesurée en francs.

Enfin, quelques problèmes vous demanderont de calculer les élasticités par rapport au prix et/ou au revenu. Si vous savez faire un peu de calcul différentiel, ces problèmes seront faciles. Si la fonction de demande est $D(p)$, et si vous calculez l'élasticité-prix de la demande lorsque le prix est $p$, vous avez simplement besoin de calculer $dD(p)/dp$ et de multiplier ce que vous avez obtenu par $p/q$.

## 9.0     Exercice d'échauffement (calcul d'élasticités)

Voici quelques questions concernant les élacticités-prix. Pour chacune des fonctions de demande, trouvez l'expression de l'élasticité-prix de la demande. La réponse sera normalement une fonction du prix, $p$. A titre d'exemple, soit la fonction de demande linéaire, $D(p) = 30 - 6p$. Alors, $dD(p)/dp = -6$ et $p/q = p/(30 - 6p)$. Ainsi, l'élasticité de la demande est $-6p/(30 - 6p)$.

**(a)**    $D(p) = 60 - p$.

**(b)**    $D(p) = a - bp$.

**(c)**    $D(p) = 40p^{-2}$.

**(d)**    $D(p) = Ap^{-b}$.

**(e)**    $D(p) = (p + 3)^{-2}$.

**(f)**    $D(p) = (p + a)^{-b}$.

## 9.1 [0]

A la pompe à essence des "4 carrefours", dans la Creuse, il y a deux types de consommateurs, les propriétaires de Beugeot et ceux qui ont des Dolvo. Chaque propriétaire de Beugeot a une fonction de demande d'essence qui est $D_B(p) = 20 - 5p$ avec $p \le 4$ et $D_B(p) = 0$ si $p > 4$. Chaque propriétaire de Dolvo a une fonction de demande d'essence qui est $D_D(p) = 15 - 3p$ avec $p \le 5$ et $D_D(p) = 0$ si $p > 5$. (Les quantités sont mesurées en litres par semaine et le prix en francs). Supposons que la pompe des "4 carrefours" soit fréquentée par 150 consommateurs, 100 propriétaires de Beugeot et 50 propriétaires de Dolvo.

**(a)**    Si le prix est de 3, quelle est la quantité d'essence demandée par chaque propriétaire individuel de Beugeot ? Par chaque propriétaire individuel de Dolvo ?

**(b)**    Quelle est quantité totale d'essence demandée par tous les propriétaires de Beugeot ? Par tous les propriétaires de Dolvo ?

**(c)**    Quelle est quantité totale demandée par tous les consommateurs de la pompe à essence à un prix de 3 ?

**(d)**    Faites un graphique. Dessinez en bleu la courbe de demande représentant la demande totale émanant des propriétaires de Beugeot. En noir, la courbe de demande représentant la demande totale émanant des propriétaires de Dolvo. En rouge, tracez la courbe de demande du marché pour toute la ville.

**(e)**    A quels prix la courbe de demande de marché présente-t-elle des coudes ?

**(f)**    Quand le prix de l'essence est de 1 par litre, de combien baisse la demande hebdomadaire d'essence quand le prix augmente de 0,1 ?

**(g)**    Quand le prix de l'essence est de 4,5 le litre, de combien baisse la demande hebdomadaire d'essence quand le prix augmente de 0,1 ?

**(h)**   Quand le prix de l'essence est de 10 le litre, de combien baisse la demande hebdomadaire d'essence quand le prix augmente de 0,1 ?

**9.2 [0]**   Pour chacune des fonctions de demande suivantes, calculez la courbe de demande inverse.

**(a)**   $D(p) = max\{10 - 2p, 0\}$

**(b)**   $D(p) = 100/\sqrt{p}$

**(c)**   $Ln\, D(p) = 10 - 4p$

**(d)**   $Ln\, D(p) = Ln\, 20 - 2\ln p$

**9.3 [0]**   La fonction de demande pour les tondeuses à chien électriques émanant des éleveurs de chiens est $q_e = max\{200 - p, 0\}$, et la fonction de demande des propriétaires d'animaux domestiques pour les tondeuses électriques est $q_p = max\{90 - 4p, 0\}$.

**(a)**   Au prix $p$, quelle est l'élasticité-prix de la demande des éleveurs de chiens pour les tondeuses électriques ? Quelle est l'élasticité-prix de la demande des propriétaires d'animaux domestiques ?

**(b)**   Pour quel prix l'élasticité de la demande des éleveurs de chiens est-elle égale à -1 ? Pour quel prix l'élasticité de la demande des propriétaires d'animaux domestiques est-elle égale à -1 ?

**(c)**   Faites un graphique. Tracez la courbe de demande des éleveurs de chiens en bleu, la courbe de demande des propriétaires d'animaux domestiques en rouge et la courbe de demande du marché au crayon.

**(d)**   Trouvez un prix non nul pour lequel la demande totale pour les tondeuses à chien est positive et pour lequel il y a un coude dans la courbe de demande. Quelle est la demande du marché pour des prix inférieurs à ce coude ? Quelle est la demande du marché pour des prix supérieurs à ce coude ?

**(e)**   A quel endroit de la courbe de demande du marché, l'élasticité-prix est-elle égale à -1 ? A quel prix, la recette obtenue par la vente des tondeuses à chien électrique est-elle maximisée ? Si l'objectif de tous les vendeurs est de maximiser leur recette, les tondeuses électriques seront-elles vendues aux éleveurs seulement, aux propriétaires d'animaux domestiques seulement ou aux deux ?

**9.4 [0]**   La demande pour les litières pour chats est $\ln D(p) = 1000 - p + \ln R$, où $p$ est le prix de la litière et $R$ le revenu.

**(a)**   Quelle est l'élasticité-prix de la demande pour les litières pour chat quand $p = 2$ et $R = 500$ ? Quand $p = 3$ et $R = 500$ ? Quand $p = 4$ et $R = 1500$ ?

**(b)**   Quelle est l'élasticité-prix de la demande quand le prix des litières est $p$ et le revenu $R$ ? Quelle est l'élasticité-revenu de la demande ?

**9.5** [0]    La fonction de demande pour le bien $X$ est $q(p) = (p + 1)^{-2}$.

**(a)**    Quelle est l'élasticité-prix de la demande pour un prix $p$ ?

**(b)**    Pour quel prix l'élasticité-prix de la demande est-elle égale à -1 ?

**(c)**    Ecrivez une expression donnant la recette totale de la vente du bien $X$ comme fonction du prix $p$. Trouvez, en utilisant les dérivées, le prix qui maximise la recette. N'oubliez pas de vérifier les conditions du second ordre.

**(d)**    Supposons que la fonction de demande prenne la forme plus générale $q(p) = (p + a)^{-b}$, où $a > 0$ et $b > 1$. Donnez une expression de l'élasticité-prix de la demande au prix $p$ ? Pour quel prix l'élasticité-prix de la demande est-elle égale à -1 ?

**9.6** [0]    La fonction d'utilité de Ken est $U_k(x_1, x_2) = x_1 + x_2$. La fonction d'utilité de Barbie est $U_b(x_1, x_2) = (x_1 + 1)(x_2 + 1)$. Une personne ne peut acheter que des unités entières de bien 1. Par ailleurs, nul ne peut acheter plus d'1 unité. On ne peut donc acheter que soit 1, soit 0 unité de bien 1. Pour le bien 2, en revanche, tout le monde peut acheter n'importe quelle quantité de bien qu'elle peut se payer au prix de 1 l'unité.

**(a)**    Soit $R$ le revenu de Barbie et $p_1$ le prix du bien 1. Donnez une équation dont la résolution permet de trouver le prix de réservation de Barbie pour le bien 1. Quel est le prix de réservation de Barbie pour le bien 1 ? Quel est le prix de réservation de Ken pour le bien 1 ?

**(b)**    Ken et Barbie ont chacun un revenu de 3. Faites un graphique. Tracez la courbe de demande du marché pour le bien 1.

**9.7** [0]    La fonction de demande pour les yo-yos est $D(p, R) = 4 - 2p + R/100$, où $p$ est le prix du yo-yo et $R$ le revenu. Si $R$ est de 100 et $p$ de 1,

**(a)**    Quelle est l'élasticité-revenu de la demande pour les yo-yos ?

**(b)**    Quelle est l'elasticité-prix de la demande pour les yo-yos ?

**9.8** [0]    La fonction de demande pour les zarfs est $P = 10 - Q$.

**(a)**    Pour quel prix la recette totale provenant de leur vente sera-t-elle maximisée ?

**(b)**    Combien de zarfs seront vendus à ce prix ?

**9.9** [0]    La fonction de demande pour les billets permettant d'assister à la finale de la coupe d'Europe des clubs champions est $D(p) = 200\ 000 - 10\ 000\ p$. Le directeur du stade qui organise le match fixe le prix des billets de façon à maximiser sa recette. Le stade dans lequel se déroule le match peut contenir 100 000 spectateurs.

**(a)**    Ecrivez la fonction de demande inverse.

**(b)**    Ecrivez une expression de la recette totale et de la recette marginale en fonction du nombre de tickets vendus.

**(c)** Faites un graphique. Représentez à l'encre bleue la fonction de demande inverse et à l'encre rouge la fonction de recette marginale. Sur ce graphique, tracez également une droite bleue verticale représentant la capacité du stade.

**(d)** Quel est le prix qui procure une recette maximum ? Quelle quantité de billets sera vendue à ce prix ?

**(e)** Pour cette quantité, quelle est la recette marginale ? Pour cette quantité, quelle est l'élasticité-prix de la demande ? Le stade sera-t-il plein ?

**(f)** Les résultats exceptionnels obtenus par les deux finalistes entraînent une augmentation de la demande de tickets. La fonction de demande est $q(p) = 300\,000 - 10\,000\,p$. Quelle est la nouvelle fonction de demande inverse ?

**(g)** Donnez une expression de la recette marginale en fonction de l'output. Tracez en rouge la nouvelle courbe de demande et en noir la nouvelle fonction de recette marginale.

**(h)** Sans tenir compte des capacités du stade, quel prix permettrait d'obtenir la recette maximum ? Quelle quantité serait vendue à ce prix ?

**(i)** Ainsi que vous l'avez surement remarqué, la quantité maximisant la recette totale donnée par la nouvelle courbe de demande est plus importante que la capacité du stade. Aussi intelligent que soit le directeur du stade, il ne peut vendre plus de billets que ce que son stade contient de sièges. Il remarque que sa recette marginale est positive pour n'importe quel nombre de billets qu'il vend au-delà de la capacité du stade. Par conséquent, combien devra-t-il vendre de tickets et à quel prix pour maximiser sa recette ?

**(j)** Dans ces conditions, quelle est la recette marginale qu'il tire de la vente d'un billet supplémentaire ? Quelle est l'élasticité de la demande des tickets pour cette combinaison prix-quantité ?

**9.10 [0]** Le directeur du stade de l'exercice précédent considère la recette supplémentaire qu'il obtiendra de chacune des trois propositions d'aggrandissement du stade. Rappelez-vous que la fonction de demande à laquelle il est confronté à présent est maintenant $q(p) = 300\,000 - 10\,000\,p$.

**(a)** De combien la recette totale tirée de la vente des tickets va-t-elle s'accroître si le directeur ajoute 1000 sièges supplémentaires et détermine le prix du ticket de façon à maximiser sa recette ?

**(b)** De combien augmentera la recette par match si sont ajoutés 50 000 nouveaux sièges ? 60 000 nouveaux sièges ? (Indication : le directeur cherche toujours à maximiser sa recette).

**(c)** Un contribuable généreux se propose de construire un stade de la capacité que souhaite le directeur et d'en faire une donation à la ville. Il y a un seul problème. Le directeur doit fixer un prix permettant de remplir le stade. Si le directeur cherche à maximiser la recette qu'il tire de la vente des tickets, quelle capacité choisira-t-il ?

# L'équilibre

## INTRODUCTION

L'offre et la demande sont le gagne-pain de l'économiste. Dans les problèmes de ce chapitre, vous aurez à trouver les prix et les quantités d'équilibre en écrivant une équation qui indique l'égalité entre l'offre et la demande. Lorsque le prix reçu par les offreurs est le même que le prix payé par les demandeurs, on écrit l'offre et la demande comme des fonctions de la même variable prix, $p$, et on résoud pour le prix qui égalise l'offre et la demande. Mais si, comme cela arrive avec les impôts et les subventions, les offreurs et les demandeurs font face à des prix différents, il faut noter ces prix de manière différente, $p_o$ et $p_d$. On peut alors résoudre un système de deux équations à deux inconnues, $p_o$ et $p_d$. Les deux équations sont, d'une part, l'équation qui dit que l'offre et la demande sont égales et, d'autre part, l'équation qui relie le prix payé par les demandeurs au prix net reçu par les offreurs.

**EXEMPLE**    La fonction de demande pour le bien $x$ est $q = 1000 - 10p_d$, où $p_d$ est le prix payé par les consommateurs. La fonction d'offre pour $x$ est $q = 100 + 20p_o$, où $p_o$ est le prix reçu par les offreurs. Pour chaque unité vendue, le gouvernement prélève un impôt égal à la moitié du prix payé par les consommateurs. Trouvons les prix et les quantités d'équilibre. A l'équilibre, l'offre doit être égale à la demande, donc $1000 - 10p_d = 100 + 20p_o$. Puisque le gouvernement prélève un impôt égal à la moitié du prix payé par les consommateurs, les vendeurs ne reçoivent donc que la moitié du prix que payent les consommateurs, donc $p_o = p_d/2$. Nous avons donc à présent un système de deux équations à deux inconnues, $p_o$ et $p_d$. Remplaçons $p_o$ par son expression en fonction de $p_d$, $p_d/2$, dans la première équation. Nous avons donc : $1000 - 10p_d = 100 + 10p_d$. La résolution de cette équation nous permet de trouver que $p_d = 45$. Par conséquent, $p_o = 22,5$ et $q = 550$.

## 10.1 [0]

La demande de beurre de Koala est donnée par $120 - 4p_d$ et l'offre est $2p_o - 30$, où $p_d$ est le prix payé par les demandeurs et $p_o$ le prix reçu par les offreurs — prix mesurés en dollars australiens pour 100 livres. Les quantités demandées et offertes sont mesurées en centaines de livres.

**(a)** Faites un graphique. Dessinez la courbe de demande (en bleu) et la courbe d'offre (en rouge) de beurre de Koala.

**(b)** Ecrivez l'équation dont la résolution vous donnera le prix d'équilibre.

**(c)** Quel est le prix d'équilibre du beurre de Koala ? Quelle est la quantité d'équilibre ? Indiquez le prix et la quantité d'équilibre sur le graphique et appelez les $p_1$ et $q_1$.

**(d)** Une sècheresse terrible frappe les steppes centrales du Queensland, région d'Australie de laquelle les Koalas sont originaires. L'offre diminue à $2p_o - 60$. La demande reste identique à celle qu'elle était précédemment. Tracez la nouvelle fonction d'offre. Ecrivez l'équation dont la résolution vous donnera le nouveau prix d'équilibre du beurre .

**(e)** Quel est le nouveau prix d'équilibre ? Quelle est la quantité d'équilibre ? Indiquez ces nouvelles données sur le graphique et appelez les respectivement $p_2$ et $q_2$.

**(f)** Le gouvernement décide d'aider les consommateurs et les producteurs de beurre de Koala en versant une subvention de 5 dollars australiens pour cent livres de beurre aux producteurs. Si $p_d$ est le prix payé par les demandeurs de beurre de Koala, quel est le montant total reçu par les producteurs pour chaque unité qu'ils produisent ? Quand le prix payé par les consommateurs est $p_d$, à combien s'élève la production de beurre de koala ?

**(g)** Ecrivez l'équation dont la résolution vous donnera le prix d'équilibre payé par les consommateurs, dans le cadre de ce programme de subvention. Quels sont à présent le prix d'équilibre payé par les consommateurs et la quantité de beurre échangée à l'équilibre ?

**(h)** Supposons que le gouvernement ait versé la subvention aux consommateurs plutôt qu'aux producteurs. Quel aurait été le prix net d'équilibre payé par les consommateurs ? Quelle serait alors la quantité d'équilibre ?

## 10.2 [0]

Voici les fonctions d'offre et de demande pour les bonbons à l'eucalyptus, où $p$ est le prix en francs :

$$D(p) = 40 - p$$
$$S(p) = 10 + p$$

Faites un graphique. Dessinez en bleu les fonctions de demande et d'offre pour ces bonbons.

**(a)** Quel est le prix d'équilibre ? Quelle est la quantité d'équilibre ?

**(b)** Supposons que le gouvernement décide de limiter la vente des bonbons à l'eucaluptus à 20 unités. A quel prix les 20 bonbons seront-ils demandés ? Combien de bonbons devraient-ils être offerts à ce prix ? A quel prix les vendeurs offriront-ils seulement 20 unités ?

**(c)** Le gouvernement veut être absolument certain que seulement 20 bonbons seront achetés. Mais il ne souhaite pas que les entreprises fournissant ce produit reçoivent plus que le prix minimum qui les inciterait à offrir 20 bonbons. Le gouvernement peut émettre 20 coupons de rationnement. Ainsi, afin d'obtenir un bonbon, un consommateur devrait présenter un coupon de rationnement avec le montant d'argent nécessaire pour payer le bonbon. Si les coupons étaient achetés et vendus librement sur un marché, quel serait le prix d'équilibre de ces coupons ?

**(d)** Faites un graphique. Hachurez la zone qui représente la perte résultant de la limitation de la vente des bonbons à 20. Combien de francs cela représente-t-il ? (Indication : quelle est la formule de la surface d'un triangle ?)

**10.3 [0]** Voici les fonction des demande et d'offre pour les leçons de ski : $D(p_d) = 100 - 2p_d$ et $O(p_o) = 3p_o$.

**(a)** Quel est le prix d'équilibre ? Quelle est la quantité d'équilibre ?

**(b)** Les consommateurs doivent payer un impôt de 10 francs par leçon de ski. Ecrivez une équation qui relie le prix payé par les demandeurs et le prix reçu par les offreurs. Ecrivez une équation qui indique que l'offre est égale à la demande.

**(c)** Résolvez le système formé par ces deux équations. Avec un impôt de 10 francs, quel serait le prix d'équilibre payé par les consommateurs par leçon, $p_d$ ? Quel serait alors le nombre total de leçons données ?

**(d)** Un élu d'un département montagneux pense que les consommateurs de leçons de ski sont riches et méritent d'être imposés, mais qu'en revanche les moniteurs de ski sont pauvres et doivent recevoir une subvention. Il propose de verser une subvention de 6 francs à la production de leçons de ski tout en maintenant l'impôt de 10 francs pour les consommateurs de leçons de ski. Cette politique aura-t-elle des conséquences différentes pour les offreurs et les demandeurs par rapport à une taxe de 4 francs sur les leçons ?

**10.4 [0]** La courbe de demande pour le poisson pané est $D(P) = 200 - 5P$ et la fonction d'offre est $S(P) = 5P$.

**(a)** Faites un graphique. Représentez en bleu les courbes de demande et d'offre. Quel est le prix de marché à l'équilibre ? Quelle est la quantité vendue à l'équilibre ?

**(b)** Un impôt de 2 par bâtonnet de poisson pané vendu est instauré. Représentez en rouge la nouvelle courbe d'offre — le prix sur l'axe vertical reste le prix par unité payé par les demandeurs. Quel sera le nouveau prix payé par les demandeurs à l'équilibre ? Quel sera le nouveau prix reçu par les offreurs ? Quelles seront les quantités vendues à l'équilibre ?

**(c)** Quelle est la perte sèche due à l'impôt ? Sur le graphique, hachurez la zone représentant cette perte.

## 10.5 [0]

La fonction de demande pour les brebis mérinos est $D(P) = 100/P$ et la fonction d'offre est $S(P) = P$.

**(a)** Quel est le prix d'équilibre ?

**(b)** Quelle est la quantité d'équilibre ?

**(c)** Une taxe *ad valorem* de 300% est instaurée sur la brebis mérinos de telle sorte que le prix payé par les demandeurs soit égal à 4 fois le prix reçu par les offreurs. Quel est le prix d'équilibre payé maintenant par les demandeurs de brebis mérinos ? Quel est le prix d'équilibre reçu par les offreurs de brebis mérinos ? Quelle est la quantité d'équilibre ?

## 10.6 [0]

$S$ et $L$ sont deux obscurs peintres impressionistes du $19^{\text{ème}}$ siècle. Le nombre total d'œuvres peintes par $S$ est de 100 et le nombre total de peintures de $L$ est de 150. Les deux peintres sont considérés par les spécialistes comme ayant un style très proche. La demande pour les œuvres de chacun des deux peintres dépend donc du prix des œuvres de chaque peintre en propre et du prix des œuvres de l'autre. La fonction de demande pour les œuvres de $S$ est $D_S(P) = 200 - 4P_S - 2P_L$ et la fonction de demande pour les œuvres de $L$ est $D_L(P) = 200 - 3P_L - P_S$, où $P_S$ et $P_L$ sont respectivement les prix en francs des œuvres de $S$ et de $L$.

**(a)** Ecrivez les deux équations simultanées qui donnent la condition d'équilibre (la demande pour les œuvres de chaque peintre égale l'offre).

**(b)** Résoudre ce système. Quel est le prix d'équilibre pour les œuvres de $S$ ? Quel est le prix d'équilibre de $L$ ?

**(c)** Faites un graphique. Dessinez une droite qui représente toutes les combinaisons de prix pour $S$ et $L$ telles que l'offre de tableaux de $S$ égale la demande de tableaux de $S$. Tracez une seconde droite qui représente toutes les combinaisons de prix telles que l'offre de tableaux de $L$ égale la demande de tableaux de $L$. Soit $E$ l'unique combinaison de prix qui solde les les deux marchés.

**(d)** L'incendie d'une épicerie fine détruit l'une des plus grandes collections au monde de tableaux de $S$. Le feu détruit en tout 10 œuvres. Après le feu, quel est le prix d'équilibre des œuvres de $S$ ? Quel est le prix d'équilibre des œuvres de $L$ ?

**(e)** Sur le graphique précédent, dessinez en rouge, la droite qui montre le lieu des combinaisons de prix pour lesquelles la demande pour les tableaux de $S$ égale l'offre pour les tableaux de $S$ après l'incendie. Soit $E'$ ce nouvel équilibre.

$\overline{\textbf{10.7}\ [0]}$　　L'élasticité-prix de la demande de la côtelette de bison est constante et égale à -1. Quand le prix de la viande de bison est de 10 l'unité, la quantité totale demandée est de 6.000 unités.

**(a)**　Ecrivez l'équation de la fonction de demande. Faites un graphique. Représentez cette fonction de demande en bleu (Indication : si la demande a une élasticité prix constante égale à $\epsilon$, alors $D(p) = ap^{\epsilon}$, $a$ étant une constante quelconque. Vous devez utiliser les données du problème pour trouver les valeurs de $a$ et de $\epsilon$ correspondantes).

**(b)**　Si l'offre est parfaitement inélastique et égale à 5.000 unités, quel est le prix d'équilibre ? Représenter la courbe d'offre. Soit $E$ l'équilibre.

**(c)**　Supposons que la courbe de demande se déplace vers l'extérieur de 10%. Ecrivez la nouvelle équation de la fonction de demande. Supposons que la courbe d'offre reste verticale mais se déplace vers la droite de 5%. Quel est le nouveau prix d'équilibre ? Quelle est la nouvelle quantité d'équilibre ?

**(d)**　De quel pourcentage, approximativement, le prix d'équilibre a-t-il augmenté ? Utilisez de l'encre rouge pour représentez la nouvelle courbe de demande et la nouvelle courbe d'offre sur votre graphique.

**(e)**　Supposons que la courbe de demande se soit déplacée vers l'extérieur de $x\%$ et la courbe d'offre de $y\%$. De quel pourcentage, approximativement, le prix d'équilibre a-t-il augmenté ?

$\overline{\textbf{10.8}\ [0]}$　　Un historien de l'économie [1] rapporte que des études économétriques indiquent pour la période précédant la guerre civile américaine, 1820-1860, une élasticité-prix de la demande de coton de la part des Etats du Sud approximativement égale à -1. Du fait de la rapide croissance de l'industrie textile britannique, on a estimé que la courbe de demande pour le coton américain s'était déplacée vers la droite d'environ 5% par an durant toute cette période.

**(a)**　Si, pendant cette période, la production de coton des Etats-Unis avait augmenté de 3% par an, quel aurait été (approximativement) le changement du prix du coton pendant cette période ?

**(b)**　Supposons une élasticité-prix constante de -1, et supposons que lorsque le prix est de 20, la quantité produite est aussi de 20. Tracez la courbe de demande de coton. Quel est la recette totale quand le prix est de 20 ? Quel est la recette totale quand le prix est de 10 ?

**(c)**　Si le changement dans la quantité de coton offerte par les Etats-Unis était interprétée comme un déplacement le long d'une courbe d'offre de long terme à pente croissante, quelle serait l'élasticité de l'offre ? (Indication : de 1820 à 1860, la quantité a augmenté d'environ 3% par an. Quel est le pourcentage annuel d'augmentation du prix ? [rapportez-vous à votre réponse précédente]. Si la variation de la quantité est un

---

1　Gavin Wright, *The Political Economy of the Cotton South*, W.W. Norton, 1978.

mouvement le long d'une courbe d'offre de long terme, alors que doit valoir l'élasticité-prix de long terme ?).

**(d)** La guerre civile américaine commença en 1861. Son effet fut dévastateur pour la production de coton dans le Sud. La production chuta d'environ 50% et resta à ce niveau durant toute la guerre. Que pourriez-vous prédire quand à l'effet de cette baisse sur le prix du coton ?

**(e)** Quel est l'effet sur la recette totale des fermiers produisant le coton dans le Sud ?

**(f)** La croissance de l'industrie textile britannique se termina dans les années 1860 et, pour le reste du $19^{\text{ème}}$ siècle, la courbe de demande de coton américain resta approximativement inchangée. Aux environs de 1900, le Sud retrouva son niveau de production d'avant la guerre. Que pensez-vous qu'il arriva alors au prix du coton ?

**10.9** [0]  Le nombre de bouteilles de *Patrimonio* demandées par an est $ 1.000.000 - 60.000P$, où $P$ est le prix par bouteille (en dollars américains). Le nombre de bouteilles offertes est de $40.000P$.

**(a)** Quel est le prix d'équilibre ? Quelle est la quantité d'équilibre ?

**(b)** Supposons que le gouvernement introduise un nouvel impôt tel que le producteur de vin paye une taxe de $ 5 par bouteille pour chaque bouteille qu'il produit. Quel est le nouveau prix d'équilibre payé par les consommateurs ? Quel est le nouveau prix d'équilibre reçu par les offreurs ? Quelle est la nouvelle quantité d'équilibre ?

**10.10** [0]  La fonction de demande inverse de bananes est $P_d = 18 - 3Q_d$ et la fonction d'offre inverse est $P_s = 6 + Q_s$, où les prix sont mesurés en francs.

**(a)** En l'absence de taxe ou de subvention, quelle est la quantité d'équilibre ? Quel est le prix d'équilibre du marché ?

**(b)** Une subvention de 2 francs par kilo est versée aux producteurs de bananes. A l'équilibre, il faut toujours que les quantités demandées égalent les quantités offertes, mais maintenant, le prix reçu par les vendeurs est de 2 francs plus élevé que le prix payé par les consommateurs. Quelle est la nouvelle quantité d'équilibre ? Quel est le nouveau prix d'équilibre reçu par les offreurs ? Quel est le nouveau prix d'équilibre payé par les demandeurs ?

**(c)** Donnez une expression du changement de prix en pourcentage du prix d'origine. Si l'élasticité croisée de la demande entre les bananes et les pommes est de +0,5, quelle sera la conséquence de la subvention des bananes sur la demande de pommes, le prix des pommes restant constant ? (Indiquez votre réponse en termes de variations).

**10.11** [1]  Le roi Kanuta règne sur une petite île tropicale, l'atoll de Nutting, dont la ressource principale est la noix de coco. Soit $P$, le prix de la noix de coco. Les sujets de Kanuta demandent $D(P) = 1.200 - 100P$ noix de coco par semaine pour leur consommation personnelle. Les producteurs de noix de coco de l'île offrent $S(P) = 100P$ noix de coco par semaine.

**(a)** Quel est le prix d'équilibre ? Quelle est la quantité offerte à l'équilibre ?

**(b)** Un jour, le roi décide de taxer ses sujets. Il exige que chaque sujet qui consomme une noix de coco paye au roi un impôt d'une noix de coco. Ainsi, un sujet qui veut consommer 5 noix de coco pour sa consommation personnelle devra en acheter 10 et en donner 5 au roi. Si le prix reçu par les vendeurs est $P_s$, que coûte à un sujet du roi la consommation d'une noix de coco supplémentaire pour son usage personnel ?

**(c)** Si le prix payé aux offreurs est $P_s$, combien de noix de coco un sujet du roi demandera-t-il pour son usage personnel ? (Indication : donnez une expression de $P_d$ en termes de $P_s$ et remplacez-le dans la fonction de demande).

**(d)** Puisque le roi consomme une noix de coco pour chaque noix de coco consommée par ses sujets, la quantité totale demandée par le roi et par ses sujets est le double de la quantité demandée par les sujets. Par conséquent, si le prix reçu par les offreurs est $P_s$, quel est le nombre total de noix de coco demandées par semaine par Kanuta et ses sujets ?

**(e)** Trouvez la valeur d'équilibre de $P_s$, la quantité totale d'équilibre de noix de coco produites et la quantité totale d'équilibre de noix de coco consommées par les sujets de Kanuta.

**(f)** Les sujets de Kanuta n'apprécient absolument pas d'avoir à payer un surplus de noix de coco au roi et il se murmure qu'une révolution se prépare. Ennuyé par une atmosphère hostile, le roi modifie l'impôt. Maintenant, ce sera aux commerçants vendant les noix de coco à supporter la taxe. Pour chaque noix de coco vendue à un consommateur, le commerçant devra en donner une au roi. Par conséquent, combien de noix de coco seront-elles vendues aux consommateurs ? Combien les commerçants reçoivent-ils par noix de coco après avoir payé la taxe au roi ? A quel prix les consommateurs paient-ils la noix de coco ?

# La technologie

## INTRODUCTION

Dans ce chapitre, vous étudierez des fonctions de production. Une fonction de production décrit comment la production d'une firme est liée aux facteurs qu'elle emploie. Cette théorie vous paraîtra familière dans la mesure où elle ressemble beaucoup à la théorie des fonctions d'utilité. Dans la théorie de l'utilité, une courbe d'indifférence est constituée par tous les paniers de biens qui procurent au consommateur la même utilité. Dans la théorie de la production, une isoquante est constituée par toutes les combinaisons d'inputs qui permettent de produire la même quantité d'output. Dans la théorie du consommateur, la pente d'une courbe d'indifférence en un point $(x_1, x_2)$ correspondant à un panier de biens est définie par le rapport des utilités marginales, $Um_1(x_1, x_2)/Um_2(x_1, x_2)$. Dans la théorie de la production, la pente d'une isoquante en un point $(x_1, x_2)$ correspondant à une combinaison de facteurs est définie par le rapport des produits marginaux, $Pm_1(x_1, x_2)/Pm_2(x_1, x_2)$. La plupart des fonctions que nous vous avons données comme exemples de fonctions d'utilité peuvent être réutilisées ici comme exemples de fonctions de production.

Il y a cependant une différence importante entre les fonctions de production et les fonctions d'utilité. Vous vous rappelez que les fonctions d'utilité étaient uniques à des transformations monotones près. En revanche, deux fonctions de production différentes qui sont chacune la transformation monotone de l'autre décrivent des technologies différentes.

---

**Exemple**

Si la fonction d'utilité $U(x_1, x_2) = x_1 x_2$ représente les préférences d'un individu, la fonction d'utilité $U^*(x_1, x_2) = (x_1 + x_2)^2$ les représente aussi. Une personne dont la fonction d'utilité est $U^*(x_1, x_2)$ a les mêmes courbes d'indifférence qu'un individu dont la fonction d'utilité est $U(x_1, x_2)$ et leurs choix seraient les mêmes s'ils avaient le même revenu. Mais supposons qu'une entreprise ait pour fonction de production $f(x_1, x_2) = x_1 + x_2$, et qu'une autre entreprise ait pour fonction de production $f^*(x_1, x_2) = (x_1 + x_2)^2$. Il est exact que les isoquantes des deux entreprises sont les mêmes, mais elles n'ont certainement pas la même technologie. Pour une même combinaison de facteurs $(x_1, x_2) = (1, 1)$, la première entreprise produira 2 unités et la seconde 4.

Tournons-nous à présent vers les "rendements d'échelle". Il s'agit ici de savoir ce qui arrive à la production lorsque la quantité de chaque facteur est multipliée par un nombre $t > 1$. Si en multipliant les quantités de facteurs par $t$ on multiplie la production par un nombre plus grand que $t$, les rendements d'échelle sont croissants. Si la production est multipliée par un nombre égal à $t$, les rendements d'échelle sont constants. Si la production est multipliée par un nombre inférieur à $t$, les rendements d'échelle sont décroissants.

---

**EXEMPLE**

Considérons la fonction de production, $f(x_1, x_2) = x_1^{1/2} x_2^{3/4}$. Si on multiplie la quantité de chaque facteur par $t$, la production sera égale à $f(tx_1, tx_2) = (tx_1)^{1/2}(tx_2)^{3/4}$. Pour comparer $f(tx_1, tx_2)$ à $f(x_1, x_2)$, factorisons la dernière équation. Nous obtenons $f(tx_1, tx_2) = t^{5/4} x_1^{1/2} x_2^{3/4} = t^{5/4} f(x_1, x_2)$. Ainsi, lorsque vous multipliez les quantités de tous les facteurs par $t$, vous multipliez la quantité produite par $t^{5/4}$. Cela signifie que les rendements d'échelle sont *croissants*.

---

**EXEMPLE**

Soit la fonction de production $f(x_1, x_2) = \min\{x_1, x_2\}$. Alors, $f(tx_1, tx_2) = \min\{tx_1, tx_2\} = \min t\{x_1, x_2\} = t \min\{x_1, x_2\} = tf\{x_1, x_2\}$. Par conséquent, lorsque tous les facteurs sont multipliés par $t$, la production est aussi multipliée par $t$. Il s'ensuit que cette fonction de production a des rendements d'échelle *constants*.

Nous vous demanderons aussi de savoir si le produit marginal de chaque facteur pris isolément augmente ou diminue à mesure que sa quantité augmente tandis que les quantités des autres facteurs restent constantes. Si vous connaissez le calcul différentiel, vous aurez reconnu que le produit marginal d'un facteur est la dérivée première de la fonction de production par rapport à la quantité de ce facteur. En conséquence, le produit marginal d'un facteur diminue, augmente, ou reste constant lorsque la quantité de ce facteur augmente selon que la dérivée *seconde* de la fonction de production par rapport à la quantité de ce facteur est négative, positive, ou nulle.

**EXEMPLE**  Considérons la fonction de production $f(x_1, x_2) = x_1^{1/2}x_2^{3/4}$. Le produit marginal du facteur 1 est $\frac{1}{2}x_1^{-1/2}x_2^{3/4}$. C'est une fonction décroissante de $x_1$, comme vous pouvez le vérifier en calculant la dérivée du produit marginal par rapport à $x_1$. De même, on peut montrer que le produit marginal de $x_2$ diminue à mesure que $x_2$ augmente.

## 11.0 Exercice d'échauffement

La première partie de cet exercice consiste à calculer les produits marginaux et les taux de substitution technique de plusieurs fonctions de production que vous rencontrerez fréquemment. À titre d'exemple, considérez la fonction de production $f(x_1, x_2) = 2x_1 + \sqrt{x_2}$. Le produit marginal de $x_1$ est la dérivée de $f(x_1, x_2)$ par rapport à $x_1$, la quantité de $x_2$ étant constante. Il est égal à 2. Le produit marginal de $x_2$ est la dérivée de $f(x_1, x_2)$ par rapport à $x_2$, la quantité de $x_1$ étant constante. Il est égal à $\frac{1}{2\sqrt{x_2}}$. Le taux de substitution technique est $-Pm_1/Pm_2 = -4\sqrt{x_2}$. Si vous ne connaissez pas le calcul différentiel, construisez un tableau comme indiqué ci-dessous et remplissez-le en vous reportant aux réponses données à la fin de ce livre. Il vous sera utile pour la suite.

**Tableau 1** : *Produits marginaux et taux de substitution techniques*

| $f(x_1,x_2)$ | $Pm_1(x_1,x_2)$ | $Pm_2(x_1,x_2)$ | $TST(x_1,x_2)$ |
|---|---|---|---|
| $x_1 + 2x_2$ | | | |
| $ax_1 + bx_2$ | | | |
| $50x_1x_2$ | | | |
| $x_1^{1/4}x_2^{3/4}$ | $\frac{1}{4}x_1^{1/4}x_2^{3/4}$ | | |
| $Cx_1^{a}x_2^{b}$ | $Cax_1^{a-1}x_2^{b}$ | | |
| $(x_1 + 2)(x_2 + 1)$ | $x_2+1$ | | |
| $(x_1 + a)(x_2 + b)$ | | | |
| $ax_1 + b\sqrt{x_2}$ | | | |
| $x_1^{a} + x_2^{b}$ | | | |
| $(x_1^{a} + x_2^{a})^{b}$ | $bax_1^{a-1}(x_1^a + x_2^a)^b$ | $bax_2^{a-1}(x_1^a + x_2^a)^b$ | |

**Tableau 2 :** *Rendements d'échelle et variations des produits marginaux*

|  | Rendements d'échelle | $Pm_1$ | $Pm_2$ |
|---|---|---|---|
| $x_1 + 2x_2$ |  |  |  |
| $\sqrt{x_1 + 2x_2}$ |  |  |  |
| $0,2x_1x_2^2$ |  |  |  |
| $x_1^{1/4}x_2^{3/4}$ |  |  |  |
| $x_1 + \sqrt{x_2}$ |  |  |  |
| $(x_1 + 1)^{0,5}(x_2)^{0,5}$ |  |  |  |
| $(x_1^{1/3} + x_2^{1/3})^3$ |  |  |  |

Refaites le tableau ci-dessus. Pour chaque fonction de production, indiquez par un I, un C, ou un D placé dans la première colonne si les rendements d'échelle de cette fonction de production sont croissants, constants, ou décroissants. Inscrivez un I, un C, ou un D dans la deuxième (troisième) colonne selon que le produit marginal du facteur 1 (facteur 2) est croissant, constant, ou décroissant lorsque la quantité de ce seul facteur augmente.

**11.1 [0]** Prune est un producteur de pêches. *L* est le nombre d'unités de travail qu'elle emploie et *T* est le nombre d'unités de terre cultivées. Sa production de pêches exprimée en boisseaux est donnée par $f(L, T) = L^{1/2}T^{1/2}$.

**(a)** Faites un graphique. Indiquez quelques combinaisons de facteurs lui permettant de produire 4 boisseaux de pêches. Tracez une isoquante passant par ces points. Les points de l'isoquante correspondant à une production de 4 boisseaux vérifient tous une équation. Laquelle ?

**(b)** Cette fonction de production a-t-elle des rendements d'échelle constants, croissants, ou décroissants ?

**(c)** À court terme, Prune ne peut changer la quantité de terre qu'elle exploite. Faites un graphique. Tracez à l'encre bleue une courbe montrant comment évolue la production de pêches en fonction de la quantité de travail lorsque la quantité de terre est égale à 1 unité. Donnez une lettre à chaque point de votre courbe correspondant à une quantité de travail égale à 0, 1, 4, 9 et 16. Comment s'appelle la pente de cette courbe ? La pente de cette courbe augmente-t-elle ou diminue-t-elle lorsque la quantité de travail augmente ?

**(d)** Supposons que Prune possède 1 unité de terre. Quelle production supplémentaire peut-elle obtenir d'une unité supplémentaire de travail lorsque la quantité de travail précédemment employée est égale à 1 unité ? Lorsque la quantité de travail précédemment employée est égale à 4 unités ? Si vous connaissez le calcul différentiel, calculez le produit marginal du travail pour la combinaison de facteurs (1, 1) et comparez-le avec le premier des deux résultats obtenu ci-dessus.

**(e)** À long terme, Prune peut faire varier la quantité du facteur terre aussi bien que la quantité de travail. Supposons que la surface de son verger augmente à 4 unités de terre. Tracez à l'encre rouge sur le graphique précédent une nouvelle courbe montrant comment évolue la production en fonction du facteur travail. Tracez aussi à l'encre rouge une courbe décrivant l'évolution du produit marginal du travail en fonction de la quantité de travail lorsque la quantité de terre est fixée à 4 unités.

$\overline{\textbf{11.2}}$[0] Supposons que $x_1$ et $x_2$ soient utilisés en proportions fixes et que $f(x_1, x_2) = \min\{x_1, x_2\}$.

**(a)** Supposons que $x_1 < x_2$. Quel est le produit marginal de $x_1$ ? Ce produit marginal augmente-t-il, reste-t-il constant, ou diminue-t-il lorsque $x_1$ augmente légèrement ? Quel est le produit marginal de $x_2$ ? Ce produit marginal augmente-t-il, reste-t-il constant, ou diminue-t-il lorsque $x_2$ augmente légèrement ? Quel est le taux (marginal) de substitution technique entre $x_2$ et $x_1$ ? Les rendements d'échelle sont-ils croissants, constants, ou décroissants ?

**(b)** Supposons que $f(x_1, x_2) = \min\{x_1, x_2\}$ et $x_1 = x_2 = 20$. Quel est le produit marginal d'un petit accroissement de $x_1$ ? Quel est le produit marginal d'un petit accroissement de $x_2$ ? Le produit marginal de $x_1$ augmente-t-il, diminue-t-il, reste-t-il constant dans le cas où la quantité de $x_2$ augmente légèrement ?

$\overline{\textbf{11.3}}$[0] Supposons une fonction de production du type Cobb-Douglas : $f(x_1, x_2) = x_1^{1/2}x_2^{3/2}$.

**(a)** Écrivez une expression du produit marginal de $x_1$ au point $(x_1, x_2)$.

**(b)** Supposons un petit accroissement de $x_1$, la quantité de $x_2$ étant fixée. Le produit marginal de $x_1$ augmente-t-il, diminue-t-il, ou reste-t-il constant ?

**(c)** Quel est le produit marginal de $x_2$ ? Augmente-t-il, diminue-t-il, reste-t-il constant dans le cas où $x_2$ augmente légèrement ?

**(d)** Un accroissement de la quantité de $x_2$ augmente-t-il, laisse-t-il inchangé, diminue-t-il le produit marginal de $x_1$ ?

**(e)** Quel est le taux de substitution technique entre $x_2$ et $x_1$ ?

**(f)** Le taux de substitution technique de cette technologie est-il décroissant ?

**(g)** Les rendements d'échelle de cette technologie sont-ils croissants, constants, ou décroissants ?

$\overline{\textbf{11.4}}$[0] La fonction de production d'un bien est $f(K, L) = L/2 + \sqrt{K}$, où $L$ désigne la quantité de travail utilisée et $K$ la quantité de capital.

**(a)** Les rendements d'échelle sont-ils croissants, constants, ou décroissants ? Le produit marginal du travail est-il croissant, constant, ou décroissant ?

**(b)** À court terme, la quantité de capital est fixée à 4 unités. La quantité de travail peut varier. Faites un graphique. Utilisez de l'encre bleue pour tracer la courbe qui représente la relation entre l'output et le travail. Tracez à l'encre rouge la courbe du produit marginal du travail en fonction de la quantité de travail. Le produit moyen du travail est défini par le rapport de la production totale sur la quantité de travail. Tracez à l'encre noire la courbe du produit moyen du travail en fonction de la quantité de travail à court terme.

**11.5** [0] La Giacométaux SA produit des sculptures métalliques dans deux établissements. La fonction de production du premier établissement est $f_A(x_1, x_2) = \min\{x_1, 2x_2\}$, et la fonction du second établissement est $f_B(x_1, x_2) = \min\{2x_1, x_2\}$, où $x_1$ et $x_2$ représentent les facteurs de production.

**(a)** Faites un graphique. Tracez à l'encre bleue l'isoquante correspondant à une production de 40 sculptures réalisées dans le premier établissement. Tracez à l'encre rouge l'isoquante correspondant à une production de 40 sculptures réalisées dans le second établissement.

**(b)** Supposons que l'entreprise souhaite que chaque établissement produise 20 sculptures. Quelle est la quantité de chaque input dont le premier établissement aura besoin pour produire 20 sculptures ? Quelle est la quantité de chaque input dont le second établissement aura besoin pour produire 20 sculptures ? Sur le graphique, désignez par la lettre *a* le point représentant la quantité totale de chacun des deux inputs dont la firme aura besoin pour produire un total de 40 sculptures, à raison de 20 dans le premier établissement et 20 dans le second.

**(c)** Désignez par la lettre *b* sur votre graphique le point indiquant les quantités totales de chaque input dont l'entreprise a besoin si elle produit 10 sculptures dans le premier établissement et 30 dans le second. Désignez par la lettre *c* sur votre graphique le point indiquant les quantités totales de chaque input dont l'entreprise a besoin si elle produit 30 sculptures dans le premier établissement et 10 dans le second. Tracez à l'encre noire l'isoquante de l'entreprise correspondant à une production de 40 sculptures dans le cas où la production peut être répartie de manière quelconque entre les deux établissements. La technologie de l'entreprise est-elle convexe ?

**11.6** [0] Vous dirigez une équipe de 160 ouvriers qui peuvent être affectés à la production de deux biens. Il faut 2 ouvriers pour produire une unité de bien A, et 4 ouvriers pour produire une unité de bien B.

**(a)** Écrivez une équation donnant les combinaisons des biens A et B qu'on pourrait produire en employant exactement 160 ouvriers. Faites un graphique et hachurez à l'encre bleue la surface indiquant les combinaisons de A et B que les 160 ouvriers pourraient produire. (Supposez qu'il est possible que certains d'entre-eux ne fassent rien du tout.)

**(b)** Supposez à présent que chaque unité produite de bien A requiert l'emploi de 4 pelles mécaniques et de 2 ouvriers, et que chaque unité produite de bien B requiert l'emploi de 2 pelles mécaniques et de 4 ouvriers. Sur la figure que vous venez de tracer, hachurez à l'encre rouge la surface décrivant les combinaisons de A et B qu'on pourrait produire avec 180 pelles mécaniques et sans aucune contrainte d'offre de travail. Ecrivez une équation donnant l'ensemble des combinaisons de A et B qu'on pourrait produire avec exactement 180 pelles mécaniques.

**(c)** Sur le même graphique, hachurez à l'encre noire la surface représentant les combinaisons réalisables d'outputs en tenant compte à la fois de l'offre limitée de travail et de l'offre limitée de pelles mécaniques.

**(d)** Indiquez sur votre graphique la combinaison réalisable d'outputs lorsqu'on utilise toute la main d'oeuvre et toutes les pelles mécaniques. À défaut de graphique, quelle équation vous aurez permis de déterminer ce point ?

**(e)** Quelle quantité maximale de bien A pourriez-vous produire si vous disposiez de 160 ouvriers et 180 pelles mécaniques ? Si vous produisiez cette quantité, vous n'utiliseriez pas toute l'offre disponible d'un des deux inputs. Lequel ? A combien s'élèverait la quantité inemployée de cet input ?

**11.7** [0] La fonction de production d'une entreprise est $f(x, y) = \min\{2x, x + y\}$. Sur un graphique, tracez quelques isoquantes de cette entreprise. Une autre entreprise a pour fonction de production $f(x, y) = x + \min\{x, y\}$. Les rendements d'échelle des deux entreprises ou de l'une d'elles sont-ils constants ? Sur le même graphique, tracez quelques isoquantes de la seconde entreprise.

**11.8** [0] Supposons que la fonction de production soit de la forme : $f(x_1, x_2, x_3) = A x_1{}^a x_2{}^b x_3{}^c$ où $a + b + c > 1$. Démontrez que les rendements d'échelle sont croissants.

**11.9** [0] Supposons que la fonction de production soit de la forme $f(x_1, x_2) = C x_1{}^a x_2{}^b$ où $a$, $b$ et $C$ sont des constantes positives.

**(a)** Pour quelles valeurs positives de $a$, $b$ et $C$ les rendements d'échelles sont-ils décroissants ? Pour quelles valeurs sont-ils constants ? Pour quelles valeurs sont-ils croissants ?

**(b)** Pour quelles valeurs positives de $a$, $b$ et $C$ le produit marginal du facteur 1 est-il décroissant ?

**(c)** Pour quelles valeurs positives de $a$, $b$ et $C$ le taux de substitution technique est-il décroissant ?

**11.10** [0] Supposons que la fonction de production soit $f(x_1, x_2) = (x_1{}^a + x_2{}^a)^b$ où $a$ et $b$ sont des constantes positives.

**(a)** Pour quelles valeurs positives de $a$ et $b$ les rendements d'échelle sont-ils décroissants ? Pour quelles valeurs sont-ils constants ? Pour quelles valeurs sont-ils croissants ?

**11.11** [0]　Supposons que la fonction de production soit de la forme $f(x_1, x_2) = \sqrt{x_1 + x_2^2}$.

**(a)**　Le produit marginal du facteur 1 augmente-t-il, diminue-t-il, ou reste-t-il constant lorsque la quantité du facteur 1 augmente ? Le produit marginal du facteur 2 augmente-t-il, diminue-t-il, ou reste-t-il constant lorsque la quantité du facteur 2 augmente ?

**(b)**　Cette fonction de production ne satisfait pas la définition des rendements d'échelle croissants, constants ou décroissants. Comment est-ce possible ? Trouvez une combinaison d'inputs telle qu'en doublant la quantité des deux inputs, la quantité d'output fait plus que doubler. Trouvez une combinaison d'inputs telle qu'en doublant la quantité des deux inputs, la quantité d'output fait moins que doubler.

# La maximisation du profit

## INTRODUCTION

Une entreprise sur un marché concurrentiel ne peut fixer pour son produit un prix supérieur à celui du marché. S'il y a aussi concurrence sur les marchés d'inputs, elle devra également payer ces inputs à leurs prix de marché. Supposons qu'une entreprise concurrentielle cherchant à maximiser son profit ne puisse modifier que la quantité d'un seul facteur, et que le produit marginal de ce facteur diminue à mesure que sa quantité augmente. L'entreprise maximisera alors son profit en employant une quantité suffisante du facteur variable de telle sorte que son produit marginal en valeur soit égale à son prix. Même lorsqu'une entreprise emploie plusieurs facteurs, il se peut que seuls certains d'entre-eux soient variables à court terme.

EXEMPLE

La fonction de production d'une firme est $f(x_1, x_2) = x_1^{1/2}x_2^{1/2}$ Supposons que cette firme utilise 16 unités du facteur 2 et qu'elle ne puisse modifier cette quantité à court terme. À court terme, la seule chose qu'elle puisse faire est de choisir la quantité du facteur 1. Soit $p$ le prix de l'output de la firme, et $w_1$ le prix d'une unité de facteur 1. Il s'agit de trouver la quantité de $x_1$ utilisée par la firme et la quantité d'output qu'elle produira. La quantité de facteur 2 utilisée à court terme étant nécessairement égale à 16, l'output sera égal à $f(x_1,16) = 4x_1^{1/2}$. On calcule le produit marginal de $x_1$, en dérivant l'output par rapport à $x_1$. Ce produit marginal est égal à $2x_1^{-1/2}$. En égalisant la valeur du produit marginal du facteur 1 à son prix, on obtient $p2x_1^{-1/2} = w_1$. On peut alors calculer $x_1$. On trouve $x_1 = (2p/w_1)^2$. En reportant ce résultat dans la fonction de production, on voit que la firme choisira de produire $4x_1^{1/2} = 8p/w_1$ unités d'output.

À long terme, une entreprise peut être en mesure de faire varier les quantités de tous les inputs. Considérons le cas d'une entreprise concurrentielle qui utilise deux inputs. Dans ce cas, si l'entreprise maximise son profit, le produit marginal en valeur de chaque facteur doit être égale à son prix. Ceci nous donne deux équations à deux inconnues, les quantités des deux facteurs. Si les rendements d'échelle sont décroissants, ces deux équations suffisent à déterminer les quantités des deux facteurs. Si les rendements d'échelle sont constants, ces deux équations suffisent seulement à déterminer le rapport des quantités utilisées des deux facteurs.

Dans les problèmes portant sur l'axiome faible de la maximisation du profit, on vous demandera de vérifier si le comportement observé de l'entreprise est cohérent avec un comportement de maximisation du profit. Pour y parvenir, il vous faudra tracer sur un graphique des courbes d'isoprofit de l'entreprise. Une courbe d'isoprofit représente toutes les combinaisons d'input-output qui procurent le même profit pour des prix donnés de l'input et de l'output. Pour obtenir l'équation d'une courbe d'isoprofit, il suffit de poser une équation du profit de l'entreprise pour des prix donnés de l'input et de l'output. En la résolvant, on trouve la quantité d'output produite en fonction de la quantité d'input choisie. Graphiquement, vous saurez que le comportement d'une entreprise est cohérent avec l'hypothèse de la maximisation du profit si la combinaison input-output qu'elle choisit à chaque période se situe en dessous des courbes d'isoprofit des autres périodes.

**12.1** (0)  La fonction de production à court terme d'une entreprise concurrentielle est donnée par $f(L) = 6L^{2/3}$, où $L$ est la quantité de travail utilisée. (Si vous ne connaissez pas le calcul différentiel, sachez que si la production totale est $aL^b$, où $a$ et $b$ sont des constantes, et où $L$ est la quantité d'un facteur de production, alors le produit marginal de $L$ est donné par la formule $abL^{b-1}$). Le coût d'une unité de travail est $w = 6$ et le prix d'une unité d'output est $p = 3$.

**(a)**  Faites un graphique. Reportez sur ce graphique quelques points de la fonction de production de cette entreprise et tracez à l'encre bleue le graphe de la fonction de production. À l'encre noire, tracez la courbe d'isoprofit passant par le point (0, 12), la courbe d'isoprofit passant par le point (0, 8), et la courbe d'isoprofit passant par le point (0, 4). Quelle est la pente de chacune de ces courbes d'isoprofit ? Quels sont les points correspondant à des combinaisons d'input-output réellement réalisables le long de la courbe d'isoprofit passant par le point (0, 12) ? Surlignez la partie de la courbe d'isoprofit passant par le point (0, 4) correspondant à des quantités d'output effectivement réalisables.

**(b)**  Combien d'unités de travail l'entreprise emploiera-t-elle ? À combien s'élèvera sa production ? Si l'entreprise ne supporte aucun autre coût, à combien s'élèvera son profit ?

**(c)** Supposons que le salaire tombe à 4 tandis que le prix $p$ du produit reste constant. Tracez à l'encre rouge sur votre graphique les nouvelles courbes d'isoprofit de l'entreprise passant par son choix initial d'input et d'output. Aux nouveaux prix, la production de l'entreprise augmente-t-elle ? Expliquez pourquoi en vous appuyant sur votre graphique.

**12.2** [0] Une entreprise de Los Angeles n'utilise qu'un seul input pour produire une attraction. Sa fonction de production est $f(x) = 4\sqrt{x}$ où $x$ représente le nombre d'unités d'input. Le produit se vend au prix de 100 $ l'unité. Le coût unitaire de l'input est de 50 $.

**(a)** Écrivez une équation selon laquelle le profit de l'entreprise est une fonction de la quantité d'input.

**(b)** Quelle quantité d'input maximise le profit ? Quelle quantité d'output maximise le profit ? À combien s'élève le profit maximal ?

**(c)** Supposons qu'une taxe de 20 $ frappe chaque unité d'output de l'entreprise et que le prix de son input bénéficie d'une subvention de 10 $. Quelle est la nouvelle quantité d'input ? Quelle est la nouvelle quantité d'output ? À présent, à combien s'élève le profit ? (Indication : une bonne façon de résoudre cette question consiste à exprimer le profit de l'entreprise en fonction de son input et à trouver ainsi la quantité d'input qui maximise le profit.)

**(d)** Supposons qu'à la place de cette taxe et de cette subvention, le profit de l'entreprise soit imposé à hauteur de 50%. Exprimez le profit après impôt en fonction de la quantité d'input. À combien s'élève la production qui maximise le profit ? À combien s'élève le profit après impôt ?

**12.3** [0] Frère Jean voue son existence à convertir de pauvres païens en bons chrétiens. Deux inputs sont nécessaires à cette transformation : des païens (disponibles en grand nombre) et des sermons. La fonction de production a la forme suivante : $r_p = \min\{h, p\}$, où $r_p$ représente le nombre de convertis, $h$ le nombre de païens qui assistent aux sermons de Frère Jean, et $p$ le nombre d'heures de prêche. En remerciement, Jean reçoit de chaque personne convertie une somme $s$. C'est malheureux à dire, mais les païens n'écoutent pas spontanément les sermons de Frère Jean. Pour les intéresser, il doit leur verser une somme $w$. Supposons que la quantité de sermons soit fixée à $\bar{p}$ et que Frère Jean soit un prophète maximisateur de profit.

**(a)** Si $h < \bar{p}$, quel est le produit marginal des païens ? Quelle est le produit marginal en valeur d'un païen supplémentaire ?

**(b)** Si $h > \bar{p}$, quel est le produit marginal des païens ? Quelle est dans ce cas le produit marginal en valeur d'un païen supplémentaire ?

**(c)** Faites un graphique. Représentez la fonction de production. Précisez la signification des axes, et indiquez la quantité d'input correspondant au cas où $h = \bar{p}$.

**(d)** Si $w < s$, à combien s'élève le nombre de convertis ? Même question si $w > s$ ?

**12.4** [0]    Applepom Inc achète des pommes en gros et fabrique deux produits, des cageots de pommes et des bouteilles de cidre. Les capacités de production d'Applepom sont limitées par trois facteurs : la surface de l'entrepôt, le nombre de pressoirs et le nombre de machines d'emballage. Pour produire un cageot de pommes il faut 6 mètres carrés d'entrepôt, 2 machines à empaqueter, et aucun pressoir. Pour produire une bouteille de cidre il faut 3 mètres carrés, 2 machines à empaqueter, et 1 pressoir. Les quantités journalières disponibles s'élèvent à 1200 mètres carrés, 600 machines à emballer, et 250 pressoirs.

**(a)**    Si la capacité de production n'était limitée que par la surface de l'entrepôt, et si toute la surface de l'entrepôt était consacrée à la production de cageots de pommes, à combien s'élèverait la production journalière de cageots ? À combien s'élèverait la production journalière de bouteilles de cidre si toute la surface de l'entrepôt était consacrée à la production de cidre et s'il n'y avait pas d'autres contraintes de capacité ? Faites un graphique. Tracez à l'encre bleue une droite représentant la contrainte de surface de l'entrepôt sur les combinaisons d'outputs.

**(b)**    En suivant le même raisonnement, tracez à l'encre rouge une droite représentant les contraintes sur la production liées aux capacités limitées d'emballage. À combien s'élèverait la production de cageots de pommes d'Applepom si elle ne considérait que les seules capacités d'emballage ? À combien s'élèverait la production de bouteilles de cidre ?

**(c)**    Pour finir, tracez à l'encre noire une droite représentant les contraintes sur les combinaisons d'outputs liées au nombre limité de pressoirs. À combien s'élèverait la production de cageots de pommes d'Applepom si elle ne considérait que les seules capacités de pressage sans aucune autre contrainte ? À combien s'élèverait la production de bouteilles de cidre ?

**(d)**    À présent, hachurez la surface représentant les combinaisons de production de cageots de pommes et de bouteilles de cidre qu'Applepom peut réaliser chaque jour.

**(e)**    Applepom peut vendre un cageot de pommes à 5 F et une bouteille de cidre à 2 F. Tracez à l'encre noire une droite décrivant les combinaisons de cageots et de bouteilles qui permettraient de réaliser une recette de 1000 F par jour. À combien s'élève la production de cageots de pommes correspondant au plan de production qui maximise le profit d'Applepom ? Et la production de bouteilles de cidre ? Quelle est la recette totale ?

**12.5** [0]    Une entreprise produit un bien $y$ et utilise pour le produire un input $x$ dans le but de réaliser un profit maximum. Soit $w$ le prix d'une unité d'input et $p$ le prix d'une unité d'output. On observe le comportement de l'entreprise sur trois périodes et on obtient ceci :

| Période | $y$ | $x$ | $w$ | $p$ |
|---------|-----|-----|------|-----|
| 1 | 1 | 1 | 1 | 1 |
| 2 | 2,5 | 3 | 0,5 | 1 |
| 3 | 4 | 8 | 0,25 | 1 |

**(a)** Écrivez une équation du profit de l'entreprise, $\pi$, en fonction de la quantité d'input $x$ utilisée, de la quantité d'output $y$ produite, du coût unitaire $w$ de l'input, et du prix $p$ de l'output.

**(b)** Faites un graphique. Tracez une courbe d'isoprofit pour chaque période montrant les combinaisons d'input et d'output qui procureraient à chaque période le même profit que celui obtenu par la combinaison effectivement choisie. Quelles sont les équations de ces trois droites ? En vous appuyant sur la théorie de la profitabilité révélée, hachurez la région du graphique qui représente les combinaisons d'input-output réalisables selon les informations dont vous disposez. Comment décririez-vous cette région en quelques mots ?

**12.6** [0]   T.B Pickens est un "raider". Cela signifie qu'il s'intéresse aux entreprises qui ne maximisent pas leurs profits, les achète, et tente de les gérer de manière à ce qu'elles obtiennent des profits plus importants. Pickens étudie les états financiers de deux raffineries qu'il pourrait acheter, la Shill Oil Company et la Golf Oil Company. Chacune de ces compagnies achète du pétrole brut et vend de l'essence. Au cours de la période couverte par les documents disponibles, le prix de l'essence a subit de très fortes variations tandis que le prix du pétrole brut est demeuré constant à 10 $ le baril. Pour simplifier, on suppose que le pétrole est le seul input nécessaire à la production d'essence.

La Shill Oil a produit 1 million de barils d'essence à partir de 1 million de barils de pétrole lorsque le prix de l'essence était de 10 $ le baril. Lorsque le prix du baril d'essence s'est élevé à 20 $, la Shill a produit 3 millions de barils d'essence à partir de 4 millions de barils de pétrole. Enfin, quand le prix du baril d'essence était de 40 $, la Shill a utilisé 10 millions de barils de pétrole pour produire 5 millions de barils d'essence.

La Golf Oil a fait exactement la même chose que la Shill Oil lorsque le prix de l'essence était égal à 10 $ et 20 $, mais à un prix de 40 $, la Golf a produit 3,5 millions de barils d'essence en utilisant 8 millions de barils de pétrole.

**(a)** Faites un graphique. Tracez à l'encre noire les droites d'isoprofit de la Shill Oil et indiquez par les chiffres 10, 20 et 40 ses choix observés aux trois périodes. Tracez à l'encre rouge la courbe d'isoprofit de la Golf Oil et indiquez par le chiffre 40 inscrit à l'encre rouge son choix de production.

**(b)** À combien aurait pu s'élever le profit de la Golf Oil si elle avait choisi de produire, lorsque le prix du baril d'essence s'est élevé à 40 $, la même quantité qu'elle avait décidé de produire quand le prix était de 20 $ ? À combien s'est élevé le profit effectivement réalisé par la Golf quand l'essence valait 40 $ le baril ?

**(c)** Peut-on déduire des informations disponibles que la Shill Oil ne maximise pas ses profits ? Expliquez.

**(d)** Peut-on déduire des informations disponibles que la Golf Oil ne maximise pas ses profits ? Expliquez.

**12.7** [0]     Après un examen attentif de la situation de la Shill Oil, T.B Pickens estime que cette compagnie a probablement maximisé ses profits. Mais il est encore très intéressé par l'achat de la Shill Oil. Il envisage d'utiliser l'essence qu'elle produit pour ravitailler sa flotte de camions de transport. Pour y parvenir, la Shill Oil devrait être en mesure de produire 5 millions de barils d'essence à partir de 8 millions de barils de pétrole. Indiquez ce point sur votre graphique. En supposant que la Shill maximise toujours son profit, est-il technologiquement envisageable qu'elle produise cette combinaison d'input-output ? Pourquoi ? Pourquoi pas ?

**12.8** [0]     Supposons que des entreprises sur un marché concurrentiel essaient de maximiser leurs profits, et n'utilisent qu'un seul facteur de production. On sait alors que pour toute modification du prix de l'input et de l'output, le choix de l'input et le choix de l'output doivent vérifier l'axiome faible de la maximisation du profit, $\Delta p \Delta y - \Delta w \Delta x \geq 0$.

Lesquelles des propositions suivantes peut-on prouver à l'aide de l'axiome faible de la maximisation du profit ? Répondez par oui ou non, et donnez une brève justification.

**(a)**     Si le prix de l'input ne varie pas, une diminution du prix de l'output conduira la firme à produire la même quantité d'output ou une quantité inférieure .

**(b)**     Si le prix de l'output reste constant, une diminution du prix de l'input conduira la firme à utiliser la même quantité d'input ou une quantité supérieure.

**(c)**     Si le prix de l'output et le prix de l'input augmentent, et si la firme produit moins d'output, alors elle emploiera davantage d'input.

**12.9** [1]     Martin est agriculteur et il a découvert qu'il pouvait obtenir 30 quintaux de blé par hectare sans employer d'engrais. Lorsqu'il utilise $N$ tonnes d'engrais par hectare, le *produit marginal* de l'engrais est égal à $1 - N/200$ quintal de blé par tonne d'engrais.

**(a)**     Combien de tonnes d'engrais doit-il utiliser pour maximiser son profit si le prix du blé est de 3F le quintal et si le prix de l'engrais est de $p$F (où $p < 3$) la tonne ?

**(b)**     (Uniquement si vous vous rappelez un peu de calcul différentiel élémentaire.) Posez une équation qui exprime le rendement par hectare en fonction de la quantité d'engrais utilisée.

**(c)**     Costes, un voisin de Martin, possède une terre de meilleure qualité que celle de Martin. En fait, quelle que soit la quantité d'engrais qu'il utilise, il obtient exactement deux fois plus de blé par hectare que Martin n'en obtiendrait avec la même quantité d'engrais. Quelle est la quantité d'engrais à l'hectare utilisée par Costes lorsque le prix du blé est de 3F le quintal et le prix de l'engrais $p$F par tonne ? (Indication : commencez par écrire le produit marginal de l'engrais utilisé par Costes en fonction de $N$.)

**(d)** En supposant que Martin et Costes maximisent tous deux leurs profits, la production de blé de Costes sera-t-elle plus de deux fois plus grande, moins de deux fois plus grande, ou exactement deux fois plus grande que celle de Martin ? Expliquez.

**(e)** Expliquez en quoi une personne qui connaîtrait les productions de blé et les quantités d'engrais utilisées par Martin et Costes, mais qui ne pourrait pas observer la qualité de leur terre, aurait une idée fausse de la productivité de l'engrais.

**12.10**[0] Une entreprise a deux facteurs variables et une fonction de production, $f(x_1, x_2) = x_1^{1/2} x_2^{1/4}$. Le prix de son output est égal à 4. Le facteur 1 reçoit un salaire égal à $w_1$, et le facteur 2 un salaire égal à $w_2$.

**(a)** Écrivez une équation selon laquelle la valeur du produit marginal du facteur 1 est égal au salaire du facteur 1, et une équation selon laquelle la valeur du produit marginal du facteur 2 est égal au salaire du facteur 2. Résolvez les deux équations à deux inconnues, $x_1$ et $x_2$, pour obtenir les quantités de facteurs 1 et 2 qui maximisent le profit de la firme en fonction de $w_1$ et $w_2$. Quelle quantité de $x_1$ et de $x_2$ obtient-on ? (Indication : vous pouvez utiliser la première équation pour exprimer $x_1$ en fonction de $x_2$ et des salaires ; puis, par substitution dans la deuxième équation, obtenir $x_2$ en fonction des deux taux de salaire. Enfin, utilisez la valeur de $x_2$ que vous avez trouvée pour trouver celle de $x_1$.)

**(b)** Quelle est la quantité de facteur 1 demandée par l'entreprise si le salaire du facteur 1 est égal à 2, et si le salaire du facteur 2 est égal à 1 ? Quelle quantité de facteur 2 demandera-t-elle ? Quelle quantité d'output produira-t-elle ? Quel profit réalisera-t-elle ?

**12.11**[0] Une entreprise a deux facteurs variables et une fonction de production, $f(x_1, x_2) = x_1^{1/2} x_2^{1/2}$. Le prix de son output est égal à 4, le prix du facteur 1 est égal à $w_1$, et le prix du facteur 2 est égal à $w_2$.

**(a)** Écrivez deux équations selon lesquelles le produit marginal en valeur de chaque facteur est égal à son prix. Que vaut, selon ces deux équations, le rapport $x_1/x_2$ si $w_1 = 2w_2$.

**(b)** Compte tenu de cette fonction de production, peut-on résoudre les deux équations des productivités marginales séparemment pour $x_1$ et $x_2$ ?

**12.12**[1] Une entreprise a deux facteurs variables et une fonction de production, $f(x_1, x_2) = \sqrt{2x_1 + 4x_2}$. Faites un graphique. Tracez les isoquantes correspondant à une production égale à 3 et à une production égale à 4.

**(a)** En supposant que le prix de l'output est égal à 4, le prix du facteur 1 égal à 2, et le prix du facteur 2 égal à 3, trouvez la quantité du facteur 1, la quantité du facteur 2, et la production qui maximisent le profit.

# La minimisation du coût

## INTRODUCTION

Dans le cadre du chapitre relatif au choix du consommateur, vous avez étudié le comportement d'un consommateur qui cherchait à maximiser son utilité en tenant compte de la contrainte constituée par le fait que la somme d'argent qu'il pouvait dépenser était limitée. Dans ce chapitre, vous allez étudier le comportement d'une entreprise qui cherche à produire le moins cher possible une quantité donnée d'output. Dans les deux théories, on cherche un point de tangence entre une courbe et une droite. Dans la théorie du consommateur, on a une "courbe d'indifférence" et une "droite de budget". Dans la théorie du producteur, on a une "isoquante de production" et une "droite d'isocoût". Vous vous rappelez sans doute que, dans la théorie du consommateur, le fait de trouver une tangence ne vous donnait qu'une seule des deux équations nécessaires pour déterminer le point choisi par le consommateur. La seconde équation dont vous aviez besoin était l'équation du budget. De même, dans la théorie de la minimisation du coût, la condition de tangence ne vous donne qu'une équation. Cette fois, vous ne savez pas à l'avance à combien s'élèvera la dépense du producteur, et on vous demande au contraire de trouver le moyen le moins cher pour produire la quantité qu'il souhaite produire. Aussi la seconde équation dont vous ayez besoin est l'équation qui vous indique la quantité que le producteur désire produire.

---

**EXEMPLE**

La fonction de production d'une entreprise est $f(x_1, x_2) = (\sqrt{x_1} + 3\sqrt{x_2})^2$. Le prix du facteur 1 est $w_1 = 1$ et le prix du facteur 2 est $w_2 = 1$. Cherchons la façon la moins chère de produire 16 unités d'output. Nous cherchons un point tel que le taux de substitution technique soit égal à $-w_1/w_2$. Si vous calculez le taux de substitution technique (ou si vous consultez l'exercice d'entraînement du chapitre 11), vous trouvez $TST(x_1, x_2) = -(1/3)(x_2/x_1)^{1/2}$. Par conséquent on doit avoir $-(1/3)(x_2/x_1)^{1/2} = -w_1/w_2 = -1$. Cette équation se simplifie en $x_2 = 9x_1$. Nous savons ainsi que la combinaison choisie des inputs se situera quelque part sur la droite $x_2 = 9x_1$. Nous cherchons la façon la moins chère de produire 16 unités d'output. En conséquence, le point que nous cherchons devra satisfaire l'équation $(\sqrt{x_1} + 3\sqrt{x_2})^2 = 16$, ou de manière équivalente, $(\sqrt{x_1} + 3\sqrt{x_2}) = 4$. Puisque $x_2 = 9x_1$, on peut substituer $x_2$ par son expression en fonction de $x_1$ dans l'équation précédente pour obtenir $(\sqrt{x_1} + 3\sqrt{9x_1}) = 4$. Cette équation se simplifie encore en $10\sqrt{x_1} = 4$. On résout pour $x_1$, et on obtient $x_1 = 16/100$. Alors, $x_2 = 9x_1 = 144/100$.

On appelle les quantités de $x_1$ et $x_2$ qu'on vient de trouver des *demandes conditionnelles de facteurs* pour les facteurs 1 et 2, les conditions étant les prix des facteurs $w_1 = 1$, $w_2 = 1$, et l'output $y = 16$. On exprime cela en écrivant $x_1(1, 1, 16) = 16/100$ et $x_2(1, 1, 16) = 144/100$. Puisque nous connaissons les quantités de chaque facteur utilisée pour produire 16 unités d'output et le prix de chaque facteur, nous sommes maintenant en mesure de calculer le coût d'une production de 16 unités. Ce coût est $c(w_1, w_2, 16) = w_1 x_1(w_1, w_2, 16) + w_2 x_2(w_1, w_2, 16)$. Dans ce cas, puisque $w_1 + w_2 = 1$, on a $c(1, 1, 16) = x_1(1, 1, 16) + x_2(1, 1, 16) = 160/100$.

Dans la théorie du consommateur, vous avez été aussi confronté à des cas où les "courbes" d'indifférence du consommateur étaient des droites et des cas où les courbes d'indifférence étaient coudées. Le choix du consommateur devait alors se réaliser "en coin" ou au niveau du coude. En général, un examen attentif du graphique vous apprenait la solution du problème. Dans le cas d'entreprises qui minimisent leurs coûts, on retrouve presque exactement les mêmes cas de solutions en coin et au niveau du coude. Vous trouverez des exercices vous montrant comment on y parvient.

---

**13.1** [0]  Nadine vend des logiciels conviviaux. La fonction de production de son entreprise est : $f(x_1, x_2) = x_1 + 2x_2$ où $x_1$ est la quantité de travail non qualifié et $x_2$ la quantité de travail qualifié qu'elle emploie.

**(a)**  Faites un graphique. Tracez une isoquante représentant les combinaisons d'inputs permettant de produire 20 unités d'output. Tracez une autre isoquante représentant les combinaisons d'inputs permettant de produire 40 unités d'output.

**(b)**  Les rendements d'échelle de cette fonction de production sont-ils croissants, décroissants, ou constants ?

**(c)** À combien s'élèverait la quantité de travail non qualifié employée par Nadine pour produire *y* unités d'output si elle n'employait que du travail non qualifié ?

**(d)** À combien s'élèverait la quantité de travail qualifié employée par Nadine pour produire *y* unités d'output si elle n'employait que du travail qualifié ?

**(e)** Les prix de facteurs auxquels Nadine est confrontée étant égaux à (1, 1), quelle est la façon la moins chère de produire 20 unités d'output ? Quelles sont les quantités de $x_1$ et de $x_2$ ?

**(f)** Les prix de facteurs auxquels Nadine est confrontée étant égaux à (1, 3), quelle est la façon la moins chère de produire 20 unités d'output ? Quelles sont les quantités de $x_1$ et de $x_2$ ?

**(g)** Les prix de facteurs auxquels Nadine est confrontée étant égaux à $(w_1, w_2)$, à combien s'élève le coût minimal de production de 20 unités d'output ?

**(h)** Les prix de facteurs auxquels Nadine est confrontée étant égaux à $(w_1, w_2)$, à combien s'élève le coût minimal de production de *y* unités d'output ?

**13.2**[0] Une entreprise fabrique des figurines en laiton. Comme vous le savez, le laiton est un alliage de cuivre et de zinc combinés en proportions fixes. La fonction de production est donnée par : $f(x_1, x_2) = \min\{x_1, 2x_2\}$, où $x_1$ désigne la quantité de cuivre, et $x_2$ la quantité de zinc utilisées dans la production.

**(a)** Faites un graphique. Tracez une isoquante-type de cette fonction de production.

**(b)** Les rendements d'échelle de cette fonction de production sont-ils croissants, décroissants, ou constants ?

**(c)** De quelle quantité de cuivre l'entreprise a-t-elle besoin pour produire 10 figurines en laiton ? De quelle quantité de zinc ?

**(d)** Supposons que les prix de facteurs auxquels l'entreprise est confrontée soient (1, 1). Quelle est la façon la moins chère de produire 10 figurines ? À combien s'élève le coût ?

**(e)** Supposons que les prix de facteurs auxquels l'entreprise est confrontée soient $(w_1, w_2)$. Quelle est la façon la moins chère de produire 10 figurines ?

**(f)** Les prix de facteurs auxquels l'entreprise est confrontée étant $(w_1, w_2)$, quel est le coût minimal d'une production de *y* figurines ?

**13.3**[0] Une entreprise utilise du travail et des machines pour produire un bien suivant la fonction de production $f(L, M) = 4L^{1/2}M^{1/2}$ où *L* est le nombre d'unités de travail employées et *M* le nombre de machines. Le coût d'une unité de travail est de 40 F, et le coût d'utilisation d'une machine s'élève à 10 F.

**(a)** Faites un graphique. Tracez une droite d'isocoût de cette entreprise décrivant les combinaisons de machines et de travail correspondant à un coût de 400 F, et une autre droite d'isocoût décrivant les combinaisons correspondant à un coût de 200 F. Quelle est la pente de ces droites d'isocoût ?

**(b)** Supposons que l'entreprise souhaite produire son bien de la façon la moins chère possible. Trouvez le nombre de machines actionnées par un travailleur. (Indication: le choix de production de l'entreprise se situera au point où la pente de l'isoquante est égale à la pente de la droite d'isoprofit.)

**(c)** Reportez sur le graphique l'isoquante correspondant à une production de 40 unités d'output. Calculez la quantité de travail et le nombre de machines nécessaires pour produire 40 unités d'output de la manière la moins chère possible compte tenu des prix des facteurs indiqués plus haut. Calculez le coût $c(40, 10, 40)$ d'une production de 40 unités d'output compte tenu de ces prix.

**(d)** Quelle quantité de travail et combien de machines l'entreprise emploiera-t-elle pour produire $y$ unités de la façon la moins chère possible ? Quel en sera le coût ? (Indication : notez que les rendements d'échelle sont constants.)

**13.4** [0] Earl vend de la limonade sur un marché concurrentiel au coin d'une rue passante de Philadelphie. Sa fonction de production est $f(x_1, x_2) = x_1^{1/3} x_2^{1/3}$, où l'output est mesuré en litres, $x_1$ représente le nombre de kilos de citrons qu'il utilise, et $x_2$ le nombre d'heures de travail nécessaires pour les glacer.

**(a)** Les rendements d'échelle sont-ils décroissants, croissants, ou constants ?

**(b)** Soit $w_1$, le prix d'un kilo de citrons, et $w_2$ le taux de salaire. Quel est le nombre d'heures de travail par kilo de citrons permettant à Earl de produire de la limonade de la façon la moins chère possible ? (Indication : égalisez la pente de son isoquante à celle de la droite d'isocoût.)

**(c)** Supposons qu'il produise $y$ unités de la façon la plus économique possible. Combien de kilos de citrons utilise-t-il ? À combien s'élève le nombre d'heures de travail ? (Indication : utilisez la fonction de production et l'équation que vous avez trouvée dans la dernière partie de l'exercice pour trouver les quantités d'inputs.)

**(d)** Quel est le coût de production de $y$ unités compte tenu des prix de facteurs, $w_1$ et $w_2$ ?

**13.5** [0] Les prix des inputs $(x_1, x_2, x_3, x_4)$ sont (4, 1, 3, 2).

**(a)** Supposons que la fonction de production soit donnée par $f(x_1, x_2) = \min\{x_1, x_2\}$. Quel est le coût minimal de production d'une unité d'output ?

**(b)** Supposons que la fonction de production soit donnée par $f(x_3, x_4) = x_3 + x_4$. Quel est le coût minimal de production d'une unité d'output ?

**(c)** Supposons que la fonction de production soit donnée par $f(x_1, x_2, x_3, x_4) = \min\{x_1 + x_2, x_3 + x_4\}$. Quel est le coût minimal de production d'une unité d'output ?

**(d)** Supposons que la fonction de production soit donnée par $f(x_1, x_2, x_3, x_4) = \min\{x_1, x_2\} + \min\{x_3, x_4\}$. Quel est le coût minimal de production d'une unité d'output ?

**13.6** [0]  Jean Pousse, un jardinier d'appartement, a constaté que le nombre de plantes prospères, $h$, dépendait de la quantité de lumière, $l$, et de la quantité d'eau, $w$. En fait, Jean a remarqué que les plantes ont besoin de deux fois plus de lumière que d'eau, et qu'une quantité supérieure ou inférieure n'a aucun effet. En conséquence, la fonction de production de Jean a la forme suivante : $h = \min\{l, 2w\}$.

**(a)**  Supposons que Jean utilise 1 unité de lumière. Quelle est la quantité d'eau minimale nécessaire pour produire une plante ?

**(b)**  Supposons que Jean souhaite produire 4 plantes. Quelles sont les quantités minimales de lumière et d'eau nécessaires pour cette production ?

**(c)**  Quelle est sa fonction de demande conditionnelle de lumière ? Quelle est sa fonction de demande conditionnelle d'eau ?

**(d)**  Soit $w_1$, le coût d'une unité de lumière, et $w_2$ le coût d'une unité d'eau. Quelle est la fonction de coût de Jean ?

**13.7** [1]  La soeur de Jean, Flora Pousse, est Professeur. Elle emploie une autre méthode pour obtenir de belles plantes: elle a constaté qu'il fallait qu'on leur parle et qu'on leur donne de l'engrais. Soit $f$, le nombre de sacs d'engrais, et $t$, le nombre d'heures passées à parler aux plantes. Le nombre de plantes est exactement égal à $h = t+2f$. Supposons qu'un sac d'engrais coûte $w_f$ et qu'une heure de paroles coûte $w_t$.

**(a)**  Si Flora n'utilise pas d'engrais, combien d'heures devra-t-elle parler à chaque plante ? Si elle ne leur parle pas du tout, combien de sacs d'engrais lui faudra-t-il pour chaque plante ?

**(b)**  Supposons que $w_t < w_f/2$. Dans ce cas, si Flora veut faire pousser une plante, lui revient-il moins cher de mettre de l'engrais ou de lui parler ?

**(c)**  Quelle est la fonction de coût de Flora ?

**(d)**  Quelle est sa fonction de demande conditionnelle de paroles $t(w_f, w_t, h)$ si $w_t < w_f/2$ ? Même question si $w_t > w_f/2$ ?

**13.8** [0]  Vous souvenez-vous de T.B Pickens, le "raider" ? Il s'interesse à présent à son élevage de poulets. Il les nourrit avec un mélange de soja et de blé, en fonction du prix de chaque facteur. D'après les données qui lui sont transmises par ses collaborateurs, on utilise 50 kilos de blé et 150 kilos de soja par batterie de poulets lorsque le prix d'un kilo de blé est égal à 10 \$ et que le prix d'un kilo de soja est égal 10 \$. On n'utilise pas de soja mais 300 kilos de blé lorsque le kilo de soja coûte 20 \$ et le kilo de blé 10 \$. On n'utilise pas de blé mais 250 kilos de soja lorsque le kilo de soja coûte 10 \$ et le kilo de blé 20 \$.

**(a)**  Faites un graphique. Reportez ces trois combinaisons d'inputs et tracez les droites d'isocoût.

**(b)** Quelle est la somme dépensée par batterie de poulets lorsque les prix sont égaux à (10, 10) ? Quand les prix sont égaux à (10, 20) ? Quand les prix sont égaux à (20, 10) ?

**(c)** Les informations disponibles nous donnent-elles à penser que l'entreprise ne minimise pas ses coûts ? Pourquoi ?

**(d)** Supposons que le gérant de l'élevage utilise 150 kilos de blé et 50 kilos de soja pour une batterie de poulets. Le choix de ces quantités devrait être justifié par les prix du blé et du soja. Pickens aimerait connaître ces prix. Quel est le coût de production d'une batterie si on retient cette méthode de production et si les prix sont $p_s = 10$ et $p_b = 10$ ? Même question si les prix sont $p_s = 10$ et $p_b = 20$ ? Même question si les prix sont $p_s = 20$ et $p_b = 10$?

**(e)** Supposons que le gérant de l'élevage minimise systématiquement son coût. Peut-il produire une batterie de poulets en utilisant 150 kilos de blé et 50 kilos de soja ?

**13.9**[0] Une entreprise produit un bien en n'utilisant qu'un seul input. Sa fonction de production est $f(x) = \sqrt{x}$.

**(a)** Les rendements d'échelle de l'entreprise sont-ils croissants, constants, ou décroissants ?

**(b)** Quelle est quantité d'input nécessaire pour produire 10 unités d'output ? Si l'unité d'input coûte $w$, combien coûte la production de 10 unités d'output ?

**(c)** Quelle est la quantité d'input nécessaire pour produire $y$ unités d'output ? Si l'unité d'input coûte $w$, combien coûte la production de $y$ unités d'output ?

**(d)** Si le coût unitaire de l'input est égal à $w$, à combien s'élève le coût moyen de production de $y$ unités d'output ?

**13.10**[0] La cafétéria d'une Université propose des repas qu'elle prépare à l'aide d'un seul input et d'un procédé de production assez remarquable. Nous ne sommes pas autorisés à révéler de quel ingrédient il s'agit, mais une source bien informée en provenance des cuisines nous assure que le procédé en question repose en partie sur la moisissure de l'input en question. La fonction de production de la cafétéria est $f(x) = x^2$, où $x$ est la quantité d'input et $f(x)$ le nombre de repas produits.

**(a)** Les rendements d'échelle de la cafétéria sont-ils croissants, constants, ou décroissants ?

**(b)** Combien faut-il d'unités d'input pour produire 144 repas ? Quel est le coût de production des 144 repas si l'unité d'input coûte $w$ ?

**(c)** Combien faut-il d'unités d'input pour produire $y$ repas ? Quel est le coût de production de $y$ repas si l'unité d'input coûte $w$ ?

**(d)** Quel est le coût moyen de production de $y$ repas si l'unité d'input coûte $w$ ?

**13.11** [0]   Irma produit des statuettes de jardin en plastique. "Ce n'est pas un travail facile", dit-elle, "mais il faut bien gagner sa vie". Sa fonction de production est donnée par : $f(x_1, x_2) = (\min\{x_1, 2x_2\})^{1/2}$, où $x_1$ est la quantité de plastique, $x_2$ la quantité de travail, et $f(x_1, x_2)$ le nombre de statuettes produites.

**(a)**   Faites un graphique. Tracez une isoquante représentant les combinaisons d'inputs associées à une production de 4 statuettes. Tracez une autre isoquante représentant les combinaisons d'inputs associées à une production de 5 statuettes.

**(b)**   Les rendements d'échelle de cette fonction de production sont-ils croissants, constants, ou décroissants ?

**(c)**   Supposons que les prix des facteurs soient (1, 1). Quelle est la façon la moins chère de produire 4 statuettes ? Quel est le coût de cette production ?

**(d)**   Les prix des facteurs étant (1, 1), quelle est la façon la moins chère de produire 5 statuettes ? Quel est le coût de cette production ?

**(e)**   Les prix des facteurs étant (1, 1), quel est le coût de production de $y$ statuettes avec cette technologie ?

**(f)**   Les prix des facteurs étant $(w_1, w_2)$, quel est le coût de production de $y$ statuettes avec cette technologie ?

**13.12** [0]   Albert fabrique aussi des statuettes de jardin en plastique. Il a trouvé un moyen d'automatiser complètement le processus de production. Il n'utilise aucun travail, mais seulement du bois et du plastique. Sa fonction de production est donnée par $f(x_1, x_2) = (2x_1 + x_2)^{1/2}$, où $x_1$ représente la quantité de plastique utilisée, $x_2$ la quantité de bois, et $f(x_1, x_2)$ le nombre de statuettes produites.

**(a)**   Faites un graphique. Tracez une isoquante représentant les combinaisons d'input permettant de produire 4 statuettes. Tracez une autre isoquante représentant les combinaisons d'input permettant de produire 6 statuettes.

**(b)**   Les rendements d'échelle de cette fonction de production sont-ils croissants, constants, ou décroissants ?

**(c)**   Supposons que les prix des facteurs soient (1, 1). Quelle est la façon la moins chère de produire 4 statuettes ? Quel est le coût de cette production ?

**(d)**   Les prix des facteurs étant (1, 1), quelle est la façon la moins chère de produire 6 statuettes ? Quel est le coût de cette production ?

**(e)**   Les prix des facteurs étant (1, 1), quel est le coût de production de $y$ statuettes avec cette technologie ?

**(f)**   Les prix des facteurs étant (3, 1), quel est le coût de production de $y$ statuettes avec cette technologie ?

**13.13** [0]   Supposons qu'Albert (le même que dans l'exercice précédent) ne puisse faire varier la quantité de bois qu'il utilise à court terme et qu'il doive se contenter de 20 unités de bois. Supposons en revanche qu'il puisse modifier la quantité de plastique, même à court terme.

**(a)**   Combien de plastique lui faut-il pour produire 100 statuettes ?

**(b)**   Combien coûte la production de 100 statuettes si le coût d'une unité de plastique s'élève à 1 F et le coût d'une unité de bois à 1 F ?

**(c)**   Écrivez la fonction de coût à court terme d'Albert compte tenu du prix des facteurs.

# Les courbes de coût

## INTRODUCTION

Vous continuerez dans ce chapitre votre étude des fonctions de coût. Le coût total peut se décomposer en coût fixe, l'élément du coût qui ne varie pas avec la production, et en coût variable. Pour obtenir le coût (total) moyen, le coût fixe moyen, et le coût variable moyen, il suffit de diviser la fonction de coût appropriée par $y$, le niveau de la production. La fonction de coût marginal est la dérivée de la fonction de coût total par rapport à la production - ou, si vous ignorez le calcul différentiel, le taux d'accroissement du coût à mesure que la production augmente.

Rappelez-vous que la courbe de coût marginal coupe à la fois la courbe de coût moyen et la courbe de coût variable moyen en leur minimum. Ainsi, pour trouver le minimum de la courbe de coût moyen, il vous suffira d'égaliser le coût marginal au coût moyen, et de procéder de même pour trouver le minimum du coût variable moyen.

---

EXEMPLE    La fonction de coût total d'une entreprise est $C(y) = 100+10y$. Cherchons les équations des différentes courbes de coût. Les coûts fixes totaux s'élèvent à 100, de sorte que l'équation de la courbe de coût fixe moyen est $100/y$. Les coûts variables totaux s'élèvent à $10y$, de sorte que les coûts variables moyens sont égaux à $10y / y = 10$. Le coût marginal est égal à 10 pour toute production $y$. Le coût total moyen est $(100+10y)/y = 10+10/y$. Notez que pour cette entreprise, le coût total moyen décroit à mesure que $y$ augmente. Notez aussi que le coût marginal est inférieur au coût total moyen quelle que soit la production $y$.

**14.1** [0]  Otto Carr, propriétaire des Automobiles Otto, vend des voitures. Il achète des voitures au prix de $c$ \$ chacune et n'a pas d'autres coûts.

**(a)** Quel est le coût total d'une vente de 10 voitures ? D'une vente de 20 voitures ? Écrivez l'équation du coût total de Otto en supposant qu'il vend $y$ voitures.

**(b)** Quelle est la fonction de coût moyen de Otto ? De combien augmentent ses coûts lorsqu'il vend une voiture supplémentaire ? Écrivez la fonction de coût marginal de Otto.

**(c)** Faites un graphique. Tracez les courbes de coût marginal et de coût moyen dans le cas où $c = 20$.

**(d)** Supposons qu'Otto dépense $b$ \$ chaque année pour produire des spots publicitaires télévisuels calamiteux. Quelle est, dans ce cas, sa nouvelle courbe de coût total ? Sa courbe de coût moyen ? Sa courbe de coût marginal ?

**(e)** Si $b = 100$, tracez à l'encre rouge sur votre graphique la courbe de coût moyen de Otto.

**14.2** [0]  Le frère d'Otto, Amil Carr, travaille dans la réparation automobile. Amil n'a pas eu grand-chose à faire ces derniers temps et il a décidé de calculer ses coûts. Il a trouvé que le coût total de réparation de $s$ automobiles est $CT(s) = 2s^2 + 10$. Et puis Amil s'est intéressé à autre chose… et c'est là que vous intervenez. Calculez, s'il vous plaît, le coût variable total, le coût fixe total, le coût variable moyen, le coût fixe moyen, le coût total moyen, et le coût marginal.

**14.3** [0]  Un troisième frère, Evan Carr, est férailleur. Il peut utiliser une des deux méthodes suivantes pour détruire des voitures. La première méthode consiste à acheter un compresseur hydraulique de voitures qui lui coûte 200 \$ par an et 1 \$ par voiture écrasée; la seconde méthode consiste à acheter une pelle mécanique ayant une durée de vie d'un an qui lui coûte 10 \$, plus 5 \$ pour l'enfouissement.

**(a)** Écrivez les fonctions de coût total des deux méthodes, où $y$ représente la production annuelle.

**(b)** Quelle est la fonction de coût moyen de la première méthode ? La fonction de coût marginal ? Quelle est la fonction de coût moyen de la seconde méthode ? La fonction de coût marginal ?

**(c)** Quelle est la méthode employée par Evan s'il veut détruire 40 voitures par an ? Quelle est la méthode employée par Evan s'il détruit 50 voitures par an ? Quel est le nombre minimal annuel de voitures qui justifierait l'achat de la presse hydraulique ?

**14.4** [0]  Marie Magnolia souhaite ouvrir un magasin de fleurs dans une nouvelle rue piétonnière. Elle a le choix entre trois emplacements, l'un de 200 mètres carrés, un autre de

500 mètres carrés, et le dernier de 1000 mètres carrés. Le loyer mensuel est de 1 \$ par mètre carré. Marie estime que si elle loue $F$ mètres carrés et vend $y$ bouquets de fleurs par mois, ses coûts variables s'élèveront à $c_v(y) = y^2 / F$ par mois.

**(a)** Écrivez sa fonction de coût marginal et sa fonction de coût moyen dans le cas où elle loue 200 mètres carrés. Quelle est la quantité d'output qui minimise le coût moyen ? Quel est le coût moyen correspondant à cette quantité ?

**(b)** Écrivez sa fonction de coût marginal et sa fonction de coût moyen dans le cas où elle loue 500 mètres carrés. Quelle est la quantité d'output qui minimise le coût moyen ? Quel est le coût moyen correspondant à cette quantité ?

**(c)** Écrivez sa fonction de coût marginal et sa fonction de coût moyen dans le cas où elle loue 1000 mètres carrés. Quelle est la quantité d'output qui minimise le coût moyen ? Quel est le coût moyen correspondant à cette quantité ?

**(d)** Faites un graphique. Tracez à l'encre rouge la courbe de coût moyen et la courbe de coût marginal de Marie dans l'hypothèse de la location de 200 mètres carrés. Tracez à l'encre bleue la courbe de coût moyen et la courbe de coût marginal de Marie dans l'hypothèse de la location de 500 mètres carrés. Tracez à l'encre noire la courbe de coût moyen et la courbe de coût marginal de Marie dans l'hypothèse de la location de 1000 mètres carrés. Désignez par $CM$ les courbes de coût moyen et par $Cm$ les courbes de coût marginal.

**(e)** Au marqueur jaune, tracez la courbe de coût moyen à long terme et la courbe de coût marginal à long terme de Marie. Désignez-les par $CM_{LT}$ et $Cm_{LT}$.

**14.5 [0]** Castergaud est une entreprise qui produit des bandes dessinées. Les seuls inputs qui lui sont nécessaires sont de bonnes histoires et des dessinateurs. Sa fonction de production est : $Q = 0{,}1 J^{1/2} L^{3/4}$, où $J$ est le nombre d'histoires, $L$ le nombre d'heures de travail des dessinateurs, et $Q$ le nombre de bandes dessinées produites.

**(a)** Les rendements d'échelle de ce processus de production sont-ils croissants, décroissants, ou constants ? Expliquez votre réponse.

**(b)** Écrivez une expression du produit marginal du travail des dessinateurs en fonction de $L$ dans le cas où le nombre d'histoires est égal à 100. Le produit marginal du travail augmente-t-il ou diminue-t-il à mesure que la quantité de travail augmente ?

**14.6 [0]** L'irrascible PDG de Castergaud, César Jules, annonce qu'il achètera des histoires au prix de 1 F l'unité et que le salaire d'un dessinateur sera de 2 F.

**(a)** Supposons qu'à court terme Castergaud puisse embaucher autant de travail qu'elle veut mais que le nombre d'histoires (payée 1 F chacune) soit fixé à 100. Quelle est la quantité de travail nécessaire pour produire $Q$ bandes dessinées ?

**(b)** Écrivez le coût total à court terme de Castergaud en fonction de sa production.

**(c)** Quelle est sa fonction de coût marginal à court terme ?

**(d)** Quelle est sa fonction de coût moyen à court terme ?

**14.7** [1]     Castergaud fait appel à un expert pour étudier les perspectives à long terme de l'entreprise. Cet expert, qui a étudié soigneusement l'annexe du chapitre 19 de votre manuel, a rédigé un rapport. Confrontez vos compétences aux siennes !

**(a)**     Si tous les inputs sont variables, si le coût de chaque histoire est de 1 F, et si le coût horaire du travail d'un dessinateur est de 2 F, quelle est la quantité d'histoires et le nombre d'heures de travail permettant de produire exactement une bande dessinée de la façon la moindre chère possible ? (On peut utiliser des fragments d'histoires.)

**(b)**     À combien s'élève le coût ?

**(c)**     Compte tenu de notre fonction de production, les proportions les moins chères d'histoires et de travail sont les mêmes quel que soit le nombre de bandes dessinées imprimées. Par quel nombre la quantité de bandes dessinées est-elle multipliée lorsqu'on double les quantités des deux facteurs ?

**14.8** [0]     Considérez la fonction de coût $c(y) = 4y^2 + 16$.

**(a)**     Quelle est la fonction de coût moyen ?

**(b)**     Quelle est la fonction de coût marginal ?

**(c)**     Quel est le niveau de production qui minimise le coût moyen ?

**(d)**     Quelle est la fonction de coût variable moyen ?

**(e)**     À quel niveau de production le coût variable moyen est-il égal au coût marginal ?

**14.9** [0]     Une entreprise concurrentielle a une fonction de production de la forme : $Y = 2L + 5K$. Si le prix de $L$ est $w = 2$, et si celui de $K$ est $r = 3$, à combien s'élève le coût minimal de production de 10 unités d'output ?

# L'offre de la firme

## INTRODUCTION

La courbe d'offre à court terme d'une firme concurrentielle correspond à la partie croissante de la courbe de coût marginal à court terme située au-dessus de la courbe de coût variable moyen. La courbe d'offre à long terme d'une entreprise concurrentielle correspond à la partie croissante de la courbe de coût marginal à long terme située au-dessus de la courbe de coût moyen à long terme.

---

**EXEMPLE**

La fonction de coût à long terme d'une entreprise est $c(y) = 2y^2 + 200$. Cherchons sa courbe d'offre à long terme. Le coût marginal de l'entreprise correspondant à une production $y$ est $Cm(y) = 4y$. Si on porte la production sur l'axe horizontal et des francs sur l'axe vertical, la courbe de coût marginal à long terme se présente sous la forme d'une droite partant de l'origine et ayant une pente positive égale à 4. La courbe d'offre à long terme correspond à la partie de cette courbe située au-dessus de la courbe de coût moyen à long terme. Pour une production $y$, les coûts moyens à long terme sont $CM(y) = 2y + 200/y$. La courbe ainsi obtenue a une forme en U. Lorsque $y$ tend vers zéro, $CM(y)$ prend des valeurs très elevées en raison des valeurs très élevées prises par $200/y$. Pour une production $y$ très importante, $CM(y)$ devient très élevé en raison de la valeur très élevée prise par $2y$. À partir de quel moment $CM(y) < Cm(y)$ ? Lorsque $2y + 200/y < 4y$. En simplifiant cette inégalité, on trouve que $CM(y) < Cm(y)$ lorsque $y < 10$. En conséquence, la courbe d'offre à long terme se confond avec la courbe de coût marginal à long terme quand $y < 10$. La courbe d'offre à long terme a ainsi pour équation $p = 4y$ quand $y > 10$. Pour trouver la quantité offerte en fonction du prix, il suffit de résoudre cette expression en faisant de $y$ une fonction du prix $p$. On obtient alors $y = p/4$ dès lors que $p > 40$.

Supposons que $p < 40$. À combien s'élèvera l'offre de la firme si, par exemple, $p = 20$ ? Si la firme égalise le prix et le coût marginal à long terme, à un prix de 20 elle produira $5 = 20/4$ unités d'output. Lorsqu'elle produit seulement 5 unités, ses coûts moyens sont $2 \times 5 + 200/5 = 50$. En conséquence, lorsque le prix est de 20, le mieux que la firme puisse faire si elle produit une quantité positive est de produire 5 unités. Mais elle aura alors des coûts totaux de $5 \times 50 = 250$ et une recette totale de $5 \times 20 = 100$. Elle perdra de l'argent. Il serait préférable de ne rien produire du tout. En fait, pour tout prix $p < 40$, la firme choisira de ne pas produire.

**15.1** [0]   Vous souvenez-vous du frère d'Otto, Amil Carr, qui travaille dans la réparation automobile ? Selon Amil, le coût total de réparation de $s$ voitures est $c(s) = 2s^2 + 100$.

**(a)**   En conséquence, quel est le coût moyen ? Le coût variable moyen ? Le coût marginal ? Faites un graphique et tracez la courbe d'offre d'Amil.

**(b)**   Combien d'automobiles Amil est-il disposé à réparer si le prix de marché est égal à 20 ? Si le prix de marché est égal à 40 ?

**(c)**   Supposons que le prix de marché soit égal à 40 et qu'Amil maximise son profit. Indiquez sur votre graphique les surfaces correspondant aux coûts totaux, recette totale et profit total.

**15.2** [0]   Une firme concurrentielle a la fonction de coût à court terme suivante : $c(y) = y^3 - 8y^2 + 30y + 5$

**(a)**   Quelle est la fonction de coût marginal à court terme ?

**(b)**   Quelle est la fonction de coût variable moyen à court terme ? (Indication : notez que les coûts variables totaux sont égaux à $c(y) - c(0)$.)

**(c)**   Tracez le graphe de la fonction de coût marginal et de la fonction de coût variable moyen.

**(d)**   Dans quel intervalle de production la courbe de coût variable moyen est-elle décroissante ? À partir de quelle quantité d'output la courbe de coût variable moyen devient-elle croissante ?

**(e)**   Pour quelle quantité d'output le coût marginal est-il égal au coût variable moyen ?

**(f)**   En dessous de quel prix la firme cessera-t-elle de produire ?

**(g)**   À combien s'élève la production minimale de la firme ? À quel prix la firme offrira-t-elle exactement 6 unités d'output ?

**15.3** [0]   Mr. Ténardier possède un terrain de 5 hectares. Il y cultive des choux. Il contraint sa fille Cosette et son fils Gavroche à travailler sans les payer. Supposons pour le moment que le terrain ne puisse servir à aucune autre production que celle des choux, et que Cosette et Gavroche ne puissent trouver un autre emploi. L'engrais est le seul input qu'ait à payer Mr. Ténardier. En utilisant $x$ sacs d'engrais, il obtient $10\sqrt{x}$ choux. Le coût d'un sac d'engrais est de 1 franc.

**(a)** Quel est le coût total de l'engrais nécessaire pour produire 100 choux ? Quel est le coût total de la quantité d'engrais nécessaire pour produire $y$ choux ?

**(b)** Écrivez une expression du coût marginal en fonction de $y$ dans le cas où la seule façon de modifier la production consiste à faire varier la quantité d'engrais appliquée à la terre.

**(c)** Combien de choux Mr. Ténardier produit-il si le prix d'un chou est de 2 francs ? Combien de sacs d'engrais achète-t-il ? Quel est son profit ?

**(d)** Tandis que le prix de l'engrais et celui des choux restent identiques à ce qu'ils étaient auparavant, Mr. Ténardier apprend qu'il pourrait faire travailler Cosette et Gavroche pendant l'été dans une usine locale. Cosette et Gavroche gagneraient ensemble 300 francs pendant l'été, argent qu'empocherait Ténardier, mais ils n'auraient plus le temps de travailler la terre. Sans leur travail, pas de choux. Quel est à présent, pour Mr. Ténardier, le coût total de production de $y$ choux ?

**(e)** Doit-il continuer à cultiver des choux ou doit-il envoyer Cosette et Gavroche travailler à l'usine ?

**15.4** [0]  Séverin, herboriste, est réputé pour sa *marchantia* qui soigne les maladies du foie. Sa fonction de coût total est $c(y) = y^2 + 10$ pour $y > 0$ et $c(0) = 0$. (En d'autres termes, son coût de production de zéro unité d'output est nul.)

**(a)** Quelle est sa fonction de coût marginal ? Quelle est sa fonction de coût moyen ?

**(b)** Pour quelle quantité son coût marginal est-il égal à son coût moyen ? Pour quelle quantité le coût moyen est-il minimum ?

**(c)** Sur un marché concurrentiel, quel est le prix minimum à partir duquel Séverin offrira une quantité positive à long terme ? Quelle quantité offrira-t-il à ce prix ?

**15.5** [1]  John Maynard remplit des trous avec des pierres. Il le fait presque sans effort, de sorte que nous supposerons dans ce problème que les pierres sont le seul input utilisé pour le remplissage des trous. Supposons que le remplissage de trous soit une activité soumise à des rendements d'échelle constants et qu'il faille 100 pierres pour remplir un trou. Le prix de marché actuel d'une pierre est de 20 francs. Il y a quelques années de cela, John Maynard avait acheté une "option" lui permettant d'acheter 2000 pierres à 10 francs pièce. Son contrat d'option stipule explicitement qu'il peut acheter moins de 2000 pierres s'il le souhaite, mais il ne peut revendre les pierres achetées dans le cadre de ce contrat. Il lui faut une autorisation gouvernementale pour remplir des trous avec des pierres. La licence coûte 10000 francs.

**(a)** À combien s'élève le coût marginal du remplissage d'un trou dans le cas où John Maynard en remplit moins de 20 ? À combien s'élève le coût marginal du remplissage d'un trou dans le cas où John Maynard en remplit plus de 20 ?

**(b)**   Faites le graphe de la courbe de coût marginal (en bleu) et de la courbe de coût moyen (en rouge) de John Maynard.

**(c)**   Combien de trous remplira-t-il si le prix d'un trou bouché s'élève à 1600 francs ?

**(d)**   Le gouvernement envisage d'augmenter le prix de la licence à combler les trous à 11000 francs. John Maynard prétend que, dans ce cas, il devra cesser son activité. Dit-il la vérité ? Quel est le montant maximal de la licence que peut fixer le gouvernement sans contraindre John Maynard à cesser son activité ?

**(e)**   L'avocat de John Maynard, Manfred Milton, a découvert une clause dans le contrat d'option de John qui l'autorise à revendre les pierres achetées sous ce contrat au prix du marché. Tracez sur le graphique précédent la nouvelle courbe de coût marginal de John Maynard. Combien de trous remplira-t-il à présent si le prix d'un trou comblé demeure égal à 1600 francs ?

**15.6**[1]   Claudia fabrique des porte-monnaies en soie avec des oreilles de sangliers. Elle est la seule personne au monde à savoir faire une chose pareille. Il lui faut une oreille de sanglier et une heure de travail pour produire un porte-monnaie. Elle peut acheter autant d'oreilles qu'elle veut au prix de 1 franc chacune. Elle n'a pas d'autre source de revenu que son travail. Sa fonction d'utilité est une fonction d'utilité de la forme Cobb-Douglas $U(c,r) = c^{1/3}r^{2/3}$, où $c$ désigne la somme d'argent qu'elle dépense chaque jour pour consommer des biens, et $r$ sa quantité de loisir. Les journées de Claudia durent 24 heures qu'elle peut consacrer au loisir ou au travail.

**(a)**   Claudia peut soit fabriquer des porte-monnaies, soit gagner 5 francs l'heure en tant que couturière dans un magasin de vêtements. Combien d'heures travaillerait-elle si elle était couturière ? (Indication : pour trouver la solution, écrivez la contrainte budgétaire de Claudia et rappelez-vous comment on trouve la fonction de demande d'un individu qui a une fonction d'utilité de la forme Cobb-Douglas.)

**(b)**   Combien d'heures travaillerait-elle pour un salaire de couturière égal à $w$ francs l'heure ?

**(c)**   Si le prix d'un porte-monnaie en soie est de $p$ francs, combien d'argent gagne-t-elle par porte-monnaie après avoir payé les oreilles de sangliers ?

**(d)**   Quel est le prix minimal à partir duquel Claudia produira un porte-monnaie en soie si elle peut gagner 5 francs par heure en tant que couturière ?

**(e)**   Quelle est la fonction d'offre de porte-monnaies en soie ? (Indication : le prix des porte-monnaies en soie détermine le "taux de salaire" que Claudia peut gagner en fabriquant des porte-monnaies en soie. Ceci détermine le nombre d'heures qu'elle choisira de travailler et, en conséquence, l'offre de porte-monnaie en soie.)

**15.7**[0]   Vous souvenez-vous de Earl qui vendait de la limonade à Philadelphie ? Vous l'avez rencontré dans le chapitre consacré aux fonctions de coût. Le fonction de production de Earl est $f(x_1, x_2) = x_1^{1/3}x_2^{1/3}$, où $x_1$ est le nombre de kilos de citrons qu'il utilise et $x_2$, le nombre d'heures nécessaires pour les glacer. Vous aviez trouvé que sa fonction de coût était $c(w_1, w_2, y) = 2w_1^{1/2}w_2^{1/2}y^{3/2}$, où $y$ représente le nombre de litres de limonade.

**(a)** Quelle est la fonction de coût marginal de Earl et sa fonction d'offre si le kilo de citrons coûte 1 \$, si le taux de salaire est de 1 \$ l'heure, et si le prix d'une limonade est de $p$ \$ ? Quelle est sa fonction d'offre si le kilo de citrons coûte 4 \$ et si le taux de salaire s'élève à 9 \$ l'heure ?

**(b)** En général, le coût marginal d'Earl dépendra du prix des citrons et du taux de salaire. Soit $w_1$, le coût d'un kilo de citrons et $w_2$, le taux de salaire. Quel est le coût marginal d'une production de $y$ unités de limonades ? La quantité offerte par Earl dépendra de trois variables, $p$, $w_1$, $w_2$. Exprimez l'offre de Earl en fonction de ces trois variables.

**15.8** [0]  Vous vous souvenez sans doute de Irma, productrice de statuettes de jardin en plastique, dont la fonction de production est $f(x_1, x_2) = (\min\{x_1, 2x_2\})^{1/2}$ où $x_1$ désigne la quantité de plastique, $x_2$ la quantité de travail, et $f(x_1, x_2)$ le nombre de statuettes produites. Soit $w_1$ le prix d'une unité de plastique et $w_2$ le salaire d'une unité de travail.

**(a)** Quelle est la fonction de coût de Irma ?

**(b)** Quel est le coût de production de $y$ unités d'output si $w_1 = w_2 = 1$ ? Quelle est la quantité offerte au prix $p$ ? Quel est le coût moyen associé à ces prix ?

**(c)** Supposons que le prix concurrentiel des statuettes soit $p = 48$ et que $w_1 = w_2 = 1$. À combien s'élève la production ? Quel profit réalise-t-elle ?

**(d)** En généralisant, les prix de facteurs étant $w_1$ et $w_2$, quelle est la fonction de coût marginal de Irma ? $p$ étant le prix de l'output, quelle est son offre ?

**15.9** [0]  Jack a le pouvoir d'extraire de l'eau à partir des pierres. Ayant $x$ pierres, le nombre de litres d'eau qu'il peut en extraire est donné par $f(x) = 2x^{1/3}$. Chaque pierre coûte $w$ francs, et il peut vendre un litre d'eau au prix de $p$ francs.

**(a)** Combien de pierres lui faut-il pour extraire $y$ litres d'eau ?

**(b)** Quel est le coût d'extraction de $y$ litres d'eau ?

**(c)** Quelle est la fonction d'offre de Jack lorsque chaque pierre coûte 8 francs ? Même question si chaque pierre coûte $w$ francs.

**(d)** Jack a 19 parents qui ont comme lui le pouvoir d'obtenir de l'eau à partir d'une pierre. Quelle est la fonction d'offre d'eau agrégée quand le coût unitaire d'une pierre est de $w$ francs ?

**15.10** [1]  Une raffinerie transforme du pétrole brut en essence. Il faut 1 baril de pétrole brut pour produire 1 baril d'essence. En plus du coût du pétrole brut, il faut compter avec d'autres coûts liés au raffinage de l'essence. Les coûts totaux de production de $y$ barils d'essence sont décrits par la fonction de coût $c(y) = y^2/2 + p_0 y$, où $p_0$ est le prix d'un baril de pétrole brut.

**(a)** Exprimez le coût marginal de la production d'essence en fonction de $p_0$ et de $y$.

**(b)**   Supposons que la raffinerie puisse acheter 50 barils de pétrole brut pour 5 $ le baril, mais qu'elle doive payer 15 $ chaque baril supplémentaire au-delà des 50 barils. Quelle sera la courbe de coût marginal en-deça de 50 barils et au-delà ?

**(c)**   Faites un graphique. Tracez à l'encre bleue la courbe d'offre d'essence.

**(d)**   Supposons que la courbe de demande d'essence à laquelle la raffinerie est confrontée soit une horizontale passant par un prix de 30 $ le baril. Tracez cette courbe de demande à l'encre rouge. Combien d'essence offrira-t-elle ?

**(e)**   Supposons que la raffinerie ne puisse plus acheter les 50 premiers barils de pétrole brut à 5 $ mais doive les payer tous à 15 $ le baril. Quelle conséquence cela peut-il avoir sur sa production ?

**(f)**   Supposons à présent qu'un programme gouvernemental autorise les raffineries à acheter 5 $ un baril de pétrole brut pour chaque baril de pétrole acheté à 15 $. Quelle sera dans ce cas la courbe d'offre de notre raffinerie ? Supposons qu'elle puisse acheter dans les mêmes conditions des fractions de barils. Tracez cette courbe d'offre à l'encre noire. En supposant que la courbe de demande soit l'horizontale passant par le prix de 30 $ le baril, combien de barils d'essence seront désormais offerts ?

**15.11** [2]   Supposons que le coût de production de $y$ quintaux de blé d'un agriculteur soit donné par la fonction de coût $c(y) = y^2/20 + y$.

**(a)**   À combien s'élève la production de blé lorsque le prix d'un quintal de blé est égal à 5 francs ?

**(b)**   Quelle est l'équation de la courbe d'offre de blé de l'agriculteur en fonction du prix du blé ?

**(c)**   Le gouvernement met en place un programme de Subvention En Nature (SEN). Si l'agriculteur décide de produire $y$ quintaux de blé, il reçoit $(40-y)/2$ quintaux de blé pris sur les réserves gouvernementales. Écrivez une expression du profit de l'agriculteur en fonction de sa production, du prix de marché du blé, et en tenant compte de la valeur de la subvention en nature versée au producteur.

**(d)**   Quelle est la quantité de blé qui maximise le profit de l'agriculteur lorsque le prix de marché est égal à $p$ ? Faites un graphique. Tracez une courbe d'offre de blé.

**(e)**   À combien s'élève la production de blé de notre agriculteur lorsque $p = 2$ francs ? Combien de quitaux de blé reçoit-il des stocks gouvernementaux ?

**(f)**   Combien de blé offre-t-il à un prix $p = 5$ francs ? En supposant qu'il ait choisi de participer au programme SEN, combien de quitaux de blé reçoit-il des stocks gouvernementaux ?

**(g)**   Écrivez une formule donnant l'importance de la subvention reçue lorsque le prix de marché du blé est compris entre 2 et 5 francs.

**(h)**   Quelle est la quantité de blé offerte sur le marché en fonction du prix $p$, en tenant compte à la fois de la production et de la subvention reçue ?

**(i)**   Tracez à l'encre rouge la courbe d'offre de blé (y compris le blé provenant du programme SEN).

# L'offre de la branche

## INTRODUCTION

Pour trouver l'offre de produit de la branche il suffit d'additionner l'offre de produit provenant de chaque entreprise individuelle. Pensez à additionner des quantités et non pas des prix. La courbe d'offre de la branche aura un coude à l'endroit où le prix de marché tombe suffisamment bas pour amener certaines firmes à réduire leur quantité offerte à zéro.

Dans les trois derniers problèmes proposés dans ce chapitre, vous appliquerez l'analyse de l'offre et de la demande à certains problèmes relatifs à l'économie des activités illégales. Dans ces exemples, vous aurez à faire la preuve que vous savez construire des fonctions d'offre.

## 16.0 [0]   Exercice d'entrainement

Voici la marche à suivre pour construire des fonctions d'offre de marché à partir de fonctions d'offre d'entreprise linéaires. Il s'agit ici de se rappeler que la fonction d'offre de marché peut comporter des coudes. Par exemple, si les fonctions d'offre individuelles sont $s_1(p) = p$ et $s_2(p) = p - 2$, la fonction d'offre de marché est alors: $S(p) = p$ pour $p \leq 2$, $S(p) = 2p - 2$ pour $p > 2$ ; ainsi, seule la première entreprise offre une quantité positive à des prix inférieurs à 2 francs, et les deux entreprises offrent à des prix supérieurs à 2 francs. Essayez maintenant de construire la fonction d'offre du marché dans chacun des cas suivants:

**(a)**　$s_1(p) = p$, $s_2(p) = 2p$, $s_3(p) = 3p$.

**(b)**　$s_1(p) = 2p$, $s_2(p) = p - 1$.

**(c)**　200 firmes ont chacune une fonction d'offre $s_1(p) = 2p - 8$, et 100 firmes ont chacune une fonction d'offre $s_2(p) = p - 3$.

**16.1** [1]　Le cousin d'Albert, Zadig, fabrique des statuettes de jardin en plâtre. La technologie dans cette activité est la suivante : il faut un moule, du plâtre, et du travail. Un moule est un équipement qui coûte 1000 francs pièce et sa durée de vie est d'un an. Au bout d'une année, un moule est complètement usé et n'a aucune valeur de revente. Avec un moule, on peut faire 500 statuettes par an. Pour chaque statuette réalisée, on doit également dépenser une somme totale de 7 francs en plâtre et en travail. Les quantités totale de plâtre et de travail qu'on peut utiliser sont variables à court terme. Si on veut produire 100 statuettes par an avec un moule, la dépense en plâtre et en travail est de 700 francs dans l'année, et ainsi de suite. Le nombre de moules dans la branche ne peut varier à court terme. Pour en obtenir un nouveau, on doit passer une commande spéciale à la fabrique de moules. Cette fabrique ne prend commande qu'au 1er janvier de chaque année, et une année entière se passe entre le moment où un moule est commandé et celui où il est livré, soit le 1er janvier de l'année suivante. Lorsqu'on installe un moule dans un atelier, il est placé là définitivement. Le déplacer serait le détruire. Les moules de statuettes n'ont d'autre usage que de mouler des statuettes.

Pendant des années, la fonction de demande adressée à cette branche d'activité a été $D(p) = 60000 - 5000p$ où $D(p)$ désigne le nombre total de statuettes vendues chaque année et $p$ le prix d'une statuette. Au cours de ces années, les prix des inputs ont été constants et la technologie n'a pas changé. Personne ne s'attend à des changements dans le futur, et la branche est à son équilibre de long terme. Le taux d'intérêt est de 10%. Quand on achète un nouveau moule, on ne le paye qu'à sa livraison. Pour simplifier les calculs, on supposera que toutes les statuettes fabriquées pendant l'année sont vendues à Noël et que les employés et les fournisseurs de plâtre ne sont payés qu'à Noël pour le travail effectué durant l'année écoulée. Pour simplifier encore les calculs, on considèrera que le jour de Noël est le 31 décembre.

**(a)**　Si vous placez 1000 francs dans une banque le 1er janvier, combien d'argent pouvez-vous espérer retirer de la banque un an plus tard ? Si vous prenez livraison d'un moule le 1er janvier et si vous le payez à cette date, à combien doit s'élever l'excès de recette sur les coûts du plâtre et du travail pour qu'il vaille la peine de l'acheter ? (Rappelez-vous que le moule est hors d'usage et sans valeur à la fin de l'année.)

**(b)**　Supposons que vous ayez installé un nouveau moule (et un seul) dans votre atelier. Quel est votre coût marginal de production si vous produisez jusqu'à 500 statuettes ? Quel est votre coût variable moyen ? Avec cet équipement, est-il possible de produire à court terme plus de 500 statuettes ?

**(c)** Sous l'hypothèse précédente, à partir de quel prix pour une statuette produiriez-vous 500 statuettes ? Au-dessous de quel prix ne produiriez-vous aucune statuette ? À quel prix seriez-vous indifférent à produire entre 0 et 500 statuettes ?

**(d)** Supposons que vous puissiez vendre autant de statuettes que vous le désirez au prix de 10 francs chacune, et aucune à un prix plus élevé. Quel taux de rendement obtenez-vous sur les 1000 francs que vous avez investis dans un moule ? Ce taux est-il supérieur à celui que vous auriez obtenu en plaçant votre argent à la banque ? Quel est le prix minimal d'une statuette qui rendrait égal le rendement offert par un placement en banque et le rendement offert par l'investissement dans un moule ? Le prix d'équilibre à long terme peut-il être inférieur à celui-ci ?

**(e)** Quelle sera la quantité annuelle demandée de statuettes au prix trouvé à la question précédente ? Quelle sera la quantité de moules achetés chaque année ? Est-ce un prix d'équilibre à long terme ?

**16.2**[1] Poursuivons notre étude de l'industrie des statuettes de jardin. Supposons que tout soit initialement identique à ce qui est décrit dans le problème précédent. À la surprise complète de tout le monde, on annonce, le 1$^{er}$ janvier 1993, l'invention d'une nouvelle sorte de plâtre. Ce nouveau plâtre rend possible la production de statuettes avec les mêmes moules, mais il réduit le coût du plâtre et du travail nécessaires pour produire une statuette de 7 francs à 5 francs. Supposons que la fonction de demande des consommateurs de statuettes ne soit pas affectée par cette nouvelle. L'annonce est faite suffisamment tôt pour que tout le monde change sa commande de moules à livrer le 1$^{er}$ janvier 1994, mais bien entendu, le nombre de moules disponibles pour l'année 1993 est déjà déterminé par les commandes passées il y a un an. Le fabricant de moules de statuettes pour jardin s'était engagé par contrat à les vendre 1000 francs pièce il y a un an, et il ne peut modifier le prix qu'il fait payer à la livraison.

**(a)** En 1993, quelle sera la quantité totale d'équilibre de statuettes de jardin ? Quel sera le prix d'équilibre d'une statuette ? Zadig a acheté un moule qui lui est livré le 1$^{er}$ janvier 1993 et qu'il paye ce même jour 1000 francs comme convenu. À combien s'élève son profit le 1$^{er}$ janvier 1994 après qu'il ait vendu ses statuettes, payé ses employés et les fournisseurs de plâtre ? Le rendement de son investissement dans le moule est-il supérieur à 10% ? Quel est le rendement ?

**(b)** Le voisin de Zadig, Max, fabrique aussi des statuettes de jardin, et on doit lui livrer un moule le 1$^{er}$ janvier 1993. Ce jour là, Zadig, qui cherche une opportunité d'investir plus d'argent, envisage d'acheter à Max son nouveau moule et de l'installer dans son propre atelier. Quel serait le profit de Max dans un an s'il conservait son équipement ? Le taux d'intérêt d'un emprunt ou d'un placement étant de 10%, Max accepterait-il de vendre son moule pour 1000 francs ? À quel prix minimal accepterait-il de le vendre ? Si le meilleur rendement que puisse obtenir Zadig en investissant autrement ses fonds disponibles s'élevait à 10%, quel prix maximal accepterait-il de payer pour obtenir le moule de Max ?

**(c)** Qu'arrivera-t-il selon vous le 1er janvier 1994 ? Le nombre de moules de statuettes sera-t-il supérieur, inférieur, or égal à celui commandé l'année précédente ? Après une période de temps suffisante, la branche atteindra un nouvel équilibre à long terme. Quel sera le nouveau prix d'équilibre des statuettes ?

**16.3[1]** Le 1er janvier 1993, la technologie et la fonction de demande demeurent ce qu'elles étaient dans la description initiale de la branche, mais le gouvernement surprend tout le monde en instaurant une taxe sur la production de statuettes. Pour chaque statuette produite, le fabricant devra payer une taxe de 1 franc. L'annonce est faite suffisamment tôt pour que les producteurs de statuettes aient le temps de modifier leurs commandes de moules pour 1994. Bien entendu, les moules disponibles en 1993 ont été commandés une année plus tôt. Les fabricants de statuettes ont signé des contrats promettant de payer 1000 francs pour chaque moule commandé, et ils ne peuvent revenir sur ces promesses.

**(a)** En se souvenant, à partir des problèmes précédents, du nombre de moules à livrer le 1er janvier 1993, combien de statuettes seront produites si les fabricants vont à la limite des capacités de production de 1993 ? Étant donné la fonction de demande, quel sera le prix de marché ?

**(b)** Si vous possédez un moule, à combien s'élève le coût marginal de la production d'une statuette de jardin, taxe comprise ? En conséquence, faut-il s'attendre à ce que tous les moules soient utilisés à pleine capacité en 1993 ?

**(c)** Quelle sera la production totale de statuettes de jardin en 1993 ? Quel sera le prix des statuettes ? Quel sera le taux de rendement obtenu par Zadig de son investissement dans un moule livré en début d'année et payé 1000 francs à cette date ?

**(d)** Rappelez-vous que Max, le voisin de Zadig, attend aussi qu'on lui livre un moule le 1er janvier 1993. Bien que l'introduction de la taxe rende moins attractif un investissement consistant à acheter le moule de Max, Zadig l'achèterait encore s'il pouvait l'obtenir à suffisamment bon marché pour réaliser un rendement de 10% sur son investissement. Quel prix serait-il prêt à payer pour le nouveau moule de Max ?

**(e)** Qu'arrivera-t-il selon vous au nombre de moules commandés le 1er janvier 1994 ? Sera-t-il supérieur, inférieur, ou égal à celui commandé l'année précédente ?

**(f)** La taxe sur les statuettes demeure en place pendant de nombreuses années, et personne ne s'attend à de futures modifications de la taxe ou des conditions de la demande et de l'offre. Au bout d'un temps suffisamment long, la branche atteindra un nouvel équilibre à long terme. Quel sera le nouveau prix d'équilibre des statuettes ?

**(g)** À court terme, qui, des producteurs ou des consommateurs, paiera finalement la taxe ? À long terme, l'augmentation du prix des statuettes sera-t-elle supérieure, inférieure, ou égale au montant de la taxe ?

**(h)** Supposons que tôt dans la matinée du 1er janvier 1993 le gouvernement ait annoncé qu'il y aurait une taxe de 1 franc par statuette, mais que cette taxe ne prendrait effet que le 1$^{er}$ janvier 1994. La situation des producteurs de statuettes a-t-elle nécessairement empirée par rapport à la situation sans taxe ? Pourquoi ?

**(i)** Est-il raisonnable de supposer que le gouvernement pourrait instaurer des taxes "surprises" sans que les entreprises ne suspectent qu'il pourrait y avoir de semblables "surprises" dans le futur ? Supposons que l'introduction de la taxe en janvier 1993 rende méfiants les producteurs de statuettes quant à l'introduction de nouvelles taxes dans les années à venir. Ceci peut-il affecter les prix et les quantités d'équilibre ? Comment ?

**16.4**[0] Considérons une branche concurrentielle composée d'un grand nombre de firmes ayant toutes des fonctions de coût identiques $c(y) = y^2 + 1$ pour $y > 0$ et $c(0) = 0$. Supposons que la courbe de demande initiale adressée à cette branche soit donnée par $D(p) = 52 - p$. (La production d'une firme peut ne pas être un nombre entier, mais le nombre de firmes est nécessairement un nombre entier).

**(a)** Quelle est la courbe d'offre d'une firme individuelle ? Quelle serait la courbe d'offre de la branche s'il y avait $n$ firmes dans la branche ?

**(b)** Quel est le prix minimal à partir duquel le produit peut être vendu ?

**(c)** Quel est le nombre de firmes à l'équilibre dans cette branche ? (Indication : essayez de deviner ce que serait le prix d'équilibre dans la branche et voyez si cela marche.)

**(d)** Quel est le prix d'équilibre ? Quelle est la production d'équilibre de chaque firme ?

**(e)** Quelle est la production d'équilibre de la branche ?

**(f)** Supposons à présent que la courbe de demande se déplace et devienne $D(p) = 52,5 - p$. Quel est le nombre de firmes à l'équilibre de la branche ? (Indication : une nouvelle firme peut-elle entrer sur un marché et réaliser un profit non négatif ?)

**(g)** Quel est le nouveau prix d'équilibre ? Quelle est la production d'équilibre de chaque firme ? Quel est le profit de chaque firme à l'équilibre ?

**(h)** Supposons à présent que la courbe de demande se déplace et devienne $D(p) = 53 - p$. Quel est le nombre de firmes à l'équilibre de la branche ? Quel est le prix d'équilibre ?

**(i)** Quelle est la production d'équilibre de chaque firme ? Quel est le profit de chaque firme à l'équilibre ?

**16.5**[3] En 1990, le marché des services de taxi de la ville de Port-Ham pouvait être considéré comme un marché à peu près libre. Toute entreprise respectable pouvait offrir un service de taxi dès lors que les chauffeurs et les voitures satisfaisaient à certaines normes de sécurité.

Supposons que le coût marginal d'une course en taxi soit constant et égal à 5 francs, et qu'un taxi soit capable de faire en moyenne 20 courses par jour. Soit $D(p) = 1200 - 20p$, la fonction de demande de courses en taxi, la demande étant mesurée en nombre de courses par jour, et le prix en francs. Supposons que la branche soit parfaitement concurrentielle.

**(a)** Quel est le prix d'équilibre d'une course ? (Indication: à l'équilibre concurrentiel, le prix doit être égal au coût marginal.) Quel est le nombre de courses à l'équilibre par jour ? Combien y-a-t-il de taxis à l'équilibre ?

**(b)** Le conseil municipal de Port-Ham a créé en 1990 une commission chargée de délivrer des licences de taxi, et a accordé une licence à chacun des taxis existant. La commission a affirmé qu'elle continuerait à ajuster le prix de la course en taxi de telle sorte que la demande soit égale à l'offre, mais qu'elle n'accordera plus aucune licence à l'avenir. En 1995, les coûts n'ont pas changé mais la courbe de demande de courses en taxi est devenue $D(p) = 1220 - 20p$. Quel est le prix d'équilibre d'une course en taxi en 1995 ?

**(c)** Quel est le profit réalisé en 1995 sur chaque course, en négligeant les coûts associés à l'acquisition d'une licence de taxi ? Quel est le profit réalisé chaque jour par chaque taxi titulaire d'une licence ? Quel serait le profit réalisé au cours d'une année par un taxi qui travaillerait tous les jours ?

**(d)** Quel serait le prix de marché d'une licence de taxi si le taux d'intérêt était de 10%, les coûts, la demande et le nombre de licences étant supposés demeurer constants ?

**(e)** Supposons qu'en 1995 la commission ait décidé d'accorder de nouvelles licences pour réduire le prix de la course en taxi à 5 francs. Combien de licences supplémentaires devrait-elle accorder ?

**(f)** En supposant que la demande n'augmente plus, que vaut une licence de taxi compte tenu de ce nouveau tarif ?

**(g)** Quelle somme chaque propriétaire actuel d'un taxi serait-il prêt à payer pour empêcher l'attribution de nouvelles licences ? À combien s'élèverait la somme totale payée par l'ensemble des propriétaires de taxis pour empêcher l'attribution de nouvelles licences ? Si les consommateurs étaient prêts à payer pour qu'une nouvelle licence de taxi soit accordée, la somme totale payée par l'ensemble des consommateurs serait-elle supérieure, inférieure, ou égale à celle payée par les propriétaires de taxis ?

## 16.6 [2]

Dans ce problème, on cherche à déterminer le modèle d'équilibre d'exploitation des terres agricoles environnant une ville. Imaginez une ville située au milieu d'une vaste plaine sans caractéristiques particulières. Le prix du blé sur le marché situé au centre de la ville est de 10 francs le boisseau, et le coût de production d'un boisseau s'élève seulement à 5 francs. Cependant, le coût du transport pour apporter le blé au centre de la ville est de 10 centimes le kilomètre.

**(a)** Supposons qu'une ferme soit située à $t$ kilomètres du centre de la ville. Écrivez une formule exprimant le profit qu'elle réalise sur chaque boisseau de blé apporté au marché.

**(b)** Supposons que vous puissiez produire 1000 boisseaux de blé sur un hectare de terre. À quel prix pourriez-vous louer un hectare de terre situé à $t$ kilomètres du marché ?

**(c)** À quelle distance du marché devriez-vous être pour que la valeur de votre terre soit nulle ?

**16.7** [1] Considérons une branche composée de trois entreprises. Supposons que les entreprises aient respectivement les fonctions d'offre suivantes : $s_1(p) = p$, $s_2(p) = p - 5$ et $s_3(p) = 2p$. Faites un graphique. Tracez chacune des trois courbes d'offre et la courbe d'offre de la branche obtenue à partir d'elles.

**(a)** La courbe de demande du marché ayant la forme $D(p) = 15$, quel est le prix d'équilibre du marché ? La quantité ? Quelle est la quantité offerte par l'entreprise 1 à ce prix ? Par l'entreprise 2 ? Par l'entreprise 3 ?

**16.8** [0] Supposons que toutes les firmes dans une branche donnée aient la même courbe d'offre: $S_i(p) = p/2$. Faites un graphique. Tracez en les nommant les quatre courbes d'offre de la branche dans les cas où la branche est composée de 1, 2, 3 ou 4 de ces firmes.

**(a)** Si toutes les firmes ont une structure de coût telle qu'elles perdent de l'argent si le prix est inférieur à 3 francs, quel est le prix et la quantité d'équilibre de la branche si la demande du marché est $D(p) = 3,5$ ? Quel est le nombre de firmes dans la branche ?

**(b)** Reprenons les mêmes conditions, sauf pour la demande du marché qui devient $D(p) = 8 - p$. Quel est à présent le prix d'équilibre du marché ? La quantité ? Combien de firmes travaillent dans cette branche ?

**16.9** [0] Supposons une branche dont l'entrée est libre. N'importe qui entrant dans cette branche aura la même courbe de coût moyen en U que toutes les autres firmes de la branche.

**(a)** Faites un graphique. Tracez à l'encre bleue les courbes de coût moyen et de coût marginal d'une firme représentative. Indiquez également le niveau d'équilibre à long terme du prix du marché.

**(b)** Supposons que le gouvernement impose une taxe, *t*, sur chaque unité de produit vendue par la branche. Tracez à l'encre rouge les nouvelles conditions du marché. Après que la branche se soit adaptée à l'introduction de la taxe, quelles prévisions peut-on établir à partir du modèle concurrentiel ? Le prix du marché augmentera-t-il, diminuera-t-il ? De combien ? Y-aura-t-il plus, moins, ou autant d'entreprises dans la branche ? Le niveau de production de chaque firme de la branche augmentera-t-il, diminuera-t-il, ou restera-t-il le même ?

**(c)** Supposons que le gouvernement impose une taxe, *l*, sur chaque *entreprise* de la branche. Tracez à l'encre noire les nouvelles conditions du marché. Après que la branche se soit adaptée à l'introduction de la taxe, quelles prévisions peut-on établir à partir du modèle concurrentiel ? Le prix du marché augmentera-t-il, diminuera-t-il ? De combien ? Y-aura-t-il plus, moins, ou autant d'entreprises dans la branche ? Le niveau de production de chaque firme de la branche augmentera-t-il, diminuera-t-il, ou restera-t-il le même ?

**16.10** [0]    Dans beaucoup de pays, un restaurant qui vend des boissons alcoolisées doit avoir une licence. Supposons que le nombre de licences soit limité et qu'on puisse facilement les transférer d'un restaurateur à l'autre. Supposons que les conditions de fonctionnement de cette branche soient très proches de celle de la concurrence parfaite. Quel est le coût variable moyen dans cette branche si on suppose que la recette moyenne annuelle d'un restaurant s'élève à 100 000 francs et qu'une licence peut être cédée pour une année pour 85 000 francs ?

**16.11** [2]    Pour protéger les espèces sauvages de cacatoès, les autorités australiennes ont interdit l'exportation de ces grands perroquets. Un marché illégal s'est développé. Le coût de la capture d'un cacatoès australien et de son transport aux États-Unis s'élève à 40 $. Les perroquets braconnés sont drogués et transportés dans des valises. Ces conditions sont extrêmement traumatisantes pour les oiseaux et 50% des cacatoès meurent au cours du voyage. On a 10% de chance de découvrir un cacatoès passé en contrebande, auquel cas l'oiseau est confisqué et le passeur se voit infliger une amende de 500 $ par oiseau. Les cacatoès vivants confisqués sont rendus à la nature. Les cacatoès confisqués et trouvés morts sont donnés aux cafeterias universitaires[1].

**(a)**    Quelle est la probabilité qu'un perroquet braconné échappe à la confiscation et parvienne en vie à l'acheteur ? En conséquence, $p$ étant le prix d'un perroquet de contrebande, quelle est l'espérance de la recette brute du braconnier ?

**(b)**    Quelle est l'espérance du coût d'un perroquet, en tenant compte de l'amende possible et du coût de la capture et du transport ?

**(c)**    La courbe d'offre des perroquets de contrebande est une horizontale passant par le prix du marché. Quel est ce prix ? (Indication: quel est le prix correspondant à la condition de fermeture ?)

**(d)**    La fonction de demande de cacatoès de contrebande aux États-Unis est $D(p) = 7200 - 20p$ par année. Combien de cacatoès seront ainsi vendus chaque année aux États-Unis au prix d'équilibre ? Combien de cacatoès devront être capturés en Australie pour que ce nombre d'oiseaux vivants parvienne aux acheteurs américains ?

**(e)**    Supposons qu'au lieu de remettre les cacatoès vivants confisqués dans la nature, les autorités les vendent sur le marché américain. Les profits retirés du braconnage des cacatoès ne sont pas affectés par cette nouvelle politique. La courbe d'offre étant horizontale, le prix d'équilibre des cacatoès braconnés doit être le même que le prix d'équilibre qui prévalait lorsque les cacatoès confisqués étaient remis dans la nature. À l'équilibre, combien de cacatoès vivants seront vendus aux États-Unis ? Combien de cacatoès seront prélevés de manière permanente sur la faune australienne ?

---

1   L'histoire que raconte ce problème repose sur des faits réels, mais on donne ici des chiffres choisis à titre d'illustration. Il serait très intéressant d'avoir de bonnes estimations des fonctions réelles de demande et de coût.

**(f)** Supposons que le commerce des cacatoès soit légalisé. Supposons qu'il en coûte 40 $ pour capturer et transporter un cacatoès aux États-Unis dans une cage confortable, et que, dans ces conditions, le nombre de cacatoès morts dans le transport soit négligeable. Quel serait le prix d'équilibre d'un cacatoès aux États-Unis ? Combien de cacatoès seraient vendus aux États-Unis ? Combien de cacatoès seraient capturés en Australie pour le marché américain ?

**16.12**[0] La corne des rhinocéros est prisée en Chine et au Japon pour ses propriétés aphrodisiaques supposées. C'est ce qui pouvait arriver de pire aux rhinocéros de l'Afrique de l'Est. Bien qu'il soit illégal de tuer des rhinocéros dans les parcs naturels du Kenya, la population de rhinocéros dans ces parcs a été presque totalement décimée par les braconniers. Le prix de la corne de rhinocéros a tellement augmenté au cours des dernières années qu'un braconnier peut gagner la moitié de son salaire annuel simplement en tuant un rhinocéros. Un rendement aussi élevé rend impossible l'application des lois contre le braconnage en Afrique de l'Est. Il y a également des parcs naturels en Afrique du Sud où l'on trouve des populations de rhinocéros. Parce que l'Afrique du Sud est mieux organisée que le Kenya, les gardes de ces parcs ont pu empêcher le braconnage presque totalement. En conséquence, la population de rhinocéros de l'Afrique du Sud a augmenté. Dans un programme récent pour la télévision de la série *Nova*, un garde sud-africain expliquait qu'il avait même fallu "éliminer" certains rhinocéros pour éviter une surpopulation de rhinocéros. "Que faites-vous alors", demanda l'enquêteur, "des cornes des animaux "éliminés" ou morts de causes naturelles ?" Le garde sud-africain répondit fièrement que, le commerce international des cornes de rhinocéros étant illégal, l'Afrique du Sud ne participait pas à ce crime international en vendant ces cornes, mais qu'elle les détruisait ou les entreposait.

**(a)** Supposons que toutes les cornes de rhinocéros produites en Afrique du Sud soient détruites. Faites un graphique. Définissez les axes et tracez à l'encre bleue les courbes d'offre et de demande mondiales de cornes de rhinocéros. Indiquez le prix et la quantité d'équilibre.

**(b)** Si L'Afrique du Sud mettait en vente ces cornes de rhinocéros sur le marché mondial, laquelle des courbes de votre graphique se déplacerait et dans quelle direction ? Tracez à l'encre rouge la ou les courbe(s) déplacée(s). Si L'Afrique du Sud faisait cela, la consommation mondiale de cornes de rhinocéros augmenterait-elle ou diminuerait-elle ? Le prix mondial de la corne de rhinocéros augmenterait-il ou diminuerait-il ? Le nombre de rhinocéros braconnés augmenterait-il ou diminuerait-il ?

**16.13**[1] La vente de cornes de rhinocéros n'est pas interdite pour contrer les plaisirs malsains des amateurs d'aphrodisiaques, mais parce que cette activité est mauvaise pour les rhinocéros. De même, la raison pour laquelle les australiens limitent les exportations de cacatoès vers les États-Unis n'est pas que le fait d'avoir un cacatoès soit mauvais pour son possesseur. En fait, les australiens possèdent en toute légalité des cacatoès comme animaux de compagnie. Le motif de cette restriction est simplement de protéger la faune sauvage d'une surexploitation. S'agissant des autres biens, la société ne semble avoir aucun intérêt particulier à limiter les activités d'offre mais peut souhaiter en reduire la consommation. Un bon exemple est l'usage illicite de drogues. Cultiver de la marijuana, par exemple, est une activité agricole toute simple qui, en elle-même, n'est pas plus nuisible que cultiver du blé tendre ou des choux de Bruxelles. C'est la consommation de marijuana qui pose problème à la société.

Supposons que le coût marginal de la culture de la marijuana et de sa mise à disposition de l'acheteur soit constant et égal à 5 $ l'once (un peu moins de 30 grammes). Supposons aussi que chaque fois que les autorités chargées de la lutte contre la drogue trouvent des plantations de marijuana ou de la marijuana dans les poches des "dealers", elles saisissent la drogue et inflige une amende au vendeur. Supposons que la probabilité de saisie de la marijuana soit de 0,3, et que l'amende que vous aurez à payer si vous êtes pris est de 10 $ l'once.

**(a)** Soit $p$, le prix de l'once de marijuana qu'on trouve dans la rue. Quelle est l'espérance de la recette nette d'amendes d'un "dealer" sur chaque once de marijuana vendue ? Quel est le prix d'équilibre de la marijuana ?

**(b)** Supposons que la fonction de demande de marijuana ait pour équation $Q = A - Bp$. À combien s'élèverait la consommation d'équilibre de marijuana si toute la marijuana saisie était détruite ? Supposons que la marijuana saisie ne soit pas détruite mais vendue sur le marché libre. Quelle serait la consommation de marijuana à l'équilibre ?

**(c)** Le prix de la marijuana augmenterait-il, diminuerait-il, resterait-il constant ?

**(d)** Si le coût marginal de la production de marijuana était croissant et non constant, pensez-vous que la consommation augmenterait si la marijuana saisie était vendue plutôt que détruite ? Expliquez.

# Le monopole

## INTRODUCTION

On trouve la production qui maximise le profit d'un monopoleur en cherchant la production pour laquelle la recette marginale est égale au coût marginal. Ayant trouvé cette production, on trouve le prix de monopole en introduisant cette quantité dans la fonction de demande. En général, on trouve la fonction de recette marginale en différentiant la fonction de recette totale par rapport à la quantité. Mais dans le cas particulier d'une demande linéaire, il est facile de déterminer graphiquement la courbe de la recette marginale. Avec une fonction de demande inverse linéaire, $p(y) = a - by$, la courbe de recette marginale prend la forme $Rm(y) = a - 2by$.

**17.1** [0]  Le Professeur Bong vient d'écrire le premier manuel d'économie Punk. Son titre : *Sur Votre Isoquante*. Selon une étude de marché, la courbe de demande pour ce livre serait $Q = 2000 - 100p$, où $p$ représente le prix. Le coût de la mise en page du livre s'élève à 1000 francs. C'est un coût nécessaire et préalable à toute impression. Au coût de la mise en page s'ajoute un coût marginal de 4 francs pour tout exemplaire imprimé.

**(a)**  Quelle est la fonction de recette totale attendue de la vente du manuel du Professeur Bong ?

**(b)**  Quelle est la fonction de coût total de l'édition du manuel du Professeur Bong ?

**(c)** Quelle est la fonction de recette marginale ? Quelle est la fonction de coût marginal ? À combien s'élève la quantité de livres vendus qui maximise le profit du Professeur Bong ?

**17.2** [0] Avec sa petite cariole, Pierre Morgan vend des pâtés de pigeons dans le bois de Boulogne. Il est le seul offreur de cette friandise. Ses coûts sont nuls en raison de l'abondance de la matière première disponible dans ce bois.

**(a)** Au début de son affaire, la courbe de demande inverse de pâtés de pigeon était $p(y) = 100 - y$, le prix étant mesuré en centimes et $y$ désignant le nombre de pâtés vendus. Faites un graphique. Tracez cette courbe à l'encre noire. Tracez la courbe de la recette marginale à l'encre rouge.

**(b)** Quel était le niveau de production correspondant au profit maximum ? Quel était le prix fixé par Pierre ?

**(c)** Après plusieurs mois d'activité, Pierre constate que sa courbe de demande s'est déplacée et devient $p(y) = 75 - y/2$. Sur le même graphique, tracez cette courbe à l'encre bleue. Tracez la nouvelle courbe de recette marginale à l'encre noire.

**(d)** À combien s'élève la production qui maximise le profit au nouveau prix d'équilibre ? Quel est le prix qui maximise le profit ?

**17.3** [0] Supposons que la fonction de demande d'automobiles japonaises aux États-Unis soit telle que les ventes totales de voitures (en milliers de voitures) s'élèvent à $250 - 2p$, où $p$ représente le prix d'une voiture japonaise en milliers de dollars.

**(a)** Quelle serait la quantité de voitures japonaises vendues aux États-Unis si la courbe d'offre était une horizontale passant par un prix de 5000 $ ? À combien s'élèverait la dépense totale des américains en achat de voitures japonaises ?

**(b)** Supposons que sur la pression des constructeurs automobiles américains, les États-Unis imposent un droit d'importation sur les voitures japonaises, de telle sorte que pour chaque voiture exportée aux États-Unis les producteurs japonais aient à verser une taxe de 2000 $ au gouvernement américain. Combien de voitures japonaises seront à présent vendues aux États-Unis ? À quel prix ?

**(c)** À combien s'élèveront les recettes procurées par ce droit d'importation au gouvernement américain ?

**(d)** Faites un graphique où le prix payé par les consommateurs américains figure sur l'axe vertical. Tracez à l'encre bleue les courbes de demande et d'offre avant l'instauration du droit d'importation. Après l'instauration du droit d'importation, la courbe d'offre se déplace tandis que la courbe de demande reste à sa place. Tracez à l'encre rouge la nouvelle courbe d'offre.

**(e)** Supposons qu'à la place d'un droit d'importation, le gouvernement américain persuade le gouvernement japonais de pratiquer une "restriction volontaire à l'exportation" sur les exportations de voitures vers les États-Unis. Supposons que les japonais acceptent de réduire leurs exportations en exigeant que chaque voiture exportée aux

États-Unis ait une licence d'exportation. Supposons de plus que le gouvernement japonais accepte de n'accorder que 236 000 licences d'exportation et vende ces licences aux entreprises japonaises. À quel prix les japonais vendraient-ils leurs voitures aux américains s'ils connaissaient la courbe de demande des américains et s'ils savaient qu'ils ne pouvaient vendre que 236 000 voitures ?

**(f)** Quelle somme une entreprise japonaise serait-elle disposée à payer au gouvernement japonais pour obtenir une licence d'exportation ? (Indication : pensez à ce que coûte la production d'une voiture et à quel prix on peut la vendre si on possède une licence d'exportation.)

**(g)** Que rapporterait au gouvernement japonais la vente de licences d'exportation?

**(h)** À combien s'élèverait la dépense totale des américains en achat de voitures japonaises ?

**(i)** Pourquoi les japonais accepteraient-ils de se soumettre "volontairement" au contrôle des exportations ?

**17.4** [0] Un monopoleur est confronté à une courbe de demande inverse donnée par $p(y) = 12 - y$ et sa courbe de coût est donnée par $c(y) = y^2$.

**(a)** Quel est le niveau de production qui maximise son profit ?

**(b)** Supposons que le gouvernement décide de taxer ce monopoleur de telle sorte qu'il ait à payer 2 francs au gouvernement pour chaque unité vendue. Compte tenu de cette forme de taxation, à combien s'élèvera sa production ?

**(c)** Supposons à présent que le gouvernement impose une taxe forfaitaire d'un montant de 10 francs sur le profit du monopoleur. Quelle sera sa production ?

**17.5** [1] Le *Quotidien du Délit* est le seul journal de la ville de Gomhor. La demande de ce journal dépend de son prix et du nombre de scandales rapportés. La fonction de demande est $Q = 15S^{1/2}P^{-3}$, où $S$ est le nombre d'articles à scandale, $Q$ est le nombre d'exemplaires du journal vendus quotidiennement, et $P$ le prix du journal. Les scandales ne sont pas un bien rare à Gomhor. Toutefois, il faut des ressources pour écrire, éditer, et imprimer des histoires à scandale. Le coût de reportage de $S$ scandales s'élève à $10S$ francs. Ces coûts sont indépendants du nombre de journaux vendus. S'y ajoutent les coûts d'impression et de distribution du journal. Ces coûts s'élèvent à 0,10 francs par exemplaire, et le coût unitaire est indépendant du nombre de scandales révélés dans le journal. En conséquence, le coût total du tirage de $Q$ exemplaires du journal comportant la révélation de $S$ scandales s'élève à $10S + 0,10Q$.

**(a)** Calculez l'élasticité-prix de la demande du *Quotidien du Délit*. L'élasticité-prix dépend-elle du nombre de scandales rapportés ? Est-elle constante quel que soit le prix ?

**(b)** Rappelez-vous que $R_m = P\left(1 + \frac{1}{\varepsilon}\right)$ . Pour maximiser son profit, le *Quotidien du Délit* doit égaliser la recette marginale au coût marginal. Quel est le prix du *Quotidien du*

*Délit* qui maximise le profit ? Quelle est, à ce prix, la différence entre le prix et le coût marginal d'impression et de livraison de chaque exemplaire du journal ?

**(c)** Supposons que le *Quotidien du Délit* fixe un prix qui maximise son profit et imprime 100 scandales dans un numéro. Combien d'exemplaires vendra-t-il ? (Arrondissez à l'entier le plus proche.) Ecrivez une expression générale du nombre d'exemplaires $Q$ vendus en fonction de $S$.

**(d)** Ecrivez une expression du profit en fonction de $Q$ et de $S$ en supposant que le prix fixé maximise le profit. À partir de la quantité $Q$ en fonction de $S$ trouvée à la question précédente, remplacez $Q$ par cette fonction dans l'équation du profit de façon à exprimer le profit en fonction de $S$ seul.

**(e)** Supposons que le *Quotidien du Délit* ait choisi le prix et le nombre d'articles à scandale qui maximisent le profit. À combien s'élève le nombre de scandales ? Le nombre d'exemplaires vendus ? Le profit réalisé par le *Quotidien du Délit* ?

**17.6** [0] Faites un graphique. Tracez à l'encre noire la courbe de demande inverse, $p_1(y) = 200 - y$.

**(a)** Si les coûts du monopoleur sont nuls, à quel endroit sur cette courbe choisira-t-il de travailler ?

**(b)** Tracez une autre courbe de demande passant par le point qui maximise le profit et ayant une pente inférieure à la courbe de demande originale. Surlignez à l'encre rouge la partie de cette nouvelle courbe de demande sur laquelle le monopoleur choisira de travailler. (Indication : utilisez le concept des préférences révélées.)

**(c)** Comparez les deux courbes de demande, la demande initiale et la nouvelle. Avec laquelle des deux le profit réalisé par le monopoleur est-il le plus élevé ?

# Les marchés de facteurs

## INTRODUCTION

Vous allez étudier dans ce chapitre la décision de demande de facteurs d'un monopoleur. Lorsqu'une entreprise est en situation de monopole sur un marché, elle produit moins que si le marché était concurrentiel. En conséquence, elle demandera moins de facteurs qu'une entreprise concurrentielle. La valeur du produit marginal d'un facteur est simplement égale à la valeur de l'output supplémentaire obtenu par l'utilisation d'une unité supplémentaire de ce facteur. Selon la logique habituelle de la maximisation du profit en situation de concurrence, une entreprise concurrentielle emploiera une quantité d'un facteur telle que la **valeur du produit marginal** (ou produit marginal en valeur) du facteur soit égale au prix du facteur.

Le **produit marginal en recette** est la recette supplémentaire obtenue par l'utilisation d'une unité supplémentaire d'un facteur. Dans le cas d'une entreprise concurrentielle, le produit marginal en recette est égal à la valeur du produit marginal, mais il n'en va pas de même en monopole. Un monopoleur doit prendre en compte le fait qu'un accroissement de la production s'accompagne nécessairement d'une baisse du prix, de sorte que le produit marginal en recette d'une unité supplémentaire d'un facteur sera *inférieur* à la valeur du produit marginal.

Nous étudierons également le **monopsone** dans ce chapitre, c'est-à-dire le cas du marché d'un bien dominé par un seul acheteur. Le monopsone ressemble beaucoup au monopole. Le monopsoneur emploiera moins de facteurs qu'une entreprise similaire en situation concurrentielle parce que le monopsoneur doit tenir compte du fait que le prix du facteur qu'il devra payer dépendra de la quantité de facteur qu'il achètera.

Enfin, nous étudierons un cas intéressant d'offre de facteur dans lequel un monopoleur produit un bien utilisé par un autre monopoleur.

---

**EXEMPLE**

Supposons un monopoleur confronté à une courbe de demande d'un produit de la forme $p(y) = 100 - 2y$. La fonction de production a la forme simple $y = 2x$, et le coût d'une unité de facteur est égal à 4 francs. Quelle quantité de facteur le monopoleur souhaitera-t-il employer ? Quelle aurait été la quantité de facteur employée par une branche concurrentielle si toutes les firmes dans cette branche avaient eu la même fonction de production ?

Réponse : le monopoleur emploiera une quantité de facteur telle que le produit marginal en recette associé à cette quantité soit égal au prix du facteur. La recette exprimée en fonction de la production est $R(y) = p(y)y = (100 - 2y)y$. Pour exprimer la recette en fonction de la quantité d'input, on remplace $y$ par son expression en fonction de $x$, $y = 2x$, et on trouve : $R(x) = (100 - 4x)2x = (200 - 8x)x$.

La fonction du produit marginal en recette aura la forme $PmR_x = 200 - 16x$. En posant le produit marginal en recette égal au prix de facteur, on obtient l'équation : $200 - 16x = 4$. Cette équation nous donne $x^* = 12,25$.

Si la branche était concurrentielle, elle emploierait une quantité de facteur telle que la valeur du produit marginal serait égale à 4. Ceci nous donne l'équation $2p = 4$, de sorte que $p^* = 2$. Quelle est la quantité d'output demandée à ce prix ? On remplace le prix par sa valeur dans la fonction de demande et on obtient $2 = 100 - 2y$, ce qui implique $y^* = 49$. La fonction de production étant $y = 2x$, on obtient $x^* = y^*/2 = 24,5$.

---

**18.1** [0]    L'entreprise Gargantua a le monopole de la production d'appui-têtes. Elle est située dans la ville de Pantagruel. Il n'y a pas d'autre entreprise à Pantagruel et l'équation d'offre de travail est $W = 10 + 0,1L$, où $W$ désigne le taux de salaire journalier et $L$ le nombre de jours de travail par personne. La fonction de production d'appui-têtes est $Q = 10L$, où $L$ représente l'offre de travail d'une journée et $Q$ la production journalière. La courbe de demande d'appui-têtes est $P = 41 - \dfrac{Q}{1000}$, où $P$ est le prix et $Q$ la quantité quotidienne vendue.

**(a)**    Trouvez la production qui maximise le profit de l'entreprise Gargantua. (Indication : utilisez la fonction de production pour trouver la quantité d'input nécessaire associée à chaque niveau de production. Procédez aux substitutions qui s'imposent de telle sorte que vous puissiez exprimer le coût total de la firme en fonction de la production, puis le profit total en fonction de la production. Trouvez alors la solution de cette équation, c'est-à-dire la production qui maximise le profit.)

**(b)**  Quelle est la quantité de travail demandée ? Quel est le taux de salaire ?

**(c)**  Quel est le prix d'un appui-tête ? À combien s'élève le profit ?

**18.2** [0]  Les habitants de Seltzer consomment des bouteilles d'eau minérale selon la fonction de demande $D(p) = 1000 - p$. Ici $D(p)$ représente la demande annuelle de bouteilles d'eau minérale au prix unitaire $p$.

Le seul distributeur d'eau minérale à Seltzer, Bulles Associées, achète de l'eau minérale au prix de $c$ francs la bouteille au seul producteur, Water S.A. Water S.A. est le seul offreur d'eau minérale dans la région et se comporte en monopoleur cherchant à maximiser son profit. Pour simplifier, nous supposerons que ses coûts de production sont nuls.

**(a)**  Quel est le prix d'équilibre choisi par le distributeur, Bulles Associées ?

**(b)**  Quelle est la quantité d'équilibre vendue par Bulles Associées ?

**(c)**  Quel est le prix d'équilibre choisi par le producteur, Water S.A. ?

**(d)**  Quelle est la quantité d'équilibre vendue par Water S.A. ?

**(e)**  À combien s'élève le profit réalisé par Bulles Associées ?

**(f)**  À combien s'élève le profit réalisé par Water S.A. ?

**(g)**  À combien s'élève le surplus des consommateurs sur ce marché ?

**(h)**  Supposons qu'on s'attende à ce que cette situation persiste dans l'avenir et qu'on anticipe un taux d'intérêt constant égal à 10% par année. Pour quelle somme minimale le distributeur Bulles Associées accepterait-il de céder son affaire à Water S.A. ?

**(i)**  Supposons que cette vente se fasse. Quel est le nouveau prix de l'eau minérale ? La nouvelle quantité ?

**(j)**  À combien s'élève le profit de Water S.A. après l'absorption de Bulles Associées ?

**(k)**  À combien s'élève le surplus total des consommateurs ? Comparez-le au surplus précédent.

**18.3** [0]  La Upper Peninsula Underground Recordings (UPUR) a le monopole de l'enregistrement du fameux groupe de rock Moosecake. La musique de Moosecake n'est enregistrée que sur cassette digitale, et une cassette digitale vierge coûte $c$ \$. Il n'y a pas d'autres coûts de production ou de distribution. Soit $P(x)$, la fonction de demande inverse de la musique de Moosecake exprimée en fonction de $x$, le nombre de cassettes vendues.

**(a)**  Quelle est la condition du premier ordre de la maximisation du profit ? Pour la suite de l'exercice, on désignera par $x^*$ la quantité qui maximise le profit et par $p^*$ le prix auquel elle est vendue. (On suppose pour le moment que les cassettes ne peuvent être copiées.)

Supposons à présent qu'un nouveau magnétophone pouvant copier des cassettes digitales soit accessible au grand public. Il permet de copier une fois et une fois seulement une cassette digitale pré-enregistrée. Les copies sont d'une qualité égale à celle des cassettes originales et leur sont ainsi parfaitement substituables. L'utilisation et la vente de ces copies sont libres. Cependant, n'importe qui peut voir la différence entre les copies et les cassettes originales et sait qu'on ne peut pas faire une copie à partir d'une copie. Une cassette vierge achetée par un consommateur coûte $c$ \$, le même prix que celui payé par le monopoleur.

**(b)**   Supposons que tous les fans de Moosecake saisissent cette opportunité et fassent une copie unique qu'ils vendent sur le marché secondaire. Quelle est la relation entre le prix d'une cassette originale et le prix d'une copie ? Utilisez cette relation pour obtenir la courbe de demande inverse de cassettes originales adressée à UPUR. (Indication : notez qu'il y a désormais deux raisons à la demande d'une cassette originale : le plaisir de l'écouter, et le profit que peut retirer un consommateur de la vente d'une copie.)

**(c)**   Exprimez le profit réalisé par UPUR en fonction de la production de $x$ cassettes.

**(d)**   Soit $x^{**}$ le niveau de production qui maximise le profit de UPUR. Comparez-le à celui que vous avez trouvé précedemment.

**(e)**   Comparez le prix d'une *copie* de Moosecake au prix que vous avez trouvé à la question (a).

**(f)**   Soit $p^{**}$ le prix d'une copie de Moosecake. À quel prix sera vendue une nouvelle cassette originale de Moosecake ?

# L'oligopole

## INTRODUCTION

Dans ce chapitre, vous aurez à résoudre des problèmes relatifs aux performances d'une entreprise ou d'une branche lorsque les entreprises s'engagent dans une concurrence à la Cournot, à la Stackelberg, ou autres comportements oligopolistiques. Dans une concurrence à la Cournot, chaque firme choisit sa propre production de manière à maximiser son profit compte tenu de la production attendue de l'autre firme. Le prix du marché dépend de la production de la branche, $q_A + q_B$, où A et B représentent les entreprises. Pour maximiser son profit, la firme A égalise sa recette marginale (qui dépend de la quantité vendue par la firme A et de la production attendue de la firme B puisque le prix de marché attendu dépend de la somme de ces deux quantités) et son coût marginal. En résolvant cette équation, vous obtiendrez la production de la firme A en fonction de la production attendue de la firme B, ce qui vous donnera une fonction de réaction; en suivant les mêmes étapes, vous obtiendrez la fonction de réaction de la firme B. On obtient les productions des deux firmes correspondant à l'équilibre de Cournot en résolvant ces deux équations simultanément.

---

EXEMPLE    Alain et Claude sont les deux boulangers de la petite ville de Murai. Le pain d'Alain a le même goût que celui de Claude - personne ne peut faire la différence. Le coût marginal d'Alain est égal à 1 franc par pain. Claude a un coût marginal de 2 francs par pain. Les coûts fixes sont nuls pour chacun d'eux. La fonction de demande inverse de pain dans la ville de Murai est $p = 6 - 0,01\,q$, où $q$ désigne le nombre total de pains vendus quotidiennement.

Cherchons la fonction de réaction d'Alain dans le modèle de Cournot. Si Claude produit $q_C$ pains, et si Alain produit $q_A$ pains, la production totale sera $q_A + q_C$ et le prix sera égal à $6 - 0,01\,(q_A + q_C)$. Pour Alain, le coût total de production de $qA$ unités de pain est simplement égal à $qA$, de sorte que son profit est égal à

$$pq_A - q_A = (6 - 0,01\,q_A - 0,01\,q_C)q_A - q_A$$
$$= 6q_A - 0,01\,q_a^2 - 0,01\,q_C\,q_A - q_A$$

En conséquence, si Claude produit $q_C$ unités, Alain choisira $qA$ de façon à maximiser $6q_A - 0,01q_A^2 - 0,01q_Cq_A - q_A$. Cette expression est maximisée lorsque $(6 - 0,2q_A - 0,01q_C) = 1$. (Vous pouvez parvenir à ce résultat soit en égalisant la recette marginale de A à son coût marginal, soit directement en posant la dérivée du profit par rapport à $q_A$ égale à zéro.) La fonction de réaction d'Alain, $R_A(q_C)$, donne la production optimale d'Alain sachant que Claude produit $q_C$. À partir de l'équation précédente, on trouve $R_A(q_C) = 250 - 0,5q_C$.

On peut trouver la fonction de réaction de Claude de la même manière. Si Claude sait que Alain envisage de produire $q_A$ unités, le profit de Claude sera $p(q_A + q_C) \cdot q_C - 2q_C = (6 - 0,01\,q_A - 0,01\,q_C) \cdot q_C - q_C$. Son profit sera maximum s'il choisit la production $q_C$ qui satisfait l'équation $6 - 0,01\,q_A - 0,02q_C = 2$. En conséquence, la fonction de réaction de Claude est $R_C(q_A) = ((4 - 0,01q_A)\ /0,02) = 200 - 0,5q_A$.

Désignons par $\bar{q}_A$ et $\bar{q}_C$ les quantités à l'équilibre de Cournot. Les conditions de l'équilibre de Cournot sont $\bar{q}_A = R_A(\bar{q}_C)$ et $\bar{q}_C = R_C(\bar{q}_A)$. La résolution de ce système de deux équations à deux inconnues donne $\bar{q}_A = 200$ et $\bar{q}_C = 100$. À présent, on peut aussi trouver le prix d'équilibre de Cournot et le profit de chaque boulanger. Le prix d'équilibre de Cournot est $6 - 0,01(200 + 100) = 3$ Francs. En conséquence, à l'équilibre de Cournot, Alain réalise un profit égal à 2 francs sur chacun des 200 pains, et Claude un profit de 1 franc sur chacun des 100 pains.

Dans le modèle de Stackelberg, le choix de production du "follower" qui cherche à maximiser son profit dépend de son anticipation de ce que produira le "leader". Sa fonction de réaction, $R_F(q_L)$, est construite de la même manière que pour une entreprise du modèle de Cournot. Le "leader" connait la fonction de réaction du "follower" et est amené à choisir sa production, $q_L$, en premier. Ainsi, le "leader" sait que le prix de marché dépend de la somme de sa propre production et de la production du "follower", c'est-à-dire de $q_L + R_F(q_L)$. Le prix de marché pouvant être exprimé uniquement en fonction de $q_L$, il en va de même pour la recette marginale du "leader". Ainsi, dès que vous avez la fonction de réaction du "follower" et après l'avoir introduite dans la fonction de demande inverse, vous pouvez écrire une expression ne dépendant que de $q_L$ selon laquelle la recette marginale du "leader" est égale à son coût marginal. À partir de cette expression, vous pouvez obtenir la production du "leader" de Stackelberg et, par remplacement dans la fonction de réaction du "follower", obtenir la production du "follower" de Stackelberg.

---

**EXEMPLE**     Supposons qu'un des boulangers de la ville de Murai se comporte en "leader" à la Stackelberg. Cela peut être dû au fait que Claude se lève toujours une heure plus tôt qu'Alain et qu'il met son pain au four avant qu'Alain ait commencé à travailler. Si Alain connait la quantité de pains que Claude met au four, et si Claude sait qu'Alain sait, alors Claude peut se comporter en "leader" à la Stackelberg. Claude sait que la fonction de réaction d'Alain est $R_A(q_C) = 250 - 0,5q_C$. En conséquence, Claude sait que s'il produit $q_C$ pains, la quantité totale de pains produits à Murai sera égale à $q_C + R_A(q_C) = qC + 250 - 0,5q_C = 250 + 0,5q_C$. Puisque le choix de production de Claude détermine la production totale et par conséquent le prix, on peut écrire le profit de Claude simplement en fonction de sa propre production. Claude choisira la quantité qui maximise son profit. Si Claude produit $q_C$ pains, le prix sera $p = 6 - 0,01(250 + 0,5q_C) = 3,5 - 0,005q_C$. Le profit de Claude sera alors égal à $pq_C - 2q_C = (3,5 - 0,005q_C)q_C - 2q_C = 1,5q_C - 0,005\,q_C^2$. Son profit est maximum lorsque $q_C = 150$. (On trouve ce résultat soit en posant la recette marginale égale au coût marginal, soit directement en posant la dérivée du profit égale à zéro à partir de laquelle on obtient $q_C$.) Si Claude produit 150 pains, Alain produit $250 - 0,5 \times 150 = 175$ pains. Le prix du pain sera égal à $6 - 0,01(175 + 150) = 2,75$. Claude réalisera désormais un profit de 0,75 franc sur chacun des 150 pains qu'il produit, et le profit d'Alain sera de 1,75 franc sur chacun de ses 175 pains.

**19.1** [0]     Charles et Simon sont deux producteurs concurrents de potirons. Ils vendent leurs potirons sur le marché agricole de la ville voisine. Ce sont les seuls vendeurs de potirons sur le marché et la fonction de demande de potirons sur le marché est $q = 3200 - 1600\,p$. Le nombre total de potirons vendus sur le marché est $q = q_C + q_S$, où $q_C$ représente la quantité vendue par Charles et $q_S$, la quantité vendue par Simon. Le coût unitaire de production des potirons pour chaque producteur est de 0,5 franc quel que soit le nombre de potirons produits.

**(a)**     La fonction de demande inverse sur le marché étant donnée par $p = a - b(q_C + q_S)$, que valent $a$ et $b$ ? À combien s'élève le coût marginal de la production d'un potiron pour chaque producteur ?

**(b)**     C'est au printemps que chaque producteur doit décider du niveau de sa production de potirons. Ils connaissent tous deux la fonction de demande locale, et chacun sait combien de potirons ont été vendus par l'autre l'année précédente. En fait, chaque producteur suppose que l'autre producteur vendra cette année la même quantité que l'année dernière. Si, par exemple, Simon a vendu 400 potirons l'an dernier, Charles pense que Simon vendra à nouveau 400 potirons cette année. Simon ayant vendu 400 potirons l'année dernière, quel est le prix attendu par Charles s'il vend 1200 potirons cette année ? Simon ayant vendu $q_S^{t-1}$ potirons au cours de l'année $t$-$1$, quel est le prix attendu par Charles l'année $t$ sachant que lui, Charles, vendra $q_C^t$ au cours cette année $t$ ?

**(c)** Simon ayant vendu 400 potirons l'an dernier, Charles pense que s'il vend $q_C^t$ potirons cette année, la fonction de demande inverse à laquelle il sera confronté sera $p = 2 - 400 / 1600 - q_C^t / 1600 = 1{,}75 - q_C^t / 1600$. En conséquence, Simon ayant vendu 400 potirons l'an dernier, la recette marginale de Charles cette année sera $1{,}75 - q_C^t / 800$. Plus généralement, Simon ayant vendu $q_S^{t-1}$ potirons l'année dernière, quelle sera la recette marginale de Charles cette année s'il vend $q_C^t$ potirons ?

**(d)** Charles pense que Simon ayant vendu $q_S^{t-1}$ l'an dernier, produira toujours la même quantité de potirons cette année. En conséquence, Charles plante cette année suffisamment de potirons pour pouvoir vendre la quantité qui maximise son profit. Pour maximiser ce profit, il choisit un niveau de production qui rend la recette marginale de cette année égale à son coût marginal. Cela signifie que pour trouver la production de cette année sachant que Simon a produit $q_S^{t-1}$ l'an dernier, Charles doit résoudre une équation. Laquelle ?

**(e)** La fonction de réaction de Charles dans le modèle de Cournot, $R_C^t(q_S^{t-1})$, est une fonction qui indique ce que doit être la production de Charles cette année en fonction de la production passée de Simon si Charles souhaite maximiser son profit. À partir de l'équation trouvée à la question précédente, quelle est la fonction de réaction de Charles ? (Indication : c'est une équation linéaire de la forme $a - bq_S^{t-1}$. Il vous faut trouver les constantes $a$ et $b$.)

**(f)** Supposons que Simon prenne ses décisions de la même manière que Charles. Notez que dans cette question, les rôles joués par Charles et Simon sont complètement symétriques. En conséquence, et sans même la calculer, quelle est selon vous la fonction de réaction de Simon ? (Bien entendu, si vous n'êtes pas sûr de vous, vous pouvez la trouver en suivant les mêmes étapes que nous avons suivies pour trouver la fonction de réaction de Charles.)

**(g)** Supposons qu'au cours de l'année 1, Charles ait produit 200 potirons, et Simon 1000. Quelle sera la production de Charles au cours de l'année 2 ? Quelle sera la production de Simon ? Quelle sera la production de Charles au cours de l'année 3 ? Quelle sera la production de Simon ? À l'aide d'une calculatrice ou autrement, cherchez plusieurs termes supplémentaires de cette série. Vers quel niveau de production semble converger la production de Charles ? Celle de Simon ?

**(h)** Écrivez un système de deux équations à résoudre simultanément qui permette de trouver les productions $q_S$ et $q_C$ telles que, si Charles produit $q_C$ et Simon $q_S$, chacun d'eux souhaitera produire la même quantité à la période suivante. (Indication : pensez aux fonctions de réaction.)

**(i)** Trouvez les productions d'équilibre de chaque producteur en résolvant les deux équations de la question précédente. Quelle est la production de chaque producteur à l'équilibre de Cournot ? Quelle est la quantité totale de potirons sur le marché ?

Quel est le prix de marché des potirons ? À combien s'élève le profit réalisé par chaque producteur ?

---

**19.2** [0]   Supposons un marché aux potirons semblable à celui décrit dans le problème précédent, sauf sur un point. Chaque printemps, la neige qui recouvre le champ de Charles fond une semaine plus tôt que la neige qui recouvre le champ de Simon. En conséquence, Charles peut semer ses graines de potirons une semaine avant Simon. De là où il habite, Simon peut voir le champ de Charles et peut savoir ainsi combien de potirons il a planté et combien il en récoltera à l'automne. (Supposons aussi que Charles vend tout ce qu'il produit.) En conséquence, au lieu de supposer que Charles vendra la même quantité de potirons que l'an dernier, Simon connaît la quantité que Charles vendra réellement cette année. Simon dispose de cette information avant de prendre sa propre décision de production.

**(a)**   Charles ayant cultivé suffisamment de potirons pour en vendre $q_C^t$ cette année, quelle est la production $q_S^t$ de Simon qui maximisera son profit cette année ? (Indication : rappelez-vous les fonctions de réaction trouvées dans le problème précédent.)

**(b)**   Lorsque Charles plante ses potirons, il sait comment Simon prendra sa décision. Ainsi, il sait que la quantité que produira Simon cette année sera déterminée par la quantité que lui-même, Charles, produira. En conséquence, à combien s'élèverait la production de Simon si Charles produisait $q_C^t$ ? Quelle serait la production totale des deux producteurs ? En conséquence, si Charles produit $q_C^t$, à quel prix peut-il s'attendre vendre ses potirons sur le marché ?

**(c)**   Vous avez trouvé, dans la dernière partie de la question précédente, de quelle façon le prix des potirons d'une année était lié au nombre de potirons produits par Charles au cours de cette même année. Exprimez à présent la recette totale de Charles de l'année $t$ en fonction de sa propre production, $q_C^t$. Trouvez une expression de la recette marginale de Charles de l'année t en fonction de $q_C^t$.

**(d)**   Trouvez la production de Charles qui maximise son profit. Trouvez la production de Simon qui maximise son profit. Trouvez le prix d'équilibre des potirons sur le marché. À combien s'élève le profit de Charles ? À combien s'élève le profit de Simon ? Comment s'appelle un équilibre du type de celui que nous étudions ici ?

**(e)**   S'il le voulait, Charles pourrait différer ses plantations jusqu'à attendre le même moment que Simon, de sorte qu'aucun des deux producteurs ne pourrait connaître le plan de production de l'autre pour cette année au moment où il aurait à décider de sa production. Est-ce dans l'intérêt de Charles de faire cela ? Expliquez. (Indication: à combien s'élève le profit de Charles à l'équilibre précédent ? À combien s'élève le profit de Charles à l'équilibre de Cournot ? Comparez les deux profits.)

---

**19.3** [0]   Supposons que Charles et Simon concluent un accord. Ils décident de déterminer la production totale conjointement et de produire chacun la même quantité de potirons. À combien s'élève la production totale de potirons qui maximise les profits-joints ?

À combien s'élève la production de chacun d'eux ? Quel est le profit de chacun d'eux ?

**19.4** [0]  La courbe de demande inverse de germes de soja est donnée par $P(Y) = 100 - 2Y$, et la fonction de coût total d'une entreprise quelconque de la branche est donnée par $TC(y) = 4y$.

**(a)** Quel est le coût marginal d'une entreprise ? Comment varie le prix lorsque la quantité augmente d'une unité ?

**(b)** Supposons que la branche soit parfaitement concurrentielle. Quelle est la production de la branche ? Quel est le prix de marché ?

**(c)** Supposons qu'il y ait deux firmes sur le marché et que ces firmes se comportent comme dans le modèle de Cournot. Quelle est la fonction de réaction de la firme 1 ? (Attention ! À la différence de l'exemple donné dans votre manuel, ici le coût marginal n'est pas nul.) Quelle est la fonction de réaction de la firme 2 ? En supposant que les firmes travaillent au point d'équilibre de Cournot, à combien s'élève la production totale de la branche ? Combien produit chaque firme ? Quel est le prix de marché ?

**(d)** Faites un graphique sur lequel figurent les deux courbes de réaction et indiquez le point d'équilibre de Cournot.

**(e)** Quelle serait la production de la branche si les deux firmes décidaient de s'entendre ? Quel serait le prix de marché ?

**(f)** Supposons que les deux firmes formant le cartel produisent la même quantité d'output. Supposons que l'une des deux firmes fasse l'hypothèse que l'autre firme ne réagirait pas à une variation de la quantité totale produite dans la branche. Comment évoluerait le profit de cette firme si elle augmentait sa production d'une unité ?

**(g)** Supposons qu'une firme se comporte en "leader" comme dans le modèle de Stackelberg, et que l'autre firme se comporte en "follower". Écrivez le problème de maximisation du profit de l'entreprise "leader". Quelle est la production du "leader" ? Quelle est la production du "follower" ? En conséquence, à combien s'élève la production de la branche ? Le prix ?

**19.5** [0]  Georges est l'unique propriétaire d'une source d'eau minérale d'où jaillit à coût nul autant d'eau minérale qu'il désire mettre en bouteille. La mise en bouteille de cette eau coûte 2 francs par bouteille. La courbe de demande inverse d'eau minérale est $p = 20 - 0{,}20q$, où $p$ désigne le prix d'un litre d'eau et $q$, le nombre de litres vendus.

**(a)** Exprimez le profit de Georges en fonction de $q$. Trouvez le choix de $q$ qui maximise le profit de Georges.

**(b)** Quel est le prix d'un litre d'eau minérale si Georges produit la quantité d'eau qui maximise son profit ? À combien s'élève le profit de Georges ?

**(c)** Supposons à présent que le voisin de Georges, Grégoire, trouve une source d'eau minérale qui produit une eau minérale aussi bonne que celle de Georges, mais le coût du pompage et de la mise en bouteille est de 6 francs par litre. La demande totale du marché reste la même qu'auparavant. Supposons que Georges et Grégoire pensent chacun que la décision de production de l'autre est indépendante de la leur. À combien s'élève la production de Grégoire à l'équilibre de Cournot ? Quel est le prix d'équilibre de Cournot ?

**19.6**[1]  Albatros Airlines a le monopole du transport aérien entre Peoria et Dubuque. Si Albatros n'organise chaque jour qu'un voyage dans chaque direction, la demande de voyages aller-retour est $q = 160 - 2p$, où $q$ représente le nombre de passagers par jour. (On suppose que personne ne prend un aller simple.) Il y a des frais généraux fixes de 2000 francs par jour, coût fixe nécessaire au vol de l'avion quel que soit le nombre de passagers. S'y ajoute un coût marginal de 10 francs par passager. Ainsi, le coût total quotidien s'élève à $2000 + 10q$, à supposer qu'il y ait un vol.

**(a)**  Faites un graphique et tracez la courbe de recette marginale, et les courbes de coût moyen et de coût marginal.

**(b)**  Calculez le prix, le nombre quotidien de passagers, et le profit total quotidien d'Albatros.

**(c)**  Le taux d'intérêt étant de 10% par an, quel prix serait-on disposer à payer pour obtenir le monopole d'Albatros Airlines sur la ligne Peoria-Dubuque ? (On supposera que les conditions de demande et de coût restent à jamais les mêmes.)

**(d)**  Supposons qu'une autre firme ayant les mêmes coûts qu'Albatros Airlines entre sur le marché, et que la branche devienne un duopole de Cournot. Le nouvel entrant fait-il un profit ?

**(e)**  Supposons que le rythme de la vie nocturne à Peoria et Dubuque attire de plus en plus de gens et que, en conséquence, la population de ces deux villes double. Le résultat est que la demande de voyages par avion entre les deux villes double et devient $q = 320 - 4p$. Supposons que l'unique avion d'Albatros Airlines ait une capacité de 80 passagers. Si AA n'achète pas un second avion et si aucune autre compagnie aérienne n'entre sur le marché, quel prix la compagnie doit-elle fixer pour maximiser sa production et quel est son profit ?

**(f)**  Supposons que les coûts fixes par avion soient constants quel que soit le nombre d'avions. Supposons que AA achète un second avion ayant les mêmes coûts et la même capacité que le premier. Que devient le prix d'un voyage ? Combien de billets seront vendus ? Quel profit la compagnie réalisera-t-elle ? Si Albatros Airlines est en mesure d'empêcher l'entrée d'un concurrent, choisira-t-elle d'acheter un second avion ?

**(g)**  Supposons que AA conserve un seul avion et qu'une autre compagnie entre sur le marché avec son propre avion. Supposons que la seconde compagnie ait la même fonction de coût que la première, et que toutes deux se comportent comme des oligopoleurs à la Cournot. À combien s'élève le prix ? Les quantités ? Les profits ?

**19.7** [0]     Alex et Anna sont les deux seuls vendeurs de kangourous de Sydney, en Australie. Soit $q_1$, le nombre de kangourous vendus qui maximise le profit de Anna. Ce nombre repose sur une prévision: le nombre de kangourous vendus par Alex. Alex connait les réactions d'Anna, et il choisit de vendre un nombre de kangouroux, $q_2$, en tenant compte de cette information. La fonction de demande inverse de kangourous est $P(q_1 + q_2) = 2000 - 2(q_1 + q_2)$. Le coût de l'élevage d'un kangourou destiné à être vendu est de 400 \$.

**(a)**     Alex et Anna se comportent comme des concurrents dans le modèle de Stackelberg. Qui est "leader" ? Qui est "follower" ?

**(b)**     Anna pense qu'Alex vendra $q_2$ kangourous. Quelle sera sa propre recette marginale si elle vend $q_1$ kangourous ?

**(c)**     Quelle est la fonction de réaction d'Anna, $R(q_2)$ ?

**(d)**     Si Alex vend $q_2$ kangourous, à combien s'élève le nombre total de kangourous vendus ? Quel est le prix de marché exprimé en fonction de la seule quantité $q_2$ ? Quelle est la recette marginale d'Alex exprimée en fonction de $q_2$ seulement ? Quel est le nombre de kangourous vendus par Alex ? Quel est le nombre de kangourous vendus par Anna ? Quel est le prix de marché ?

**19.8** [0]     Soit une branche caractérisée par la structure suivante. Il y a 50 firmes se comportant comme en concurrence et ayant des fonctions de coût identiques données par $c(y) = y^2 / 2$. Il y a une firme dominante dont le coût marginal est nul. La courbe de demande du produit est donnée par $D(p) = 1000 - 50p$.

**(a)**     Quelle est la courbe d'offre d'une firme concurrentielle ? Quelle est l'offre totale $S(p)$ du secteur concurrentiel au prix $p$ ?

**(b)**     Quelle est la quantité $D_m(p)$ vendue par la firme dominante lorsqu'elle fixe un prix $p$ ?

**(c)**     À combien s'élève la production $y_m$ de la firme dominante qui maximise son profit ? Quel est le prix qui maximise son profit ?

**(d)**     À combien s'élève la production du secteur concurrentiel à ce prix ? À combien s'élève la quantité totale vendue dans cette branche ?

**19.9** [0]     Considérons un marché composé d'une grande entreprise et de nombreuses petites entreprises. La courbe d'offre de l'ensemble des petites entreprises est : $S(p) = 100 + p$.

La courbe de demande pour le produit est : $D(p) = 200 - p$.

La fonction de coût de la grande entreprise est : $c(y) = 25y$.

**(a)**     Supposons que la grande entreprise soit contrainte à ne rien produire. Quel est dans ce cas le prix d'équilibre ? La quantité d'équilibre ?

**(b)** Supposons à présent que la grande entreprise cherche à exploiter son pouvoir de marché et fixe un prix qui maximise son profit. Pour modéliser ce comportement, nous supposerons que les consommateurs s'adressent toujours en premier aux entreprises concurrentielles et leur achètent autant qu'ils le peuvent, puis s'adressent à la grande entreprise. Dans cette situation, quel est le prix d'équilibre ? Quelle est la quantité offerte par la grande entreprise ? Quelle est la quantité offerte par l'ensemble des entreprises concurrentielles ?

**(c)** À combien s'élève le profit de la grande entreprise ?

**(d)** Supposons enfin que la grande entreprise puisse contraindre les entreprises concurrentielles à sortir du marché et se comporte en véritable monopoleur. Quel est le prix d'équilibre ? Quelle est la quantité d'équilibre ? À combien s'élève le profit de la grande entreprise ?

**19.10**[1]  Dans un coin reculé du Midwest américain avant l'arrivée du chemin de fer, les cuisinières en fonte étaient très recherchées, mais l'habitat était très dispersé, les routes mauvaises, et le transport de ces lourdes cuisinières coûtait cher. Les pôeles arrivaient par bateau à Bouncing Springs, Missouri. Ben Kinmore était le seul marchand de cuisinières à Bouncing Springs. Il pouvait s'en procurer autant qu'il le désirait au prix de 20 $ chacune, livrée à son magasin. Les fermiers qui venaient au marché de Bouncing Springs habitaient le long d'une route qui traversait la ville d'est en ouest. Le long de cette route, on trouvait une ferme tous les miles et le coût de transport d'une cuisinière était de 1 $ par mile. Il n'y avait pas d'autre vendeur de cuisinières sur cette route, dans quelque direction qu'on aille. Chaque fermier le long de cette route avait un prix de réserve de 120 $ pour une cuisinière en fonte. En d'autres termes, chacun d'eux était disposé à payer jusqu'à 120 $ pour avoir une cuisinière plutôt que de ne pas en avoir. Personne n'avait besoin de plus d'une cuisinière. Le prix d'une cuisinière fixé par Ben Kinmore était de $p$ $, prix auquel s'ajoutait le coût du transport. Par exemple, si le prix de base d'une cuisinière était de 40 $ et si vous habitiez à 45 miles à l'ouest de Bouncing Springs, vous aviez à payer 85 $ pour avoir votre cuisinière, soit le prix de base de 40 $ plus le coût du transport de 45 $. Le prix de réserve étant de 120 $, il s'ensuit que si le prix de base était de 40 $, tout fermier désirant une cuisinière et vivant à 80 miles de Bouncing Springs était disposé à payer 40 $ plus le prix de la livraison. En conséquence, le prix de base étant de 40 $, Ben pouvait vendre 80 cuisinières aux fermiers vivant à l'ouest de la ville, et 80 cuisinières aux fermiers habitant à l'intérieur des 80 miles à l'est de la ville, soit un total de 160 cuisinières en fonte.

**(a)** Supposons que Ben fixe un prix de base égal à $p$ $, $p$ étant inférieur à 120, et que le prix de la livraison soit de 1 $ par kilomètre. Combien de cuisinières peut-il vendre ? (N'oubliez pas de compter celles qu'il vend à l'est aussi bien que celles qu'il vend à l'ouest.) Supposons que Ben ne supporte pas d'autres coûts que ceux de l'achat des cuisinières et de leur mise à disposition dans son magasin. Son profit est alors égal à $p$ - 20 par cuisinière. Exprimez le profit de Ben en fonction du prix de base $p$ .

**(b)** Quel est le prix de base qui maximise le profit de Ben ? (Indication : vous venez juste d'écrire le profit en fonction du prix. Différentiez à présent cette fonction par rapport à $p$.) À quelle distance par rapport au magasin de Ben se situe le consommateur le plus éloigné ? Combien de cuisinières vend-il ? À combien s'élève son profit ?

**(c)** Supposons qu'au lieu de fixer un prix de base unique et de faire payer le prix de la livraison à tous les acheteurs, Ben se propose de livrer les cuisinières gratuitement. Il fixe un prix $p$ et promet de livrer gratuitement une cuisinière à tout fermier vivant à au plus $p$ - 20 miles de son magasin. (Il ne veut pas livrer à quiconque habite au-delà, car il supporterait un coût d'achat et de livraison supérieur au prix $p$.) Dans ces conditions, quel est le prix $p$ fixé par Ben ? Combien de cuisinières aura-t-il à livrer ? À combien s'élève sa recette totale ? À combien s'élève son coût total, coût de livraison et coût d'achat des cuisinières compris ? (Indication : quelle est la distance moyenne de livraison ?) À combien s'élève son profit ? Expliquez pourquoi il est plus profitable pour Ben de choisir cette politique de prix consistant à payer lui-même le coût de la livraison plutôt que la politique consistant à faire payer aux fermiers le prix de la livraison.

**19.11** [2]  Vous enviez peut-être l'histoire de Ben Kinmore. Il vivait tranquillement dans cette région boisée, se contentant d'engranger ses profits de monopoleur. Mais, malheureusement pour Ben, avant même qu'il ait vendu une seule cuisinière, une voie de chemin fer fut construite passant par la ville de Deep Furrow située à 40 miles seulement sur la route à l'ouest de Bouncing Springs. L'unique commerçant de Deep Furrow, Huey Sunshines, pouvait lui aussi obtenir, grâce au train, que lui soient livrées des cuisinières au prix de 20 $ l'unité. Huey et Ben étaient les deux seuls vendeurs de cuisinières le long de cette route. Intéressons-nous de près à la concurrence à laquelle ils se sont livrés pour attirer les consommateurs qui habitaient entre leurs deux magasins. Il faut en effet se souvenir que Ben peut fixer des prix de base différents pour les cuisinières qu'il livre à l'est et celles qu'il livre à l'ouest. Il en va de même pour Huey.

Supposons que Ben fixe un prix de base, $p_B$, pour les cuisinières qu'il vend à l'ouest, auquel s'ajoute 1 $ par mile de frais de livraison. Supposons que Huey fixe un prix de base, $p_H$, pour les cuisinières qu'il vend à l'est, plus 1 $ par mile de frais de livraison. Les fermiers qui habitent entre Ben et Huey achètent à celui des deux qui proposera le prix le moins cher, livraison comprise (tant que le prix, livraison comprise, n'excède pas 120 $.) Lorsque le prix de base de Ben s'élève à $p_B$ et le prix de base de Huey à $p_H$, quelqu'un habitant à $x$ miles à l'ouest du magasin de Ben doit payer une somme totale égale à $p_B + x$ s'il achète une cuisinière à Ben, et $p_H + (40 - x)$ s'il achète une cuisinière à Huey.

**(a)** Le prix de base de Ben étant $p_B$ et celui de Huey étant $p_H$, écrivez une équation qui permettrait de trouver la distance $x^*$ à l'ouest de Bouncing Springs jusqu'où s'étend le marché de Ben. À combien s'élève la quantité de cuisinières vendues par Ben ? Par Huey ?

**(b)** Exprimez le profit de Ben en fonction de $p_B$ et $p_H$, en vous rappellant que Ben réalise sur chaque cuisinière vendue un profit égal à $p_B$ - *20.*

**(c)** Supposons que Ben pense que le prix fixé par Huey restera à $p_H$, quel que soit le prix qu'il choisisse. Quel est le prix $p_B$ qui maximise son profit ? (Indication : posez la dérivée du profit de Ben en fonction de son prix égale à zéro.) Supposons que Huey pense que le prix fixé par Ben restera à $p_B$, quel que soit le prix qu'il choisisse. Quel est le prix $p_H$ qui maximise son profit ? (Indication : utilisez la symétrie du problème et la réponse de la question précédente.)

**(d)** Trouvez un prix de base de Ben et un prix de base de Huey tels que ce choix maximise le profit de chacun étant donné le choix de l'autre. (Indication : trouvez les prix $p_B$ et $p_H$ qui résolvent simultanément les deux équations précédentes.) À combien s'élève le nombre de cuisinières vendues par Ben aux fermiers habitant à l'ouest de son magasin ? À combien s'élève le profit qu'il réalise sur ces ventes ?

**(e)** Supposons que Ben et Huey aient décidé de se faire concurrence pour attirer les consommateurs qui habitent entre leurs deux magasins en pratiquant une discrimination de la demande par les prix. Supposons que Ben propose de livrer une cuisinière au domicile d'un fermier qui habite à *x* miles à l'ouest de son magasin pour un prix égal soit au coût total qu'il supporte pour livrer une cuisinière à ce fermier, soit au coût total que Huey supporterait s'il voulait livrer une cuisinière à ce même fermier moins un penny. Il choisira le prix égal au coût le plus élevé. Supposons que Huey propose de livrer une cuisinière au domicile d'un fermier qui habite à *x* miles à l'ouest du magasin de Ben pour un prix égal soit au coût total que lui-même, Huey, supporte pour livrer une cuisinière à ce fermier, soit au coût total de livraison de Ben à ce même fermier moins un penny. Il choisira le prix égal au coût le plus élevé. Par exemple, supposons un fermier habitant à 10 miles à l'ouest de l'entrepôt de Ben. Pour lui livrer une cuisinière, Ben supporte un coût total égal à 30 $, soit 20 $ pour se la procurer et 10 $ pour la transporter au domicile du fermier situé 10 miles à l'ouest de son magasin. Le coût total supporté par Huey pour livrer une cuisinière à ce même fermier s'élève à 50 $, soit 20 $ pour se la procurer et 30 $ pour la livrer au domicile de ce fermier situé à 30 miles à l'est de son entrepôt. Ben choisira le prix égal au coût le plus élevé. Il choisira donc entre son propre coût, 30 $, et le coût de Huey moins un penny, 49,99 $. Quel sera donc son prix ? Huey choisira de fixer un prix égal au maximum des deux coûts suivants : son propre coût de livraison à ce fermier, soit 50 $, et le coût de Ben moins un penny, soit 29,99 $. Quel sera donc son prix ? Le fermier achètera une cuisinière à celui dont le prix sera inférieur de un penny à celui de l'autre. À qui achètera-t-il sa cuisinière ? Les deux marchands adoptent cette politique de prix. En conséquence, les fermiers qui achètent une cuisinière à Ben sont ceux qui vivent à une certaine distance de Ben. À quelle distance ? De même, les fermiers qui achètent une cuisinière à Huey sont ceux qui vivent à une certaine distance de Huey. À quelle distance ? Quel est le prix payé par un fermier qui s'adresse à Ben et vit à *x* miles à l'ouest du magasin de Ben ? Quel est le prix payé par un fermier qui s'adresse à Huey et vit à *x* miles à l'est du magasin de Huey ? Faites un graphique.

Tracez à l'encre bleue le coût supporté par Ben pour livrer une cuisinière à un fermier habitant à $x$ miles à l'ouest de son magasin. Tracez à l'encre rouge le coût supporté par Huey pour livrer une cuisinière à un fermier habitant à $x$ miles à l'ouest du magasin de Ben. Marquez le prix le plus bas que peut payer un fermier selon la distance qui sépare son domicile du magasin de Ben.

**(f)** D'après votre graphique, quels sont les fermiers qui peuvent obtenir une cuisinière au prix le plus bas, ceux qui vivent le plus près des marchands ou ceux qui vivent à mi-chemin entre les deux ? Sur votre graphique, hachurez la surface représentant le profit de chaque marchand. À combien s'élève le profit de chaque marchand ? Ben et Huey adoptant cette politique de prix, existe-t-il un moyen pour l'un des deux commerçants d'accroître son profit en modifiant le prix que payent les fermiers ?

# Quizzes

## INTRODUCTION

Cette partie de l'ouvrage contient des questionnaires à choix multiples basés sur les problèmes posés dans chacun des chapitres. Les questions consistent en de légères variations construites à partir des exercices précédents, de telle façon que si vous avez travaillé et compris les problèmes correspondants, il vous sera facile de répondre aux QCM.

Pour la plupart, ces QCM sont autonomes par rapport aux problèmes posés. Les données nécessaires pour traiter les questions sont apportées; en général vous n'aurez donc pas à feuilleter l'ouvrage pour retrouver le problème correspondant. Cependant, il est important que vous traitiez ensemble les problèmes et les QCM si vous voulez bien comprendre les notions développées dans les exercices.

## QUIZ 1
## LA CONTRAINTE BUDGÉTAIRE

**1.1**  Dans l'exercice 1.1, si vous avez un revenu de 12 à dépenser, si le bien 1 coûte 2 l'unité et si le bien 2 coûte 6 l'unité, alors l'équation de votre droite de budget s'écrit

**(a)**  $x_1/2 + x_2/6 = 12$

**(b)**  $(x_1 + x_2)/(8) = 12$

**(c)** $x_1 + 3x_2 = 6$

**(d)** $3x_1 + 7x_2 = 13$

**(e)** $8(x_1 + x_2) = 12$

## 1.2

Dans l'exercice 1.3, si vous pouvez vous procurer soit 6 unités de $x$ et 14 de $y$, ou 10 unités de $x$ et 6 unités de $y$, si vous dépensez alors la totalité de votre revenu sur $y$, combien d'unités de $y$ pouvez-vous acheter?

**(a)** 26

**(b)** 18

**(c)** 34

**(d)** 16

**(e)** aucune de ces réponses n'est correcte.

## 1.3

Dans l'exercice 1.4, Murphy a l'habitude de consommer 100 unités de $x$ et 50 unités de $y$ quand le prix de $x$ est de 2 et le prix de $y$ de 4. Si le prix de $x$ augmente jusqu'à 5 et le prix de $y$ jusqu'à 8, de combien doit augmenter le revenu de Murphy s'il souhaite toujours consommer le panier d'origine?

**(a)** 700

**(b)** 500

**(c)** 350

**(d)** 1050

**(e)** aucune de ces réponses n'est correcte.

## 1.4

Dans le problème 1.7, Edmond doit payer 6 chaque cassette video punk, $V_0$. Si Ed est payé 48 par sac de poubelle, $G$, qu'il accepte et si ses parents lui accordent 384 d'argent de poche, alors sa droite de budget est décrite par l'équation

**(a)** $6V = 48G$

**(b)** $6V + 48G = 384$

**(c)** $6V - 48G = 384$

**(d)** $6V = 384 - G$

**(e)** aucune de ces réponses n'est correcte.

## 1.5

Dans l'exercice 1.10, si dans le même temps dont Martha a besoin pour lire 40 pages d'économie et 30 pages de sociologie, elle peut lire 30 pages d'économie et 50 pages de sociologie, alors laquelle de ces équations décrit les combinaisons de pages d'économie, $E$, et de sociologie, $S$, qu'elle peut lire dans le même temps qu'elle prend pour lire 40 pages d'économie et 30 pages de sociologie.

**(a)** $E + S = 70$

**(b)** $E/2 + S = 50$

**(c)** $2E + S = 110$

**(d)** $E + S = 80$

**(e)** toutes les 4 à la fois

---

**1.6** Dans l'exercice 1.11, la publicité passée dans les magazines ennuyeux est lue par 300 juristes et 1000 diplômés d'écoles de commerce. La publicité figurant dans les journaux à grand tirage est lue par 250 juristes et 300 diplômés d'écoles de commerce. Si le budget publicitaire de Harry est 3000, le prix de la publicité dans les journaux ennuyeux est de 300 et le prix de la publicité dans les journaux à grand tirage de 300, alors les combinaisons de diplômés d'écoles de commerce et de juristes récents qu'il pourra atteindre avec son budget publicitaire seront représentées par les valeurs entières situées sur les segments de droite passant par les points suivants

**(a)** (2500, 3000) et (1500, 5000)

**(b)** (3000, 3500) et (1500, 6000)

**(c)** (0, 3000) et (1500, 0)

**(d)** (3000, 0) et (0, 6000)

**(e)** (2000, 0) et (0, 5000)

---

**1.7** Dans l'économie de Mungo, de l'exercice 1.12, il y a maintenant une troisième créature, Ike. Ike a un revenu rouge de 40 ct un revenu bleu de 10 (nous vous rappelons que les prix bleus sont de 1 umb (unité monétaire bleue) par unité d'ambrosia et 1 umb par chewing-gum. Les prix rouges sont de 2 umr (unité monétaire rouge) par unité d'ambrosia et de 6 umr par chewing-gum. Vous devez payer deux fois ce que vous achetez, une fois en unité monétaire bleue, une fois en unité monétaire rouge). Si Ike dépense tout son revenu bleu mais pas la totalité de son revenu rouge, alors

**(a)** il consomme au moins 5 chewing-gums

**(b)** il consomme au moins 5 unités d'ambrosia

**(c)** il consomme exactement 2 fois plus de chewing-gum que d'ambrosia

**(d)** il consomme au moins 15 chewing-gums

**(e)** il consomme des montants identiques d'ambrosia que de chewing-gum

## QUIZ 2
### LES PRÉFÉRENCES

**2.1** Dans l'exercice 2.1, les courbes d'indifférence de Charlie ont pour équation $x_B = $ constante/$x_A$, ou une constante plus élevée correspond à des courbes d'indifférence plus élevées. Charlie préfère le panier (7, 15) à

**(a)**    (15, 7)

**(b)**    (8, 14)

**(c)**    (11, 11)

**(d)**    ces trois paniers

**(e)**    aucun de ces paniers

**2.2**    Dans l'exercice 2.2, Ambroise a des courbes d'indifférence dont l'équation est $x_2 =$ constante - $4x_1^{1/2}$, où des constantes plus élevées correspondent à des courbes d'indifférence supérieures. Si le bien 1 est représenté sur l'axe horizontal et le bien 2 sur l'axe vertical, quelle est la pente de la courbe d'indifférence d'Ambroise quand son panier de consommation est (1,6)?

**(a)**    -1/6

**(b)**    -6/1

**(c)**    -2

**(d)**    -7

**(e)**    -1

**2.3**    Dans le problème 2.8, Nancy Lerner suit le cours du professeur Boncœur qui ne prend en compte que la meilleure des notes obtenue aux examens partiels. Elle suit aussi le cours du professeur Stern qui ne prend en considération que la plus mauvaise des deux notes. Dans l'une des matières Nancy a une note de 50 au premier partiel et de 30 au second. Représentez le premier partiel sur l'axe horizontal et le second partiel sur l'axe vertical, sa courbe d'indifférence a une pente de 0 au point (50, 30). Par conséquent, cela signifie que

**(a)**    la matière en question pourrait être celle du professeur Boncœur mais pas celle du professeur Stern

**(b)**    la matière en question pourrait être celle du professeur Stern mais pas celle du professeur Boncœur

**(c)**    cette matière ne pourrait être ni celle de Boncœur ni celle de Stern

**(d)**    cette matière pourrait être soit celle de Boncœur soit celle de Stern

**2.4**    Dans le problème 2.9, si nous dessinons la courbe d'indifférence de Mary Muesli entre les avocats (axe horizontal) et les pamplemousses (axe vertical), alors chaque fois qu'elle a plus de pamplemousse que d'avocats, la pente de sa courbe d'indifférence est -2. Chaque fois qu'elle a plus d'avocats que de pamplemousse, la pente est -1/2. Marie serait indifférente entre un panier avec 24 avocats et 36 pamplemousses et un autre panier avec 34 avocats et

**(a)**    28 pamplemousses

**(b)**    32 pamplemousses

**(c)**     22 pamplemousses

**(d)**     25 pamplemousses

**(e)**     26,5 pamplemousses

**2.5**     Dans le problème 2.12, la mère de Tommy Twit mesure l'écart entre un panier quelconque et celui qu'elle considère comme le préféré de son fils par la somme des valeurs absolues des différences. Son panier préféré pour Tommy est (2, 7) — c'est-à-dire 2 cookies et 7 verres de lait. La courbe d'indifférence de la mère de Tommy qui passe par le point (c, l) = (3, 6) passe également par le point

**(a)**     (4,5)

**(b)**     les points (2, 5), (4, 7) et (3, 8)

**(c)**     (2, 7)

**(d)**     les points (3, 7), (2, 6) et (2, 8)

**(e)**     aucune de ces réponses n'est correcte

**2.6**     Dans le problème 2.1, les courbes d'indifférence de Charlie ont pour équation $x_B =$ constante$/x_A$, où une constante plus élevée correspond à des courbes d'indifférence supérieures. Charlie préfère le panier (9, 19) à

**(a)**     (19, 9)

**(b)**     (10, 18)

**(c)**     (15, 17)

**(d)**     plus d'une de ces trois solutions est correcte

**(e)**     aucun de ces paniers

# QUIZ 3
## L'UTILITÉ

**3.1**     Dans l'exercice 3.1, Charlie a la fonction d'utilité $U(x_A, x_B) = x_A x_B$. Sa courbe d'indifférence passant par le panier composé de 10 pommes et 30 bananes passe également par le panier composé de 2 pommes et

**(a)**     25 bananes

**(b)**     50 bananes

**(c)**     152 bananes

**(d)**     158 bananes

**(e)**     150 bananes

**3.2**   Dans le problème 3.1, la fonction d'utilité de Charlie est $U(A, B) = AB$ où $A$ et $B$ sont respectivement le nombre de pommes et de bananes qu'il consomme. Quand Charlie consomme 20 pommes et 100 bananes, si nous représentons les pommes sur l'axe horizontal et les bananes sur l'axe vertical, la pente de la courbe d'indifférence pour sa consommation courante est

(a)   -20

(b)   -5

(c)   -10

(d)   -1/5

(e)   -1/10

**3.3**   Dans le problème 3.2, Ambroise a comme fonction d'utilité $U(x_1, x_2) = 4x_1^{1/2} + x_2$. Si Ambroise consommait initialement 81 noisettes et 14 baies sauvages, alors quel est le plus grand nombre de baies qu'il serait prêt à abandonner en échange de 40 noisettes.

(a)   11

(b)   25

(c)   8

(d)   4

(e)   2

**3.4**   Joe Bob, du problème 3.12, a un cousin, Jonas, qui consomme des biens 1 et 2. Jonas pense que 2 unités du bien 1 sont parfaitement substituables à 3 unités de bien 2. Laquelle, parmi ces fonctions d'utilité, est la seule qui NE représente PAS les préférences de Jonas.

(a)   $U(x_1, x_2) = 3x_1 + 2x_2 + 1000$

(b)   $U(x_1, x_2) = 9x_1^2 + 12x_1x_2 + 4x_2^2$

(c)   $U(x_1, x_2) = \min\{3x_1, 2x_2\}$

(d)   $U(x_1, x_2) = 30x_1 + 20x_2 - 10.000$

(e)   plus d'une des fonctions précédentes NE représente PAS les préférences de Jonas

**3.5**   Harry Mazzola, problème 3.7, a comme fonction d'utilité $U(x_1, x_2) = \min\{x_1 + x_2, 2x_1 + x_2\}$. Son revenu est de 40 et il le dépense en chips et frites. Si le prix des chips est de 5 l'unité et le prix des frites de 5 l'unité, alors Harry

(a)   dépensera sans aucun doute la totalité de son revenu en chips

(b)   dépensera sans aucun doute la totalité de son revenu en frites

(c)   consomme au moins autant de chips que de frites, mais peut consommer des deux

**(d)** consomme au moins autant de frites que de chips, mais peut consommer des deux

**(e)** consomme une quantité égale de frites et de chips

**3.6** Philippe Rupp, le frère d'Ethel, a comme fonction d'utilité $U(x, y) = \min\{2x + y, 3y\}$, où $x$ est mesuré sur l'axe horizontal et $y$ sur l'axe vertical. Ses courbes d'indifférences

**(a)** sont constituées par un segment de droite vertical et un segment de droite horizontal qui se coupent le long de la droite $y = 2x$

**(b)** sont constituées par un segment de droite vertical et un segment de droite horizontal qui se coupent le long de la droite $x = 2y$

**(c)** sont constituées par un segment de droite horizontal et un segment de droite de pente négative qui se coupent le long de la droite $x = y$

**(d)** sont constituées par un segment de droite de pente positive et un segment de droite de pente négative qui se coupent le long de la droite $x = y$

**(e)** sont constituées par un segment de droite horizontal et un segment de droite de pente positive qui se coupent le long de la droite $x = 2y$

# Quiz 4
## Les choix

**4.1** Dans l'exercice 4.1, Charlie a la fonction d'utilité $U(x_A, x_B) = x_A x_B$. Le prix des pommes est 1 et le prix des bananes est 2. Si le revenu de Charlie est de 240, combien de bananes consommerait-il s'il choisissait le panier qui maximise son utilité sous sa contrainte budgetaire ?

**(a)** 60

**(b)** 30

**(c)** 120

**(d)** 12

**(e)** 180

**4.2** Dans l'exercice 4.1, si le revenu de Charlie était de 40, le prix des pommes étant de 5 et le prix de bananes de 6, combien y aurait-il de pommes dans le meilleur panier que Charlie peut se procurer ?

**(a)** 8

**(b)** 15

**(c)** 10

**(d)** 11

**(e)** 4

**4.3**
Dans le problème 4.2, la fonction d'utilité de Clara est $U(x, y) = (x+2)(y+1)$. Si le taux marginal de substitution de Clara est -2 et si elle consomme 10 unités de bien $x$, combien d'unités de $y$ consomme-t-elle ?

**(a)** 2

**(b)** 24

**(c)** 12

**(d)** 23

**(e)** 5

**4.4**
Dans le problème 4.3, la fonction d'utilité d'Ambroise est $U(x_1, x_2) = 4x_1^{1/2} + x_2$. Si le prix des noisettes est 1, le prix des baies sauvages 4 et son revenu 72, combien de noisettes Ambroise choisira-t-il de consommer ?

**(a)** 2

**(b)** 64

**(c)** 128

**(d)** 67

**(e)** 32

**4.5**
La fonction d'utilité d'Ambroise est $U(x_1, x_2) = 4x_1^{1/2} + x_2$. Si le prix des noisettes est 1, le prix des baies sauvages 4 et son revenu 100, combien de baies sauvages Ambroise choisira-t-il de consommer ?

**(a)** 65

**(b)** 9

**(c)** 18

**(d)** 8

**(e)** 12

**4.6**
Dans l'exercice 4.6, la fonction d'utilité d'Elmer est $U(x, y) = \min\{x, y^2\}$. Si le prix de $x$ est 15, le prix de $y$ de 10 et si Elmer choisit de consommer 7 unités de $y$, quel doit être le revenu d'Elmer ?

**(a)** 1610

**(b)** 175

**(c)** 905

**(d)** 805

**(e)** Il n'y a pas assez d'informations pour répondre

# Quiz 5
## La demande

**5.1**
Dans l'exercice 5.1, la fonction d'utilité de Charlie est $x_A^4 x_B$. Le prix des pommes est 90 centimes pièce et les bananes coûtent 10 centimes pièce, la droite de budget de Charlie devrait être tangente à l'une de ses courbes d'indifférence lorsque l'équation suivante est vérifiée :

**(a)** $4x_B = 9x_A$

**(b)** $x_B = x_A$

**(c)** $x_A = 4x_B$

**(d)** $x_B = 4x_A$

**(e)** $90x_A + 10x_B = R.$

**5.2**
Dans l'exercice 5.1, la fonction d'utilité de Charlie est $x_A^4 x_B$. Le prix des pommes est $p_A$, le prix de bananes $p_B$ et son revenu $R$. La demande de Charlie pour les pommes sera

**(a)** $R/(2p_A)$

**(b)** $0{,}25p_A R$

**(c)** $R/(p_A + p_B)$

**(d)** $0{,}80R/p_A$

**(e)** $1{,}25p_B R/p_A$

**5.3**
La fonction d'utilité de Barthélemy, le frère d'Ambroise, est $U(x_1, x_2) = 24x_1^{1/2} + x_2$. Son revenu est 51, le prix du bien 1 (noisettes) est de 4, le prix du bien 2 (baies sauvages) est 1. Combien de noisettes Barthélemy demandera-t-il ?

**(a)** 19

**(b)** 5

**(c)** 7

**(d)** 9

**(e)** 16

**5.4**
La fonction d'utilité de Barthélemy, le frère d'Ambroise, est $U(x_1, x_2) = 8x_1^{1/2} + x_2$. Son revenu est 23, le prix des noisettes est 2 et le prix des baies est 1. Combien de baies sauvages Barthélemy demandera-t-il ?

**(a)** 15

**(b)** 4

**(c)** 30

**(d)** 10

**(e)** il n'y a pas assez d'informations pour donner la réponse.

---

**5.5** Souvenez-vous de l'exercice 5.6. Le petit Marcel consommait des madeleines dans des proportions bien précises, 2 madeleines de Commercy, $C$, pour une madeleine de Liverdun, $L$. Si le prix des madeleines de Liverdun est 3 et le prix des madeleines de Commercy est 6, et si le revenu de Marcel est $R$, alors sa demande pour les madeleines de Liverdun est

**(a)** $R/3$

**(b)** $6R/3$

**(c)** $3L + 6C = R$

**(d)** $3R$

**(e)** $R/15$

---

**5.6** Dans le problème 5.8, si vous vous en souvenez, la fonction d'utilité de Gaspard est $3x + y$, où x est la consommation de cacao et $y$ la consommation de fromage de Gaspard. Si le coût total de $x$ unités de cacao est $x^2$ et si le prix du fromage est 8, le revenu de Gaspard étant 174, combien d'unités de cacao consommera-t-il ?

**(a)** 9

**(b)** 12

**(c)** 23

**(d)** 11

**(e)** 24

---

**5.7** Dans le problème 5.13, la fonction d'utilité de Léopold était de $U(x, y) = \min\{7x, 3x + 12y\}$, alors si le prix des fouets est 20 et si le prix des blousons en cuir est 60, Léopold demandera

**(a)** 6 fois plus de fouets que de blousons en cuir

**(b)** 5 fois plus de blousons en cuir que de fouets

**(c)** 3 fois plus de fouets que de blousons en cuir

**(d)** 4 fois plus de blousons en cuir que de fouets

**(e)** seulement des blousons en cuir

# QUIZ 6
## LES PRÉFÉRENCES RÉVÉLÉES

**6.1**

Dans l'exercice 6.1, si les seules informations dont nous disposons sur Goldie est qu'elle choisit le panier (6, 6) quand les prix sont (6, 3) et qu'elle choisit le panier (10, 0) quand les prix sont (5, 5), alors nous pouvons conclure que

**(a)** le panier (6, 6) est révélé préféré au panier (10, 0) mais rien ne démontre qu'elle viole l'axiome faible des préférences révélées

**(b)** aucun panier n'est révélé préféré à l'autre

**(c)** goldie viole l'axiome faible des préférences révélées

**(d)** le panier (10, 0) est révélé préféré au panier (6, 6) et elle viole l'axiome faibles des préférences révélées

**(e)** le panier (10, 0) est révélé préféré au panier (6, 6) mais rien ne démontre qu'elle viole l'axiome faible des préférences révélées

**6.2**

Dans l'exercice 6.2, Pierre, l'ami de Henri, vit dans une ville où il doit payer 3 francs par verre de vin et 6 francs par tranche de pain. Henri consomme 6 verres de vin et 4 tranches de pain par jour. Rappellez-vous que le revenu de Bob est de \$15 par jour et qu'il paie \$0,50 par tranche de pain et \$2 par verre de vin. Si Bob a les mêmes goûts qu'Henri, et si la seule chose à laquelle tous les deux portent la même attention est la consommation de vin et de pain, nous pouvons déduire

**(a)** rien quant au fait que l'un soit mieux que l'autre

**(b)** qu'Henri est mieux que Bob

**(c)** que Bob est mieux qu'Henri

**(d)** que tous les deux violent l'axiome faible des préférences révélées

**(e)** que Bob et Henri sont aussi bien l'un que l'autre

**6.3**

Réétudions la situation de Ronan (exercice 6.4). Supposons que les prix et la consommation de l'année de base soit ceux correspondant à la situation $D$ — $p_1 = 3$, $p_2 = 1$, $x_1 = 5$ et $x_2 = 15$. Si dans l'année courante, le prix du bien 1 est 1 et le prix du bien 2 est 3, et si sa consommation courante du bien 1 et 2 est respectivement 25 et 10, quel est l'indice de prix de Laspeyres des prix de l'année courante par rapport aux prix de l'année de base (faites des calculs aussi précis que possible) ?

**(a)** 1,67

**(b)** 1,83

**(c)** 1

**(d)** 0,75

**(e)** 2,50

**6.4**     Chaque individu vivant sur la planète Homogénia consomme uniquement deux
            biens, $x$ et $y$, et a la fonction d'utilité $U(x, y) = xy$. L'unité de compte sur Homogénia
            est le fragel. Sur cette planète, en 1900, le prix du bien 1 était de 1 fragel et le prix
            du bien 2 de 2 fragels. Le revenu par tête était de 120 fragels. En 1990, le prix du bien
            1 était 5 fragels et le prix du bien 2 était 5 fragels. L'indice de prix de Laspeyres pour
            le niveau de prix de l'année 1990 par rapport au niveau de prix de l'année 1900 est

**(a)**     3,75

**(b)**     5

**(c)**     3,33

**(d)**     6,25

**(e)**     impossible à déterminer compte tenu des informations données

**6.5**     Tout consommateur vivant sur Hypérion a la fonction d'utilité $U(x, y) = \min\{x, 2y\}$.
            L'unité monétaite sur Hypérion est le doggerel. Sur cette planète, en 1850, le prix de
            $x$ était de 1 doggerel l'unité et le prix de $y$ de 2 doggerels l'unité. En 1990, le prix de
            $x$ était 10 doggerels l'unité et le prix de $y$ de 4 doggerels l'unité. L'indice de prix de
            Paasche des prix de 1990 par rapport aux prix de l'année 1850 est

**(a)**     6

**(b)**     4,67

**(c)**     2,50

**(d)**     3,50

**(e)**     impossible à déterminer sans informations supplémentaires

# QUIZ 7
# L'ÉQUATION DE SLUTSKY

**7.1**     Dans l'exercice 7.1, la fonction d'utilité de Charlie est $x_A x_B$. Le prix des pommes
            consommées est de 1 l'unité et le prix des bananes de 2 l'unité. Son revenu est de 40
            par jour. Si le prix des pommes passe à 1,25 et le prix des bananes tombe à 1,25, si
            Charlie souhaite conserver le même panier de consommation que précédemment,
            son revenu doit être de

**(a)**     37,50

**(b)**     76

**(c)**     18,75

**(d)**     56,25

**(e)**     150.

**7.2** Dans l'exercice 7.1, la fonction d'utilité de Charlie est $x_A x_B$. Le prix des pommes consommées est de 1 l'unité et le prix des bananes de 2 l'unité. Son revenu est de 40 par jour. Si le prix des pommes passe à 8 et le prix des bananes reste constant, l'effet de substitution réduit la consommation de pommes de Charlie de

**(a)** 17,50 pommes

**(b)** 7 pommes

**(c)** 8,75 pommes

**(d)** 13,75 pommes

**(e)** aucune de ces réponses n'est correcte

**7.3** Gégé (problème 7.2) a un ami nommé Fred. Fred a la même fonction de demande pour la Muze que Gégé, en l'occurence $q = 0,02R - 2p$, où $R$ est son revenu et $p$ le prix. Le revenu de Fred est 6000 et, à l'origine, il doit payer prix de 30 par bouteille de Muze. Le prix de la Muze augmente et passe à 40. L'effet de substitution dû au changement de prix

**(a)** réduit sa demande de 20

**(b)** augmente sa demande de 20

**(c)** réduit sa demande de 8

**(d)** réduit sa demande de 32

**(e)** réduit sa demande de 18

**7.4** Les biens 1 et 2 sont de parfaits compléments et un consommateur les consomme toujours dans le rapport de 2 unités de bien 2 pour 1 unité de bien 1. Si un consommateur a un revenu de 120 et si le prix du bien 2 passe de 3 à 4, alors que le prix du bien 1 reste à 1, alors l'effet revenu dû à la modification de prix

**(a)** est 4 fois aussi important que l'effet de substitution

**(b)** ne change pas la demande pour le bien 1

**(c)** supporte la totalité du changement de la demande

**(d)** est exactement 2 fois aussi important que l'effet de substitution

**(e)** est 3 fois aussi important que l'effet de substitution

**7.5** Supposons qu'Agatha (exercice 7.10) ait 570 francs à dépenser pour payer ses billets pour son voyage. Elle doit faire au total 1500 miles. Supposons que le prix des billets de première classe soit de 0,50 francs le mile et le prix des billets de seconde classe soit de 0,30 francs par mile. Combien de miles voyagera-t-elle en seconde ?

**(a)** 900

**(b)** 1050

**(c)**   450

**(d)**   1000

**(e)**   300

**7.6**   Maud (exercice 7.4) considère que les delphinium et les roses trémières sont des substituts parfaits. Si les delphiniums coûtent 5 francs l'unité et les roses trémières 6 francs l'unité, et si le prix des delphiniums augmente jusqu'à 9 l'unité,

**(a)**   l'effet revenu du changement de la demande en delphiniums sera aussi élevé que l'effet de substitution

**(b)**   il n'y aura pas de variations de demande pour les roses trémières

**(c)**   la totalité du changement de la demande de delphiniums sera due à l'effet de substitution

**(d)**   1/4 du changement sera dû à l'effet revenu

**(e)**   les 3/4 du changement seront dûs à l'effet revenu

# Quiz 8
## Le surplus du consommateur

**8.1**   Dans le problème 8.1, la fonction de demande de Monsieur Plus pour les crackers au saumon est donnée par l'équation $D(p) = 100 - p$. Si le prix des crackers est 75, quel est le surplus du consommateur net de monsieur Plus ?

**(a)**   312,50

**(b)**   25

**(c)**   625

**(d)**   156,25

**(e)**   6000

**8.2**   Quasimodo (exercice 8.3) a la fonction d'utilité $U(x, R) = 100x - x^2/2 + R$, où $x$ représente sa consommation de boules Quies, $x$, et $R$ l'argent dépensé sur les autres biens. Si il dépense 10 000 francs pour acheter ses boules Quies et les autres biens, et si le prix des boules Quies passe de 50 à 95 francs, alors son surplus net du consommateur

**(a)**   baisse de 1237,50

**(b)**   baisse de 3237,50

**(c)**   baisse de 225.

**(d)**   augmente de 618,75

**(e)**   augmente de 2475.

**8.3**
Les préférences de Bernie (exercice 8.5) peuvent être représentées par $U(x, y) =$ $\min\{x, y\}$, où $x$ est le nombre de paires de boucles d'oreilles et $y$ l'argent dépensé pour les autres biens (Bernie a la possibilité d'acheter des boucles d'oreille en quantité non entières et pas uniquement par paires). Initialement son revenu est de 13 francs par semaine et il paye 2 par paire de boucle d'oreille. Si le prix des boucles d'oreille augmente jusqu'à 4, la variation compensée de ce changement de prix (mesurée en francs par semaine) sera plus proche de

**(a)** 5,20 francs

**(b)** 8,67 francs

**(c)** 18,33 francs

**(d)** 17,33 francs

**(e)** 16,33 francs

**8.4**
Si Bernie (dont la fonction d'utilité est $U(x, y) = \min\{x, y\}$, où $x$ est le nombre de paires de boucles d'oreilles et $y$ l'argent dépensé pour les autres biens) a un revenu de 16 et paie la paire de boucle d'oreille 1. Alors, quand le prix des boucles d'oreille passe à 8, la variation équivalente du changement de prix est

**(a)** 12,44

**(b)** 56

**(c)** 112

**(d)** 6,22

**(e)** 34,22

**8.5**
Zazac (exercice 8.7) a comme fonction d'utilité $U(x, y) = x - x^2/2 + y$, où $x$ représente sa consommation de nourriture pour chien et $y$ sa consommation d'os. Si le prix de la nourriture pour chien est 0,40, le prix des os est 1 et son revenu 4, et si Zazac choisit la combinaison d'os et de nourriture pour chien qu'il préfère parmi toutes les combinaisons qu'il peut se payer, son utilité sera de

**(a)** 4,18

**(b)** 3,60

**(c)** 0,18

**(d)** 6,18

**(e)** 2,18

# QUIZ 9
## LA DEMANDE DU MARCHÉ

**9.1**    A la pompe à essence "Les 4 carrefours", dans la Creuse, chaque propriétaire de Beugeot a une fonction de demande d'essence qui est $D_B(p) = 20 - 5p$ avec $p \leq 4$ et $D_B(p) = 0$ si $p > 4$. Chaque propriétaire de Dolvo a une fonction de demande d'essence qui est $D_D(p) = 15 - 3p$ avec $p \leq 5$ et $D_D(p) = 0$ si p > 5. (Les quantités sont mesurées en litres par semaine et le prix en francs). Supposons que la pompe "Les 4 carrefours" soit fréquentée par 150 consommateurs, 100 propriétaires de Beugeot et 50 propriétaires de Dolvo. Si le prix de l'essence est de 4, alors quelle est la quantité totale d'essence demandée à la pompe "Les 4 carrefours" ?

**(a)**    300

**(b)**    75

**(c)**    225

**(d)**    150

**(e)**    aucune de ces réponses n'est correcte

**9.2**    Dans l'exercice 9.5, la fonction de demande pour les drangles est donnée par $D(p) = (p + 1)^{-2}$. Si le prix des drangles est 10, alors l'élasticité prix de la demande est

**(a)**    -7,27

**(b)**    -3,64

**(c)**    -5,45

**(d)**    -0,91

**(e)**    -1,82

**9.3**    Dans le problème 9.6, les seules quantités de bien 1 que Barbie peut acheter sont 1 ou 0 unité. Pour $x_1$ égal à 0 ou à 1 et pour toutes les valeurs positives de $x_2$, supposons que les préférences de Barbie soient représentées par la fonction d'utilité $(x_1 + 4)(x_2 + 2)$. Alors, si son revenu est 28, son prix de réservation pour le bien 1 sera de

**(a)**    12

**(b)**    1,50

**(c)**    6

**(d)**    2

**(e)**    0,40

**9.4**    En ce qui concerne le match de football de l'exercice 9.9, une autre ville organisatrice a comme fonction de demande 80 000 - 12 000$p$. Si la capacité du stade est de

50 000 places, quel est, dans cette nouvelle ville, le prix par ticket qui maximise le revenu ?

**(a)**   3,33

**(b)**   2,50

**(c)**   6,67

**(d)**   1,67

**(e)**   10

**9.5**   Dans le problème 9.9, la demande de tickets est donnée par $D(p) = 200\,000 - 10\,000p$, où $p$ est le prix du ticket. si le prix du ticket est 4, alors l'élasticité prix de la demande de tickets est

**(a)**   -0,50

**(b)**   -0,38

**(c)**   -0,75

**(d)**   -0,13

**(e)**   -0,25

# QUIZ 10
## EQUILIBRE

**10.1**   Cet exercice sera plus facile si vous avez fait l'exercice 10.3. La fonction de demande inverse pour le raison est donnée par l'équation $p = 296 - 7q$ — où $q$ est le nombre d'unités vendues. La fonction d'offre inverse est donnée par $p = 17 + 2q$. Un impôt de 27 est prélevé sur les offreurs pour chaque unité de raisin qu'ils vendent. Avec l'impôt, la quantité de raisin vendue baisse à

**(a)**   31 unités

**(b)**   17,5 unités

**(c)**   26 unités

**(d)**   28 unités

**(e)**   29,5 unités

**10.2**   Dans une ville surpeuplée, les autrorités décident que les loyers sont trop élevés. La fonction d'offre de long terme pour la location d'un appartement de deux pièces est donnée par $q = 18 + 2p$ et la demande de long terme est donnée par $q = 114 - 4p$, où p est le loyer par semaine en couronnes. Les autorités déclarent qu'il est illégal de louer un appartement pour plus de 10 couronnes par semaine. Afin d'éviter un effondrement du marché de l'immobilier, les autorités donnent leur accord pour verser aux propriétaires une subvention suffisante pour permettre d'égaliser l'offre et la demande. Quel devra être la subvention hebdomadaire permettant d'éliminer une demande excédentaire au prix plafond ?

**(a)** 9

**(b)** 15

**(c)** 18

**(d)** 36

**(e)** 27

**10.3** Supposons que le roi Kanuta (exercice 10.11) demande que chacun de ses sujets lui donne 4 noix de coco pour chaque noix de coco qu'il consomme. Le roi rassemble toutes les noix de coco qu'il collecte et les brûle. L'offre de noix de coco est donnée par $O(p_o) = 100p_o$, où $p_o$ est le prix reçu par les offreurs. La demande de noix de coco des sujets du roi est donnée par $D(p_d) = 8320 - 100p_d$, où $p_d$ est le prix payé par les consommateurs. A l'équilibre le prix reçu par les offreurs sera

**(a)** 16

**(b)** 24

**(c)** 41,60

**(d)** 208

**(e)** aucune de ces réponses n'est correcte

**10.4** Dans l'exercice 10.6, la fonction de demande pour les tableaux de $S$ est $200 - 4P_s - 2P_L$ et la fonction de demande pour les tableaux de L est $200 - 3P_L - P_s$, où $P_s$ et $P_L$ sont respectivement les prix des $S$ et des $L$. Si l'offre mondiale de $S$ est 100 et l'offre mondiale de $L$ est 90, alors le prix d'équilibre des $S$ est

**(a)** 8

**(b)** 25

**(c)** 42

**(d)** 34

**(e)** 16.

# Quiz 11
## La Technologie

**11.1** Cette question vous paraîtra plus facile si vous avez résolu le problème 11.1. La fonction de production d'une entreprise est $f(x_1, x_2) = x_1^{0,9} x_2^{0,3}$. L'isoquante correspondant à une production de $40^{3/10}$ a pour équation

**(a)** $x_2 = 40x_1^{-3}$

**(b)** $x_2 = 40x_1^{3,33}$

**(c)** $x_1/x_2 = 3$

**(d)** $x_2 = 40x_1^{-0,3}$

**(e)** $x_1 = 0,3x_2^{-0,7}$

---

**11.2** La fonction de production d'une entreprise est $f(x, y) = x^{0,7}y^{-0,3}$. Cette entreprise a

**(a)** des rendements d'échelle décroissants et le produit marginal du facteur $x$ est décroissant.

**(b)** des rendements d'échelle croissants et le produit marginal du facteur $x$ est décroissant.

**(c)** des rendements d'échelle décroissants et le produit marginal du facteur $x$ est croissant.

**(d)** des rendements d'échelle constants.

**(e)** aucune de ces propositions n'est correcte.

---

**11.3** Une entreprise emploie 3 facteurs de production. Sa fonction de production est $f(x, y, z) = \min\{x^5/y, y^4, (z^6-x^6)/y^2\}$. Si la quantité de chaque input est multipliée par 6, la production sera multipliée par

**(a)** 7776

**(b)** 1296

**(c)** 216

**(d)** 0

**(e)** la réponse dépend du choix initial de $x$, $y$, et $z$.

---

**11.4** La fonction de production d'une entreprise est $f(x,y) = 1,2(x^{0,1} + y^{0,1})^1$ pour tout $x > 0$ et $y > 0$. Lorsque les quantités des deux inputs sont positives, cette entreprise a

**(a)** des rendements d'échelle croissants

**(b)** des rendements d'échelle décroissants

**(c)** des rendements d'échelle constants

**(d)** des rendements d'échelle croissants si $x + y > 1$ et des rendements d'échelle décroissants autrement

**(e)** des rendements d'échelle croissants si la production est inférieure à 1 et des rendements d'échelle décroissants si la production est supérieure à 1

## QUIZ 12
## LA MAXIMISATION DU PROFIT

**12.1**   Dans le problème 12.1, la fonction de production est donnée par $F(L) = 6L^{2/3}$. Supposons que le coût unitaire du travail soit égal à 8 et que le prix de l'output soit égal à 8. Quelle est la quantité de travail employée par l'entreprise ?

**(a)**   128

**(b)**   64

**(c)**   32

**(d)**   192

**(e)**   aucune des réponses précédentes n'est correcte

**12.2**   Dans le problème 12.2, la fonction de production est donnée par $f(x) = 4\sqrt{x}$. Si le prix unitaire du bien produit est égal à 70 et si le coût unitaire de l'input est égal à 35, à combien s'élèvera le profit de l'entreprise si elle le maximise ?

**(a)**   560

**(b)**   278

**(c)**   1124

**(d)**   545

**(e)**   283

**12.3**   Dans le problème 12.11, la fonction de production est $f(x_1, x_2) = x_1^{1/2}x_2^{1/2}$. Si le prix du facteur 1 est égal à 8 et si le prix du facteur 2 est égal à 16, dans quelles proportions l'entreprise doit-elle utiliser les facteurs 1 et 2 si elle veut maximiser son profit ?

**(a)**   $x_1 = x_2$

**(b)**   $x_1 = 0,5x_2$

**(c)**   $x_1 = 2x_2$

**(d)**   il est impossible de le savoir sans connaître le prix de l'output

**(e)**   $x_1 = 16x_2$

**12.4**   Dans le problème 12.9, lorsque Martin utilise $N$ tonnes d'engrais à l'hectare, le produit marginal de l'engrais est égal à $1 - (N/200)$ quintal de blé. Si le prix d'un quintal de blé est égal à 4F et si le prix d'une tonne d'engrais est égal à 1,2F, combien de tonnes d'engrais à l'hectare Martin emploiera-t-il s'il veut maximiser son profit ?

**(a)**   140

**(b)**   280

**(c)** 74

**(d)** 288

**(e)** 200

# Quiz 13
## La Minimisation du coût

**13.1** Supposons que la fonction de production de Nadine (cf. problème 13.1) soit $f(x_1, x_2) = 3x_1 + x_2$. Les prix des facteurs étant 9 pour le facteur 1 et 4 pour le facteur 2, à combien s'élève le coût de production de 50 unités d'output ?

**(a)** 1550

**(b)** 150

**(c)** 200

**(d)** 875

**(e)** 175

**13.2** Revenons au problème 13.2, et supposons qu'on invente un nouvel alliage de cuivre et de zinc en proportions fixes, de telle sorte qu'il faille 3 unités de cuivre et 3 unités de zinc pour produire chaque unité d'alliage. Quel est le coût moyen d'une unité d'alliage lorsqu'on en produit 4000 unités, que le prix du cuivre est égal à 2, le prix du zinc égal à 2, et qu'il n'y a pas d'autre input ?

**(a)** 6,33

**(b)** 666,67

**(c)** 0,67

**(d)** 12

**(e)** 6333,33

**13.3** La fonction de production dans l'exercice 13.3 est $f(L, M) = 4L^{1/2}M^{1/2}$, où $L$ est le nombre d'unités de travail employées et $M$ le nombre de machines. Si le coût d'une unité de travail est de 25 F, et si le coût d'utilisation d'une machine s'élève à 64 F, le coût total de production de 6 unités d'output s'élève à

**(a)** 120

**(b)** 267

**(c)** 150

**(d)** 240

**(e)** aucune des propositions précédentes n'est correcte

**13.4**     Supposons qu'à court terme, l'entreprise de l'exercice 13.3 dont la fonction de production est $f(L, M) = 4L^{1/2}M^{1/2}$ doive utiliser 25 machines. Si le coût d'une unité de
travail est égal à 8 et le coût d'une machine égal à 7, le coût total à court terme d'une
production de 200 unités d'output s'élève à

**(a)**    1500

**(b)**    1400

**(c)**    1600

**(d)**    1950

**(e)**    975

**13.5**     La fonction de production d'Albert (cf. exercice 13.12) est $f(x_1, x_2) = (2x_1 + x_2)^{1/2}$, où
$x_1$ représente la quantité de plastique et $x_2$ la quantité de bois utilisées. Si le coût d'une
unité de plastique est égal à 2 et le coût d'une unité de bois égal à 4 , le coût d'une
production de 8 statuettes s'élève à :

**(a)**    64

**(b)**    70

**(c)**    256

**(d)**    8

**(e)**    32

**13.6**     Deux entreprises, A et B, fabriquent des gadgets et ont la même fonction de production $y = K^{1/2}L^{1/2}$, où $K$ représente le facteur capital et $L$ le facteur travail. Chaque entreprise peut acheter du travail au prix de 1 F l'unité, et du capital au prix unitaire de
1 F. L'entreprise A produit 10 gadgets par semaine en choisissant la combinaison
d'inputs susceptible de produire ces 10 gadgets au moindre coût. L'entreprise B produit aussi 10 gadgets par semaine, mais elle est gérée par un PDG fou qui l'oblige à
utiliser deux fois plus de travail que l'entreprise A. Sachant que l'entreprise B emploie deux fois plus de travail que l'entreprise A et produit la même quantité d'output,
à combien s'élève la différence de coût total entre les deux entreprises ?

**(a)**    10 F par semaine

**(b)**    20 F par semaine

**(c)**    15 F par semaine

**(d)**    5 F par semaine

**(e)**    2 F par semaine

## QUIZ 14
## LES COURBES DE COÛT

**14.1**  Dans le problème 14.2, supposons que les coûts totaux d'Amil soient $c(s) = 4s^2 + 75s + 60$, et qu'il répare 15 voitures. Alors, ses coûts variables moyens seraient égaux à

**(a)**  135

**(b)**  139

**(c)**  195

**(d)**  270

**(e)**  97,50

**14.2**  Dans l'exercice 14.3, Evan Carr a deux possibilités : soit acheter 10 $ une pelle mécanique d'une durée de vie d'un an et payer 5 $ par voiture à son frère Ling pour qu'il l'ensevelisse, soit acheter un compresseur hydraulique de voitures de mauvaise qualité qui lui coûte 200 $ par an et dont le coût marginal par voiture écrasée s'élève à 1 $. Supposons qu'il puisse aussi acheter un compresseur de bonne qualité pour un coût annuel de 300 $ et un coût par voiture de 0,80 $. A-t-il intérêt à acheter cette machine dans les cas où

**(a)**  il prévoit de disposer d'au moins 500 voitures par année

**(b)**  il prévoit de disposer d'au plus 250 voitures par année

**(c)**  il prévoit de disposer d'au moins 510 voitures par année

**(d)**  il prévoit de disposer d'au plus 500 voitures par année

**(e)**  il prévoit de disposer d'au moins 250 voitures par année

**14.3**  Dans l'exercice 14.4, Marie Magnolia a des coûts variables égaux à $y^2/F$, où $y$ représente le nombre de bouquets de fleurs vendus chaque mois et $F$ le nombre de mètres carrés de son magasin. Supposons que Marie ait signé un contrat de location pour un magasin de 1600 mètres carrés, qu'il lui soit impossible de résilier son contrat ou d'étendre son magasin à court terme, et que le prix d'un bouquet soit de 3 $. Combien de bouquets vendra-t-elle chaque mois à court terme ?

**(a)**  1600

**(b)**  800

**(c)**  2400

**(d)**  3600

**(e)**  2640

**14.4**    La fonction de production de Castergaud est $Q = 0,1J^{1/2}L^{3/4}$, où $J$ est le nombre d'histoires et $L$ le nombre d'heures de travail des dessinateurs. Castergaud dispose de 900 histoires payées chacune 6 F. Si le taux de salaire d'un dessinateur est de 5, le coût total d'une production de 24 bandes dessinées s'élève à

   **(a)**    5480

   **(b)**    2740

   **(c)**    8220

   **(d)**    5504

   **(e)**    1370

**14.5**    Rappelez-vous que la fonction de production de Castergaud est $Q = 0,1J^{1/2}L^{3/4}$. Supposez que Castergaud puisse faire varier à la fois la quantité d'histoires et la quantité de travail des dessinateurs, que le coût d'une histoire soit de 2 F et que le coût d'une heure de travail soit de 18 F. Alors, la façon la moins chère de produire des bandes dessinées consiste à combiner les histoires et le travail dans la proportion $J/L =$

   **(a)**    9

   **(b)**    12

   **(c)**    3

   **(d)**    2/3

   **(e)**    6

# Quiz 15
## L'offre de la Firme

**15.1**    Supposons que le coût total à long terme de la réparation de $s$ voitures par semaine soit $c(s) = 3s^2 + 192$. Le prix reçu par le réparateur pour chaque voiture réparée étant égal à 36, combien de voitures réparera-t-il chaque semaine s'il maximise son profit à long terme ?

   **(a)**    6

   **(b)**    0

   **(c)**    12

   **(d)**    9

   **(e)**    18

**15.2**    Dans le problème 15.8, supposons que la fonction de production de Irma soit $f(x_1, x_2) = (\min\{x_1, 2x_2\})^{1/2}$. Le prix du facteur 1 étant $w_1 = 6$, et le prix du facteur 2 étant $w_2 = 4$, sa fonction d'offre est donnée par l'équation

**(a)**   $S(p) = p/16$

**(b)**   $S(p) = p\max\{w_1, 2w_2\}^2$

**(c)**   $S(p) = p\min\{w_1, 2w_2\}^2$

**(d)**   $S(p) = 8p$

**(e)**   $S(p) = \min\{6p, 8p\}$

**15.3**   Une entreprise a la fonction de coût à long terme $C(q) = 2q^2 + 8$. À long terme, il offrira une quantité positive d'output dès lors que le prix sera supérieur à :

**(a)**   16

**(b)**   24

**(c)**   4

**(d)**   8

**(e)**   13

# Quiz 16
## L'offre de la branche

**16.1**   Dans le problème 16.1, si on suppose que le coût du plâtre et du travail s'élève à 9 francs par statuette et si on reprend toutes les autres hypothèses, à partir de quel prix l'offre de statuettes sera-t-elle positive à long terme ?

**(a)**   9

**(b)**   18

**(c)**   11,2

**(d)**   9,9

**(e)**   10,8

**16.2**   Supposons que la branche des statuettes de jardin soit à l'équilibre de long terme dans les conditions décrites dans le problème 16.1. Supposons, comme dans le problème 16.2, que tout le monde découvre par surprise le 1$^{er}$ janvier 1993, après qu'il soit trop tard pour revenir sur les commandes de moules à statuettes, que le coût du plâtre et du travail nécessaires pour produire une statuette passe à 8. Si la courbe de demande ne change pas, que devient le prix d'équilibre d'une statuette ?

**(a)**   Il augmente de 1

**(b)**   Il diminue de 1

**(c)**   Il reste constant

**(d)**   Il augmente de 8

**(e)**   Il diminue de 4

**16.3**

Supposons que la branche des statuettes de jardin soit à l'équilibre de long terme décrit dans la question 16.1. Supposons que le 1er janvier 1993, le coût du plâtre et du travail reste à 7 francs pour chaque statuette et que le gouvernement introduise une taxe de 10 francs sur toute statuette vendue. Alors, le prix d'équilibre des statuettes de jardin s'élèvera en 1993 à

**(a)** 17

**(b)** 9,20

**(c)** 7

**(d)** 10

**(e)** 27

**16.4**

Supposons que le coût de la capture d'un cacatoès et de son transport aux États-Unis s'élève à 40 $ par oiseau. Les perroquets braconnés sont drogués et transportés dans des valises. La moitié des cacatoès meurt au cours du voyage. On a 10% de chance de découvrir un cacatoès passé en contrebande, auquel cas le passeur se voit infliger une amende. Si l'amende à payer pour chaque cacatoès braconné s'élève à 900 $, que devient le prix d'équilibre des cacatoès sur le marché américain ?

**(a)** 288,89

**(b)** 130

**(c)** 85

**(d)** 67

**(e)** 200

**16.5**

Dans le problème 16.13, en l'absence d'intervention gouvernementale, le coût marginal de la production de la marijuana et de sa mise à disposition de l'acheteur est constant et égal à 5 $ l'once. Si la probabilité de saisie d'un chargement de marijuana s'élève à 20%, et si l'amende infligée à un trafiquant pris est de 20 $ l'once, le prix d'équilibre d'une once de marijuana devient alors

**(a)** 11,25

**(b)** 9

**(c)** 25

**(d)** 4

**(e)** 6

**16.6**

Dans le problème 16.8, la courbe d'offre d'une firme quelconque est $S_i(p) = p/2$. À combien s'élève son coût variable total si elle produit 3 unités d'output ?

**(a)** 18

**(b)** 7

**(c)** 13.50

**(d)** 9

**(e)** On ne dispose pas de suffisamment d'informations pour calculer le coût variable total

# QUIZ 17
## LE MONOPOLE

**17.1**

Reprenons le problème 17.1. Supposons que la demande du manuel du Professeur Bong soit $Q = 3000 - 100p$, que le coût de la mise en page s'élève à 10000, et que le coût marginal d'impression d'un exemplaire supplémentaire soit égal à 4 francs. Le profit sera maximisé si le livre

**(a)** est mis en page et vendu à 1300 exemplaires

**(b)** est mis en page et vendu à 1500 exemplaires

**(c)** n'est pas mis en page ni vendu

**(d)** est mis en page et vendu à 2600 exemplaires

**(e)** est mis en page et vendu à 650 exemplaires

**17.2**

Reprenons le problème 17.2 et supposons que la demande de pâté de pigeon soit $p(y) = 75 - y/2$. Quel est alors le niveau de production qui maximise le profit ?

**(a)** 74

**(b)** 14

**(c)** 140

**(d)** 210

**(e)** Aucune des réponses précédentes

**17.3**

Un monopoleur cherchant à maximiser son profit est confronté à une fonction de demande décrite par l'équation $p(y) = 70 - y$ et ses coûts totaux sont donnés par $c(y) = 5y$, les prix et les coûts étant exprimés en francs. Le produit n'était pas taxé jusqu'alors, mais il faut désormais verser une taxe de 8 francs par unité de produit. À la suite de l'introduction de cette taxe, le prix fixé par le monopoleur

**(a)** augmente de 8

**(b)** augmente de 12

**(c)** augmente de 4

**(d)** reste constant

**(e)** aucune des réponses précédentes n'est correcte

**17.4**

Une entreprise a inventé une nouvelle boisson dont le nom est Slops. Elle n'a pas très bon goût, mais elle rend les étudiants joyeux et disposés à écouter les plaisanteries du Professeur Joke. Certains sont prêts à payer pour obtenir cet effet, et la demande de Slops est donnée par l'équation $q = 14$-$p$. On peut obtenir cette boisson à un coût marginal nul en dissolvant de vieux manuels de macroéconomie dans un bain d'alcools. Mais avant de produire une quelconque quantité de Slops, l'entreprise doit supporter des coût fixes s'élevant à 54. L'inventeur de la Slops ayant déposé un brevet, il est en situation de monopoleur dans cette nouvelle activité.

**(a)** L'entreprise produira 7 unités de Slops

**(b)** On obtiendrait une amélioration au sens de Pareto si le gouvernement versait à l'entreprise une subvention égale à 59 en échange d'un engagement de l'entreprise à vendre la Slops à un prix nul

**(c)** Du point de vue de l'efficacité sociale, il serait préférable de ne pas produire la Slops

**(d)** L'entreprise produira 14 unités de Slops

**(e)** Aucune des réponses précédentes n'est correcte

# Quiz 18
## Les marchés de facteurs

**18.1**

Supposons que dans le problème 18.2, la courbe de demande d'eau minérale soit donnée par $p = 30 - 12q$, où $p$ désigne le prix d'une bouteille payé par le consommateur et $q$ le nombre de bouteilles achetées par les consommateurs. La distribution de l'eau minérale aux consommateurs fait l'objet d'un monopole. Ce monopoleur achète l'eau à un producteur lui-même monopoleur qui est en mesure de produire de l'eau minérale à un coût nul. Soit $c$ le prix d'une bouteille d'eau vendue par le producteur au distributeur. À ce prix, le producteur maximise sa recette. Le distributeur détermine l'output qui maximise son profit étant donné son coût marginal $c$. Dans ces conditions, le prix payé par les consommateurs s'élève à

**(a)** 15

**(b)** 22,50

**(c)** 2,50

**(d)** 1,25

**(e)** 7,50

**18.2**

Supposons que la courbe d'offre de travail adressée à l'université d'une petite ville soit donnée par $w = 60 + 0,08L$, où $L$ désigne le nombre hebdomadaire d'unités de travail et $W$, le salaire hebdomadaire payé à chaque unité de travail. L'université emploie normalement 1000 unités de travail chaque semaine. Le coût marginal d'une unité supplémentaire de travail est égal

**(a)** au taux de salaire

**(b)** au double du taux de salaire

**(c)** au taux de salaire plus 160

**(d)** au taux de salaire plus 80

**(e)** au taux de salaire plus 240

**18.3** Le restaurant "Le Rabelais" est en situation de monopole dans la ville de Gargantua. Sa fonction de production est $Q = 40L$, où $L$ désigne la quantité de travail et $Q$, le nombre de repas réalisés. "Le Rabelais" constate qu'il lui faut payer un salaire égal à $40 + 0,1L$ pour pouvoir engager $L$ unités de travail. La courbe de demande de repas adressée au restaurant "Rabelais" est donnée par $P = 30,75 - Q/1000$. Le profit réalisé par "Le Rabelais" s'élève à :

**(a)** 14000

**(b)** 28000

**(c)** 3500

**(d)** 3000

**(e)** 1750

# Quiz 19
## L'oligopole

**19.1** Supposons que les duopoleurs du problème 19.1, Charles et Simon, soient confrontés à une fonction de demande de potirons donnée par 13 200 - 800$p$, où $Q$ représente le nombre total de potirons mis en vente sur le marché et $P$, le prix des potirons. Supposons de plus que chaque agriculteur ait un coût marginal constant de 0,5 franc pour chaque potiron produit. Si Charles pense que Simon produira $Q_s$ potirons cette année, sa fonction de réaction nous dit combien Charles devra produire de potirons s'il souhaite maximiser son profit. La fonction de réaction de Charles est $R_C(Q_s) =$

**(a)** 6400 - $Q_s / 2$

**(b)** 13 200 - 800$Q_s$

**(c)** 13 200 - 1600$Q_s$

**(d)** 3200 - $Q_s / 2$

**(e)** 9600 - $Q_s$

**19.2** Dans le problème 19.4, supposons que la demande inverse de germes de soja soit donnée par $P(Y) = 290 - 4Y$, que le coût total de production de $y$ unités de chaque firme soit $CT(Y) = 50Y$, et que la branche se résume à deux duopoleurs se comportant comme dans le modèle de Cournot. En conséquence, à l'équilibre, la production de chaque firme sera égale à

**(a)**    30 unités

**(b)**    15 unités

**(c)**    10 unités

**(d)**    20 unités

**(e)**    18,13 unités

**19.3**   Dans le problème 19.5, supposons que Georges et Grégoire se lancent dans la production de vin dans un petit pays où la vigne pousse difficilement. La demande de vin est donnée par $p = 360 - 0{,}2Q$, où $p$ désigne le prix et $Q$ la quantité totale vendue. La branche n'est composée que de deux duopoleurs qui se comportent comme dans le modèle de Cournot, Georges et Grégoire. Les importations sont interdites. Georges a un coût marginal constant de 15 francs, et Grégoire a un coût marginal de 75 francs. Quelle est la production de Georges à l'équilibre de Cournot ?

**(a)**    675

**(b)**    1350

**(c)**    337,5

**(d)**    1312,5

**(e)**    2025

**19.4**   Dans le problème 19.6, supposons que la ligne Peoria-Dubuque soit desservie par deux duopoleurs qui se comportent comme dans le modèle de Cournot. Supposons que la courbe de demande quotidienne de billets soit $Q = 200 - 2p$. Le coût total de l'organisation d'un vol sur cette route est $700 + 40q$, où $q$ représente le nombre de passagers par vol. Chaque vol emporte 80 passagers au plus. À l'équilibre de Cournot, chaque duopoleur organisera un voyage par jour et son profit quotidien sera égal à

**(a)**    100

**(b)**    350

**(c)**    200

**(d)**    400

**(e)**    2400

**19.5**   Dans le problème 19.4, supposons que la courbe de demande de marché de germes de soja soit donnée par $P = 880 - 2Q$, où P désigne le prix et Q la production totale. Supposons qu'il y ait deux entreprises dans cette branche, une entreprise "leader" comme dans le modèle de Stackelberg, et une entreprise "follower". Chaque entreprise a un coût marginal constant de 80 francs par unité d'output. À l'équilibre, la production totale des deux entreprises s'élève à

**(a)** 200

**(b)** 100

**(c)** 300

**(d)** 400

**(e)** 50

**19.6** Une branche est composée de deux entreprises. La courbe de demande est donnée par $p = 2100 - 3q$. Chaque entreprise a un atelier de production, et chaque entreprise $i$ a une fonction de coût $C(q_i) = q_i^2$, où $q_i$ désigne la production de l'entreprise $i$. Les deux entreprises forment un cartel et s'entendent pour se partager à égalité le profit de la branche. Dans ces conditions, elles maximiseront le profit joint si

**(a)** et seulement si chacune d'elles produit 150 unités

**(b)** elles produisent un total de 300 unités, quelle que soit l'entreprise qui les produit

**(c)** et seulement si elles produisent un total de 350 unités

**(d)** elles produisent un total de 233,33 unités, quelle que soit l'entreprise qui les produit

**(e)** elles ferment l'un des deux ateliers, constituent un monopole avec l'atelier restant, et se partagent le profit

# Réponses

## 1. LA CONTRAINTE BUDGÉTAIRE

1.1a.   L'équation de la droite de budget est : $40 = 10x_1 + 5x_2$. Soit : $x_2 = -2x_1 + 8$.

1.1b.   Si $x_2 = 0$ alors $x_1 = 4$.

1.1c.   Si $x_1 = 0$ alors $x_2 = 8$.

1.1d.   L'équation de la nouvelle droite de budget est $x_2 = -x_1 + 8$.

1.1e.   L'équation de la nouvelle droite de budget est $x_2 = -x_1 + 6$.

1.3a.   Le consommateur peut se procurer les paniers (4, 6) et (12, 2). La droite de budget passe donc par ces points. Puisqu'il s'agit d'une droite, elle s'écrit : $y = -ax + b$. L'équation de cette droite de budget est $y = (-1/2)x + 8$.

1.3b.   Le rapport entre le prix de $x$ et le prix de $y$ est $p_x/p_y = 1/2$ (il s'agit de l'opposé de la pente de la droite de budget).

1.3c.   Si $y = 0$ alors $x = 16$.

1.3d.   Si $x = 0$ alors $y = 8$.

1.3e.   Avec une pente égale à -1/2, si $p_x = 1$ alors $p_y = 2$. Dans ce cas, $R = 16$. L'équation de la droite est $16 = x + 2y$.

1.3f.   Si $px = 3$, sachant que $p_x/p_y = 1/2$, cela signifie que $p_y = 6$ et $R = 48$. L'équation de la droite est $48 = 3x + 6y$.

1.4a.   100.

1.5    L'équation de la droite de budget s'écrit $R = 50x + p_y y$. Par ailleurs, nous savons que $R = 8.50 + 8py$ et que $R = 10.50 + 4py$. Nous avons donc un système formé des deux équations suivantes :  $R = 400 + 8py$

$$R = 500 + 4py.$$

La résolution de ce système nous donne $p_y = 25$ et $R = 600$.

1.6a.    $2P + 4B + 6C = 360$.

1.6c.    2.

1.6d.    3.

1.6e.    180.

1.6f.    $P + 2B + 3C = 180$.

1.6f.    Non.

1.7a.    Aucune

1.7b.    15 sacs de poubelle lui rapportent 30 francs. Il peut donc acheter 30/6 = 5 cassettes vidéo.

1.7c.    $P = 3V$.

1.7d.    Son ensemble de budget est constitué par les couples $(P, V)$ tels que $P \geq 3V$.

1.8a.    $15X - 1P - 2A = 50$.

1.9a.    $400 = 20W + 80T + 50M$.

1.9c.    $T = 1$. L'équation de sa contrainte budgétaire devient : $320 = 20W + 50M$.

1.10a.    150 pages.

1.10b.    50 pages.

1.11    D'après l'énoncé, on peut écrire la contrainte de budget de Harry : $5000 = 500E + 250B$.

1.11a.    Ce cas correspond à un nombre de publicités dans le journal branché égal à 0. Donc, le nombre de publicités dans le journal d'économie est égal à 5000/500 = 10. D'après le fait 2, on peut écrire que 10.000 économistes et 3.000 juristes liront la publicité.

1.11b.    Ce cas correspond à un nombre de publicités dans le journal d'économie égal à 0. Donc, le nombre de publicités dans le journal branché est égal à 5000/250 = 20. 6.000 économistes et 5.000 juristes liront la publicité.

1.11c.    Si Harry dépense 2.500 francs pour la publicité dans le journal économique, il peut en publier 2.500/500 = 5 ; et s'il dépense 2.500 francs pour la publicité dans le journal branché, il peut en publier 2.500/250 = 10. Dans ce cas, la publicité sera lue par [(5 × 1000) + (5 × 300)] = 6.500 économistes et par [(10 × 300) + (10 × 250)] = 5.500 juristes.

1.12b.    La droite de budget bleue est strictement supérieure à la droite de budget rouge. Pour satisfaire les deux contraintes il faut se tenir à l'intérieur de l'ensemble du budget rouge.

1.13    Non. Le temps, par exemple, est une autre ressource rare. Il s'agit d'une contrainte à laquelle les consommateurs sont confrontés.

# 2.    LES PRÉFÉRENCES

2.1a.   La courbe d'indifférence sur laquelle est situé le panier $(20, 5)$ a pour équation $x_B = 100/x_A$. La courbe d'indifférence sur laquelle est situé le panier $(10, 15)$ a pour équation $x_B = 150/x_A$.

2.1c.   $(30, 5) \sim (10, 15)$

2.1d.   $(10, 15) > (20, 5)$

2.1e.   $(20, 5) \sim (10, 10)$

2.1f.   $(24, 4) \geq (11, 9,1)$

2.1g.   $(11, 14) > (2, 49)$

2.1h.   Oui.

2.1i.   Non.

2.1j.   Le taux marginal de substitution.

2.1k.   Le *TMS* est de Charlie égal à $-x_B/x_A = -1$.

2.1l.   -1/4.

2.1m.   -4.

2.1n.   Oui.

2.2b.   Oui.

2.2c.   $-2/3$.

2.2d.   $-1$.

2.2e.   $-2/3$.

2.2e.   $-1$.

2.2f.   Oui.

2.2g.   Oui.

2.3a.   Ce sont deux biens non parfaitement subsituables. 1 canette de 50 rapporte autant d'utilité que 2 canettes de 25. $U(x_{50}, x_{25}) = 2x_{50} + x_{25}$. Les courbes d'indifférence sont des droites de pente -2.

2.3b.   Ce sont toujours des biens substituables mais la subsitution ne se fait plus au même taux. En effet, une canette de 50 cl lui rapporte la même utilité qu'une canette de 25 cl. Donc, $U(x_{50}, x_{25}) = x_{50} + x_{25}$.

2.4a.   2.

2.4c.   Oui.

2.4d.   Non.

2.4e.   Non.

2.4f.   Des segments de droite de pente $-2,5$.

2.6a.   Oui.

2.8a.    (20, 70).

2.8c.    Non.

2.8d.    (60, 50).

2.8e.    Oui.

2.9a.    Si elle donne $\Delta A = 1$ avocat, alors Marie peut obtenir $\Delta G = 2.\Delta A = 2$ pample-mousses de plus.

2.9b.    Si elle donne $\Delta A = 1$ avocat, alors Marie peut obtenir $\Delta G = 1/2.\Delta A = 1/2$ pample-mousses de plus.

2.9c.    Oui.

2.10a.   10$.

2.10b.   12$.

2.11a.   L'équation de la courbe d'indifférence est : $b = -1/2c + 30$. Le point (21, 19), qui correspond à 1 cheeseburger supplémentaire pour 1 bière de moins, n'est pas sur cette courbe d'indifférence. $\Delta c = + 1$ ; $\Delta b = -1$.

2.11b.   Le point (19, 21) n'est pas non plus sur cette droite. $\Delta c = -1$ ; $\Delta b = +1$.

2.11c.   Le taux d'échange est de 2 cheeseburgers pour 1 bière. Il faudrait donc lui proposer 2 cheeseburgers supplémentaires pour une bière abandonnée, ou une bière supplémentaire pour 2 cheeseburgers refusés. $\Delta c = +2$ et $\Delta b = -1$. Ou, $\Delta c = -2$ et $\Delta b = +1$. Les points (18, 21), (22, 19) sont acceptables.

2.13a.   WW est meilleur que HH pour la première caractéristique (340 > 240) et pour la troisième (plus obéissant). Donc Steroïd préfère WW à HH.

2.13b.   Steroid préfère HH à JJ (il est plus gros et cours plus vite).

2.13c.   Steroid préfère JJ à WW (il est plus rapide et plus obéissant).

2.13d.   Steroid préfère JJ à WW (il est plus rapide et plus obéissant). Ses préférences seraient transitives si WW était préféré à JJ. Donc ses préférences ne sont pas transitives.

2.13f.   Non, car aucun des joueurs n'est préféré ou indifférent à un autre sur les trois critères simultanément.

2.13g.   Non.

2.13h.   Oui.

2.14a.   Boucles d'Or.

2.14b.   Les asticots.

2.14c.   Les asticots contre Boucles d'Or puis le « gagnant » contre le miel.

2.14d.   Non.

2.15a.   Vraie.

2.15b.   Vraie.

2.15c.   Vraie.

2.15d.   Fausse.

2.15e.   Fausse.

2.15f.  Vraie.

2.15g.  Vraie.

2.15h.  Vraie.

2.15i.  Fausse.

2.15j.  Vraie.

2.15k.  Fausse.

2.15l.  Fausse.

2.15m.  Fausse.

2.15n.  Fausse.

2.15o.  Vraie.

2.15p.  Non (il faudrait que $A$ soit « au-moins-aussi-bon-que » $C$ — $i$ vraie — ce qui n'est pas le cas).

2.15q.  Non (il faudrait qu'Olson ne puisse faire la différence entre $A$ et $C$ — $d$ et $e$ vraies — ce qui n'est pas le cas).

2.15r.  Non.

# 3. L'UTILITÉ

Exercice d'échauffement

| $U(x_1, x_2)$ | $Um_1(x_1, x_2)$ | $Um_2(x_1, x_2)$ | $TMS(x_1, x_2)$ |
|---|---|---|---|
| $2x_1 + 3x_2$ | 2 | 3 | -2/3 |
| $4x_1 + 6x_2$ | 4 | 6 | -2/3 |
| $ax_1 + bx_2$ | a | b | -a/b |
| $2\sqrt{x}_1 + x_2$ | $1/\sqrt{x}_1$ | 1 | $-1/\sqrt{x}_1$ |
| $Lnx_1 + x_2$ | $1/x_1$ | 1 | $-1/x_1$ |
| $V(x_1) + x_2$ | $V'(x_1)$ | 1 | $-V'(x_1)$ |
| $x_1 x_2$ | $x_2$ | $x_1$ | $-x_2/x_1$ |
| $x_1^a x_2^b$ | $ax_1^{a-1}x_2^b$ | $bx_1^a x_2^{b-1}$ | $-ax_2/bx_1$ |
| $(x_1 + 2)(x_2 + 1)$ | $(x_2 + 1)$ | $(x_1 + 2)$ | $-(x_2 + 1)/(x_1 + 2)$ |
| $(x_1 + a)(x_2 + b)$ | $(x_2 + b)$ | $(x_1 + a)$ | $-(x_2 + b)/(x_1 + a)$ |
| $x_1^a + x_2^b$ | $ax_1^{a-1}$ | $ax_2^{a-1}$ | $-(x_1/x_2)^{a-1}$ |

3.1a.    $U(40, 5) = 200$. Tous les paniers situés sur la même courbe d'indifférence rapportent une utilité de 200. L'équation de la courbe d'indifférence sur laquelle se situe ce panier est $x_B = 200/x_A$.

3.1b.    L'échange conduit Charlie à avoir le panier (15, 20). Ce panier lui rapporte une utilité de 300. Charlie a donc un panier qu'il préfère au précédent. Pour conserver la même utilité (200) avec un panier qui comprend 20 bananes, il faut que Charlie ait 10 pommes. Donc, si Donna donne 15 bananes à Charlie, elle ne peut espérer recevoir que 10 pommes en échange.

3.2a.    14.

3.2b.    Non.

3.2c.    $-2/3$.

3.2c.    $-2/3$.

3.2d.    $-2/(\sqrt{x_1})$ .

3.2d.    $x_2$ .

3.3a.    La pente de la courbe d'indifférence est donnée par le *TMS*. Dans le cas de cette fonction d'utilité, le *TMS* est égal à $-(x_2 + 6)/(x_1 + 2)$. Au point considéré (4, 6), la pente est donc : -2.

3.3b.    Le panier (4, 6) rapporte une utilité $U(4, 6) = (4 + 2)(6 + 6) = 72$. Les paniers qui se trouvent sur la même courbe d'indifférence rapportent une utilité de 72. Les paniers suivants : (10, 0), (7, 2), (1, 21), (2, 12), (3, 8,4), rapportent également une utilité de 72. L'équation de cette courbe d'indifférence est $x_2 = (60 - 6x_1)/(x_1 + 2)$.

3.3c.    Si Burt accepte l'échange son nouveau panier est (1, 15). Oui ; Burt a raison de refuser l'échange car ce panier lui procure une utilité de 63 (< 72).

3.3d.    Un échange lui donnant 3 verres de lait pour 1 cookie lui procurerait le panier (3, 9). Il refuserait également car ce panier ne lui procure qu'une utilité de 60. L'autre échange lui donnerait le panier (2, 12). Il La encore, l'utilité de ce panier est inférieure à 72 ; elle n'est que de 54.

3.4b.    10.

3.4b.    10.

3.4c.    Non.

3.5a.    Nancy souhaite obtenir la note la plus élevée parmi la plus petite des deux notes : $U(x_1, x_2) = \max \{\min \{x_1, x_2\}\}$.

3.6a.    $u(X, Y) = X + 2Y$, ou toute transformation monotone croissante de cette fonction.

3.6b.    $u(X, Y) = X + Y$, ou toute transformation monotone croissante de cette fonction.

3.6c.    Oui.

3.6c.    Oui.

3.6c.    Non.

3.6d.    Par exemple : Shirley préfère (0, 2) à (3, 0) et Lorraine (3, 0) à (0, 2).

3.7b.    Pour le panier (8, 2), $2x_1 + x_2 = 2.8 + 2 = 18$ ; $x_1 + 2x_2 = 8 + 2.2 = 12$. Par conséquent, $U(8, 2) = \min \{18, 12\} = 12$.

3.7d.    $U(5, 2) = \min \{2.5 + 2, 5 + 2.2\} = \min \{12, 9\} = 9$.

3.8a.    (10, 10).

3.8a.    Plus de femmes que d'hommes.

3.8a.    Plus de femmes que d'hommes.

3.8b.    Moins réussie.

3.8c.    22.

3.8c.    13.

3.8d.    V.

3.9a.    Oui.

3.9b.    Non.

3.9c.    Oui.

3.9d.    Oui.

3.9e.    Oui.

3.9f.    Non.

3.9g.    Oui.

3.10c.   Oui.

3.10c.   Oui.

3.10d.   Il n'y a aucune différence.

3.10e.   Leurs fonctions d'utilité ne diffèrent que d'une fonction monotone.

3.11a.   Ce sont des préférences concaves.

3.12a.   −1.

3.12b.   −1.

3.12c.   Oui.

3.12c.   Remarquons que $U(x_1, x_2) = [V(x_1, x_2)]^2$.

# 4.  LE CHOIX

4.1b.    Oui.

4.1c.    Non.

4.1e.    La pente de la droite de budget est $-p_A/p_B = -1/2$.

4.1f.    $2x_B = x_A$.

4.1g.    De manière graphique, on obtient le point (20, 10). Vérification de la solution
graphique : le panier optimal doit être solution du système formé par les deux
équations suivantes : $2x_B = x_A$ et $40 = x_A + 2x_B$. En remplaçant $2x_B$ par $x_A$ dans la
seconde équation, on obtient $x_A = 20$. Par conséquent, $x_B = 10$.

4.1h.    $U(20, 10) = 200$.

4.1i.    La courbe d'indifférence sur laquelle se situe ce point et la droit de budget « se touchent juste » (elles sont tangentes) en ce point.

4.2a.    $\dfrac{36}{X+2} - 1$ .

4.2b.    Oui.

4.2c.    $-\dfrac{Y+1}{X+2}$ .

4.2d.    $\dfrac{Y+1}{X+2} = 1$ .

4.2e.    X + Y = 11.

4.2f.    X = 5.

4.2f.    X = 6.

4.3a.    Les paniers qui procurent à Ambroise une utilité de 20 sont situés sur la même courbe d'indifférence. L'équation de cette courbe d'indifférence est $x_2 = 20 - 4\sqrt{x_1}$ . On peut vérifier que $20 - 4.\sqrt{25} = 0$ ; également que $20 - 4\sqrt{16} = 4$. Les paniers suivants procurent une utilité de 20 : (0, 20), (1, 16), (4, 12), (9, 8).

4.3b.    L'équation de la droite de budget est $24 = x_1 + 2x_2$. Il consomme 16 unités de $x_1$.

4.3c.    4 unités de $x_2$.

4.3d.    L'équation de la courbe d'indifférence sur laquelle sont situés les paniers qui procurent à Ambroise une utilité de 25 est $x_2 = 25 - 4\sqrt{x_1}$ . Les paniers suivants sont situés sur cette courbe : (0, 25), (1, 21), (4, 17), (9, 13), (16, 9), (25, 5).

4.3e.    L'équation de la nouvelle droite de budget est $34 = x_1 + 2x_2$. Il consomme toujours 16 unités de $x_1$ mais maintenant, grâce à un revenu plus élevé, il consomme 9 unités de $x_2$.

4.3f.    L'équation de la nouvelle droite de budget est $9 = x_1 + 2x_2$. $U(9, 0) = 12$. La pente d'une courbe d'indifférence correspondant à cette fonction d'utilité est, de manière générale, $- 2/x_1^{1/2}$. Au point (9, 0) la pente est donc égale à -2/3.

4.3g.    La pente de la droite de budget est égale à -1/2.

4.3h.    La courbe d'indifférence.

4.3i.    Non.

4.4b.    $x_1 = x_2$.

4.4c.    $10x_1 + 20x_2 = 1\ 200$.

4.4d.    (40, 40).

4.4e.    400.

4.4e.    800.

4.5a.    Pour que $x_1 = 1$ (pour avoir 1 point à son premier examen), elle doit passer 5 minutes à travailler ($m_1 = 5$) ; pour que $x_2 = 1$ (pour avoir 2 points à son second examen), elle doit passer 10 minutes à travailler ($m_2 = 10$). Dit autrement, 5 et 10 sont les prix en « temps » de la note obtenue respectivement au premier examen et au second examen. De même, 400 minutes représente sont budget « temps ». Elle doit allouer son budget entre du temps passer à réviser le premier examen ou le second. Si $x_1 = 0$, alors $m_2 = 400$ et $x_2 = 40$. Si $x_2 = 0$, alors $m_1 - 400$ et $x_1 = 80$. L'équation de la contrainte budgétaire temporelle est : $5x_1 + 10x_2 = 400$ ; ou encore : $x_1 + 2x_2 = 80$.

4.5b.   Puisque sa note sera la plus grande des deux notes, sa fonction d'utilité est donc $U(x_1, x_2) = \max \{x_1, x_2\}$. Son optimum est connu en résolvant le système formé des deux équations : $x_1 = x_2$ et $x_1 + 2x_2 = 80$. Cela donne $x_1 = 80/3$ et $x_2 = 80/3$.

4.5c.   Sa note globale sera donc de 80/3.

4.6a.   4.

4.6b.   4.

4.6c.   4.

4.6f.   $x = y^2$.

4.6g.   (4, 2).

4.6h.   1 150.

4.7b.   L'équation de la contrainte de budget est $8 = x + 2y$. A cause de la forme de la fonction d'utilité (les biens $x$ et $y$ sont des biens -non parfaitement- substituables), l'optimum de Linus est situé sur l'un des axes (optimum de coin). En fait, l'optimum dépend des prix relatifs des biens. Une unité de bien $x$ est deux fois moins chère qu'une unité de bien $y$ : si $x = 0$, $y = R/p_y = 4$ ; si $y = 0$, $x = R/p_x = 8$. En même temps, une unité de bien $y$ rapporte une utilité trois fois supérieure à une unité de bien $y$. Donc, U(0, 4) = 12 et U(8, 0) = 8. Le panier choisi est donc (0, 4).

Autre raisonnement : La pente de la courbe d'indifférence est égale à -1/3 ; la pente de la droite de budget est égale à -1/2. La pente de la courbe d'indifférence est plus faible que celle de la droite de budget, le panier optimal se situe donc sur l'axe des ordonnées : $x = 0$ et donc $y = 4$.

4.7c.   La pente de la droite de budget (-1/4) est plus faible que celle de la courbe d'indifférence (-1/3). L'optimum se situe sur l'axe des abscisses : $y = 0$ et $x = 8$.

4.10a.   $C + X = 700\,000$.

4.10b.   (300 000, 400 000).

4.10c.   (200 000, 400 000).

4.10d.   5C + X = 600 000.

4.10e.   200 000.

4.10e.   500 000.

4.10f.   –0,5.

4.10f.   –1.

4.11a.   L'optimum est $I = 200.000$ et $X = 400.000$.

4.11b.   Les dépenses en ordinateur qui maximisent l'utilité sont $I = 233.333,33$.

4.11c.   Aucune des deux ; elles ont la même pente.

4.11d.   (300.000, 400.000).

4.11e.   $I = 240.000$.

4.11f.   $I = 240.000$.

4.12a.   (400, 40).

# 5.   La demande

5.1a.   La pente de la droite de budget est $-p_A/p_B$ et la pente de la courbe d'indifférence est $-x_B/x_A$. L'équation qui indique le tangence entre la courbe d'indifférence et la droite de budget est donc $x_A.p_A = x_B.p_B$.

5.1b.   Le système est le suivant : $R = x_A.p_A + x_B.p_B$ et $x_A.p_A = x_B.p_B$. On obtient les fonctions de demande suivante $x_A(p_A, p_B, R) = R/2p_A$ et $x_B(p_A, p_B, R) = R/2p_B$.

5.1c.   $1/2p_B$.

5.2a.   $-2x_2/3x_1$.

5.2b.   $2/3$.

5.2b.   $2/5$.

5.2c.   $a/(a + b)$.

5.3a.   $-2/x_1^{1/2}$. On trouve $x_1{}^* = (2p_2/p_1)^2$.

5.3b.   En remplaçant $x_1{}^*$ dans la contrainte de budget, on trouve $R = 4p_2^2/p_1 + x_2p_2$. On obtient $x_2(p_1, p_2, R) = (Rp_1 - 4p_2^2)/p_1p_2$.

5.3c.   $x_1 = 16$. De même, $x_2 = (9 - 16)/2 = -7/2$. On constate que $R$ n'est pas suffisant pour se procurer toute la quantité de $x_1$ qu'Ambroise souhaiterait obtenir et que $x_2$ est négatif. Il dépensera donc tout son revenu en $x_1$ (donc $x_1 = 9$) et rien en $x_2$ ($x_2 = 0$). Réécrivons les quantités optimales de $x_1$ et de $x_2$ avec les prix proposés : $x_1 = 16$ et $x_2 = (R - 16)/2$. Il consommera des quantités positives des deux biens dès lors que $R$ sera supérieur à 16.

5.4a.   $1/t = p_t/p_s$ .

5.4b.   $t(p_s, p_t, R) = p_s/p_t$ .

5.4c.   $p_s$ .

5.4d.   $s = \dfrac{R}{p_s} - 1$ .

5.4e.   $s = 0$.

5.4e.   $t = R/p_t$ .

5.4f.   Oui.

5.5a.   Rappelons nous que Shirley est indifférente entre la répartition de la quantité totale de bière entre les deux types de bouteilles, cela signifie donc que les bouteilles de 50 cl et celles de 25 cl sont substituables, mais pas parfaitement puisque une bouteille de 50 cl permet d'obtenir 2 fois plus de bière qu'une bouteille de 25 cl. Dans ce cas, Shirley n'achète que des bouteilles de 50 cl parce que ces bouteilles ne sont pas 2 fois plus chères que les autres.

5.5b.   Non.

5.5c.   Oui. Elle n'achètera que des bouteilles de 25 cl. Elle en achètera $R/0,4$.

5.5d.   Il faut que le prix des bouteilles de 50 cl soit égal à 2 fois le prix des bouteilles de 25 cl.

5.5e.   Si $p_{50} < 2p_{25}$, elle n'achète que des bouteilles de 50. Si $p_{50} > 2p_{25}$, elle n'achète que des bouteilles de 25. Si $p_{50} = 2p_{25}$, elle achète des bouteilles de 50 et de 25.

5.6a.   8.

5.6a.   16.

5.6b.   $$\frac{R}{p_c + p_e/2}.$$

5.7a.   Si $b$ est le nombre de bégonias et $p_b$ l'espace qu'ils occupent et si $c$ est le nombre de camélias, $p_c$ étant l'espace qu'ils occupent alors $S = b.p_b + c.p_c$. Avec les données de l'exercice, nous avons $500 = b + 4c$. La pente de cette droite est égale à -1/4. La pente de la courbe d'indifférence est $1/100 - 2c$. A l'optimum, $-100 + 2c = 4$. Donc $c^* = 48$ et, par conséquent, $b^* = 308$.

5.7b.   Le nombre de camélias ne dépend pas de la surface, il ne varie donc pas. Les 100 nouveaux m$^2$ sont consacrés aux bégonias. Donc, $b'^* = 408$ et $c'^* = 48$.

5.7c.   La contrainte spatiale serait $144 = b + 4c$. Dans la mesure où $c$ est indépendant de l'espace disponible (à condition que cet espace soit au moins de 100m$^2$), $c$ serait toujours égal à 48 et $b$ serait de 0.

5.7d.   Sachant que $c = 48$, alors $S$ doit être supérieur à $4 \times 48 = 192$ m$^2$.

5.8b.   $2x/2 = 3/1$.

5.8b.   3.

5.8b.   3,5.

5.9a.

**Tableau 6.2**
*Pourcentages des budgets familiaux*

| Groupe de revenu | A | B | C | D | E |
|---|---|---|---|---|---|
| Repas pris à domicile | 26 | 22 | 21 | 19 | 13 |
| Repas pris à l'extérieur | 3,8 | 4,7 | 4,1 | 5,2 | 6,1 |
| Logement | 35 | 30 | 2,9 | 0,27 | 0,29 |
| Habillement | 6,7 | 9,0 | 0,09 | 0,11 | 0,12 |
| Transports | 7,8 | 14 | 0,15 | 0,21 | 0,14 |

5.9b.  Tous les biens pour lesquels la demande augmente lorsque le revenu augmente ; tous ces biens sont normaux.

5.9c.  Les biens de luxe sont des biens dont la demande augmente plus vite que le revenu ; ici, les repas pris à l'extérieur et l'habillement.

5.9d.  Ici, les repas pris à la maison et les dépenses d'habitation.

5.10a.  Substituable. Une augmentation dans la demande du prix de l'eau entraîne une augmentation de la demande de cakes.

5.10b.  $q_c = 120 - 30p_c$.

5.10c.  $p_c = 4 - q_c/30$.

5.10c.  3.

5.10d.  $p_c = 5 - q_c/30$.

5.11a. et b.

| c | x | y |
|---|---|---|
| 1 | 42 | 39 |
| 2 | 44 | 38 |
| 3 | 46 | 37 |
| 4 | 48 | 36 |
| 5 | 50 | 35 |
| 6 | 52 | 34 |
| 7 | 54 | 33 |
| 8 | 56 | 32 |
| 9 | 58 | 31 |
| 10 | 60 | 30 |

5.12a.  Oui.

5.12a.  $\dfrac{R}{P_1 + P_2}$.

5.12a.  $P_1 \cdot N$.

5.12a.  $P_2 \cdot N$.

5.12b.  $\dfrac{1}{A(P_1 + P_2)}$.

5.12b. $$\frac{1}{A(P_1 + P_2)^2}.$$

5.12c. $$\frac{1}{36\ 000}.$$

5.12d. 1/2.

5.12d. Moins de la moitié.

5.13a. La courbe d'indifférence a des coudes situés sur la droite $y = 2x$. Si $x > y/2$, alors $U(x, y) = 4x$ et si $x < y/2$, alors $U(x, y) = 2x + y$. Le panier (15, 10) correspond à une utilité de 40. Il est situé sur la droite $2x + y = 40$ ; c'est-à-dire $y = -2x + 40$. En ce point la pente de la droite est -2. Les biens étant substituables, le choix de ce panier signifie que la droite de budget de Léopold doit être confondue avec cette demi-droite. Le rapport des prix, $-p_x/p_y$, doit être égal à - 2. Donc, $50/py = 2$ et $p_y = 25$. Dans ces conditions, le revenu est $R = 50 \times 15 + 25 \times 10 = 750 + 250 = 1000$ (on vérifie que la droite de budget a pour équation $1000 = 50x + 25\ y$, soit $y = -(50/25)x + 1000/25 = -2x + 40$).

# 6. LES PRÉFÉRENCES RÉVÉLÉES

6.1a. Le premier panier coûte 6.4 + 6.6 = 60. L'équation de la première droite de budget est donc : $60 = 4x_1 + 6x_2$. De même, le second panier coûte 10.6 + 0.3 = 60 ; l'équation de la seconde droite de budget est donc $60 = 6y_1 + 3y_2$.

6.1b. Non, parce que nous avons simultanément : 4.6 + 6.6 ≥ 4.10 + 6.0 et 6.10 + 3.0 ≥ 6.6 + 3.6.

6.2a. 30.

6.2b. Oui.

6.2b. −1/2.

6.2c. 45 kilos.

6.2d. 45$.

6.2e. Non.

6.3a. Le panier optimal de Pierre est situé à l'intérieur de l'ensemble de budget de Bob. Donc, si les deux individus avaient les mêmes goûts, alors la droite de budget de Bob permettrait d'atteindre une courbe d'indifférence plus élevée.

La comparaison des « taux de change » qui existent entre les revenus et les rapports des prix ne sont pas identiques. Le revenu de Pierre est 2,8 fois supérieur au revenu de Bob mais le rapport des prix $(p_p/p_v)_P$ est 4 fois plus important. À préférences égales, Bob est mieux que Pierre.

6.4b. Oui.

6.5

| Observation | $p_x$ | $p_y$ | x | y |
|---|---|---|---|---|
| Horst | 14 | 5 | 8 | 11 |
| Nigel | 9 | 7 | 10 | 9 |

| Prix/Quantités | H | N |
|---|---|---|
| Horst | $14 \times 8 + 5 \times 11 = 167$ | $14 \times 10 + 5 \times 9 = 185$ |
| Nigel | $9 \times 8 + 7 \times 11 = 149$ | $9 \times 10 + 7 \times 9 = 153$ |

Le coût du panier de Horst aux prix de Horst est de 167 ; pour les mêmes prix, il ne peut pas se procurer le panier de Nigel. La situation de Horst n'est donc pas directement révélée préférée à celle de Nigel.

Le coût du panier de Nigel aux prix de Nigel est de 153 ; le coût du panier de Nigel aux prix de Horst est de 149. Donc Nigel peut se procurer son panier et celui de Horst à ses prix. La situation de Nigel est donc directement révélée préférée à celle de Horst.

6.6a.   30.

6.6a.   33.

6.6a.   16.

6.6b.   Non.

6.6c.   Oui.

6.6b/c.

| Situation | A | B | C |
|---|---|---|---|
| A | — | D | I |
| B | I | — | D |
| C | D | I | — |

6.8b.   McAfee.

6.8c.   Falklands.

6.10a.

| Coût | du panier 1850 | du panier 1890 |
|---|---|---|
| aux prix de 1830 | 44,1 | 61,6 |
| au prix de 1850 | **49,0** | **68,3** |
| au prix de 1890 | **63,1** | **91,1** |
| aux prix de 1913 | 78,5 | 113,7 |

6.10b.    Oui.

6.10c.    1,39.

6.10d.    1,44.

6.10e.    1,29.

6.10f.    1,39.

6.10g.    69.

6.12a.    Exactement égal à 2.

6.12a.    Exactement égal à 2.

6.12b.    Oui, de 50%. La contrainte du budget a « augmenté » de 50%. Avec des préférences homothétiques, la consommation de tous les biens augmente dans les mêmes proportions.

6.13a.    Le coût du panier de consommation d'un ménage suédois de 1850 aux prix américains d'aujourd'hui est de $(165 \times 0,4) + (22 \times 3,75) + (120 \times 0,5) + (200 \times 1) = 408,5$.

6.13b.    Si 408,5 représente les 2/3 des dépenses d'un ménage alors la totalité des dépenses est de 612,75$.

6.13c.    $I_L = [(165 \times 0,4) + (22 \times 3,75) + (120 \times 0,5) + (200 \times 1)]/[(165 \times 0,14) + (22 \times 0,34) + (120 \times 0,08) + (200 \times 0,044)] = 408,5/114,18 = 3,578$. Le rapport entre un dollar américain d'ajourd'huiest une couronne suédoise de 1850 est de 3,578.

# 7.  L'ÉQUATION DE SLUTSKY

7.1a.    L'équation de la droite de budget est : $40 = x_A + 2x_B$. Les quantités demandées sont $x_A(1, 2, 40) = 20$ et $x_B(1, 2, 40) = 10$. Les coordonnées du point $A$ sont (20, 10).

7.1b.    Les nouveau revenu est $R' = 20.1 + 10.1 = 30$. L'équation de la droite de budget correspondant est : $30 = x_A + x_B$. Les quantités demandées sont $x'_A(1, 1, 30) = 15$ et $x'_B(1, 1, 30) = 15$. Les coordonnées du point $B$ sont (15, 15).

7.1c.    $\Delta x^S_B = x'_B(1, 1, 30) - x_B(1, 2, 40) = 15 - 10$. L'effet de substitution le conduit à consommer 5 bananes en plus.

7.1d.    Après le changement de prix, Charlie consomme $x''_B(1, 1, 40) = 20$ bananes. L'équation de la droite de budget est $40 = x_A + x_B$ et sa consommation de pommes est $x''_A(1, 1, 40) = 20$. Les coordonnées du point $C$ sont (20, 20). Cette droite est parallèle à la droite sur laquelle se trouve le point $B$.

7.1e.    $\Delta x^R_B = x''_B(1, 1, 40) - x'_B(1, 1, 30) = 20 - 15 = +5$. L'effet de revenu le conduit à consommer 5 bananes en plus.

7.1f.    $\Delta x^S_A = x'_A(1, 1, 30) - x_A(1, 1, 40) = 15 - 20 = -5$. L'effet de substitution lié à la baisse du prix de la banane le conduit à consommer 5 pommes en moins. $\Delta x^R_A = x''_A(1, 1, 40) - x'_A(1, 1, 30) = 20 - 15 = +5$. L'effet de revenu lié à la baisse du prix de la banane le conduit à consommer 5 pommes en plus. L'effet total (-5 + 5) est nul.

| | |
|---|---|
| 7.2a. | 90. |
| 7.2b. | Son revenu doit augmenter de 900 francs. |
| 7.2b. | 88 bouteilles. |
| 7.2c. | 70 bouteilles. |
| 7.2d. | 20. |
| 7.2d. | Il la réduit de 2 bouteilles. |
| 7.2d. | Il la réduit de 18 bouteilles. |
| 7.3a. | Le panier initial correspond au point $E$. Zog consomme $x(4, 10, 300) = 30$. |
| 7.3b. | Le point $C$ correspond au panier final. Zog consomme $x(2,5, 10, 300) = 35$. |
| 7.3c. | Il faut lui donner un revenu lui permettant de passer du panier $E$ au panier $F$. La droite de budget sur laquelle se trouve ce panier est telle que $R' = 225$. Il faut donc lui enlever $\Delta R = 75$. |
| 7.3d. | $x(4, 10, 300) = 30$ et $y(4, 10, 300) = 18$ ; $x(2,5, 10, 300) = 35$ et $y(2,5, 10, 300) = 16$. |
| 7.3e. | Les coordonnées du point correspondant à l'effet de revenu sont $(35, 16)$. Les coordonnées du point correspondant à l'effet de substitution sont $(43, 11, 75)$. |
| 7.3f. | Le bien $x$ est un bien inférieur : $\Delta x^R = 35 - 43 = -8 < 0$. |
| 7.4a. | Oui. |
| 7.4a. | Tout est du à l'effet de revenu. |
| 7.4d. | 120. |
| 7.4e. | Tout est du à l'effet de substitution. |
| 7.5 | La variation de la demande est exclusivement due à l'effet de revenu. |
| 7.6. | Elle passe de 80 à 100. |
| 7.6a. | 920. |
| 7.6a. | 92. |
| 7.6b. | $\Delta x = 92 - 80 = 12$. |
| 7.6b. | $\Delta x = 100 - 92 = 8$. |
| 7.8a. | Non. |
| 7.8a. | Oui. |
| 7.8b. | Sa situation s'améliore en mai par rapport à février. |
| 7.8c. | Non. |
| 7.10b. | $0,2m_1 + 0,1m_2 = 200$ et $m_1 + m_2 = 1\ 500$. |
| 7.10c. | 1 000. |
| 7.10d. | 666,66. |
| 7.10d. | Non. |
| 7.10d. | Oui. |

# 8. LE SURPLUS DU CONSOMMATEUR

8.1a.    $D(50) = 100 - 50 = 50$.

8.1b.    La fonction de demande inverse s'écrit : $p = 100 - q$. La demande atteint un maximum de 100 quand $q = 0$ ; pour $q = 50$, la courbe de demande inverse atteint 50. $A = 50 \times 0{,}5 \times [100 + 50] = 3750$.

8.1c.    Monsieur Plus achète 50 crackers à 50 centimes l'unité. Il dépense 2500 centimes.

8.1d.    Supposons que la consommation de Monsieur Plus soit réduite à 0. Il perd un bénéfice brut de 3750. Mais il fait une économie de 2500. La baisse de son surplus net est donc de 1250.

8.2a.    A, B, C, D.

8.2b.    20.

8.2b.    5.

8.2c.    50.

8.2d.    130.

8.2e.    0.

8.2f.    4.

8.3a.    La fonction d'utilité est quasi-linéaire. On peut l'écrire $U(x, y) = v(x) + y$ avec $v(x) = 100x - x^2/2$.

8.3b.    Le programme du consommateur s'écrit max $100x - x^2/2 + y$ sous la contrainte $p.x + y = R$ ; soit encore max $100x - x^2/2 + R - p.x$. La condition du premier ordre de ce programme nous donne la fonction de demande inverse : $p(x) = 100 - x$.

8.3c.    Si $p = 50$ alors le nombre de boules quies consommées est de 50.

8.3d.    Si $p = 80$ alors le nombre de boules quies consommées est de 20.

8.3e.    Si $p = 50$, alors Quasimodo consomme 50 boules quies. Cela représente une dépense de 2500. Son revenu étant de 4000, alors $y = 4000 - 2500 = 1500$. Par conséquent, $U(50, 1500) = v(50) + 1500 = 5250$.

8.3f.    En faisant le même calcul avec $p = 80$, on obtient $y = 2400$ et $U(20, 2400) = 4000$.

8.3g.    L'utilité baisse de 1250 (elle passe de 5250 à 4000).

8.3h.    Dans le cas d'une fonction d'utilité quasi-linéaire, le surplus du consommateur est donné par $R = v(x) - p.x$. Par conséquent $R_{50} = v(50) - 50 \times 50 = 1250$ ; $R_{80} = v(20) - 80 \times 20 = 0$. Le surplus baisse de 1600.

8.4a.    20.

8.4b.    30.

8.4c.    30.

8.4d.    40.

8.4e.    Inférieur.

8.5a.  Le panier optimal se situe sur la contrainte budgétaire et sur la droite reliant les coudes de la fonction d'utilité. Il est donc tel que $12 = 2x + y$ et tel que $x = y$. Par conséquent, $x^* = y^* = 4$.

8.5b.  Avec les nouveaux prix, la contrainte de budget a pour équation $12 = 3x + y$. Le nouvel optimum est tel que $x' = y' = 3$.

8.5c.  Bernie doit disposer d'un revenu lui permettant de se procurer le panier $(3, 3)$ aux prix $(2, 1)$. $R = 3 \times 2 + 3 \times 1 = 9$. L'équation de la nouvelle droite de budget est $9 = 2x + y$. Si Bernie disposait d'un revenu de 9, aux prix initiaux, son niveau de satisfaction serait le même que celui obtenu aux nouveaux prix et avec un revenu de 12.

8.5d.  Bernie est disposé à payer une somme $E = 12 - 9 = 3$ pour éviter que les prix n'augmentent. Il s'agit de la variation équivalente.

8.5e.  Bernie doit disposer d'un revenu lui permettant de se procurer le panier $(4, 4)$ aux prix $(3, 1)$. $R = 4 \times 3 + 4 \times 1 = 16$. L'équation de la nouvelle droite de budget est $16 = 3x + y$.

8.5f.  Le revenu doit augmenter d'une somme $C = 16 - 12 = 4$. Il s'agit de la variation compensatoire.

8.6a.  $1/(x + 1) = p_x$.

8.6b.  Elles sont quasilinéaires.

8.6b.  $x = (1/p_x) - 1$.

8.6b.  $y = R - 1 + p$.

8.6c.  3.

8.6c.  9,25.

8.6c.  10,64.

8.6d.  10,64.

8.6e.  1.

8.6e.  9,5.

8.6e.  10,19.

8.6f.  10,19.

8.6g.  −0,45.

8.7a.  La fonction d'utilité (quasi-linéaire) s'écrit $U(x, y) = v(x) + y$ avec $v(x) = x - x^2/2$. La fonction de demande inverse est donnée par $p(x) = v'(x)$. soit ici : $p(x) = 1 - x$.

8.7b.  La contrainte de budget est $R = p.x + y$. Donc, la quantité d'os consommée est $y = R - p.(1 - p)$.

8.7c.  $U(x, y) = U[(1 - p), (R - p.(1 - p))]$. En développant, on obtient $U = (p^2 - 2p + 2R + 1)/2$.

8.7d.  Si $R = 3$ et $p = 0,5$ alors $x = 1 - p = 0,5$ et $y = R - p.(1 - p) = 3 - 0,5 \times 0,5 = 2,75$. Si $p$ passe à 1, $x = 0$ et $y = 3$.

8.7e.    Au prix $p = 0,5$, le consommateur choisit $x = 0,5$ et retire une utilité $U = v(0,5) +$ $3 - 0,5 \times 0,5 = 0,5 - (0,5)^2/2 + 2,75 = 0,5 - 0,25/2 + 2,75 = 3,125$. Au prix $p = 1$, le consommateur choisit $x = 0$ et retire une utilité $U = v(0) + 3 - 1 \times 0 = 3$. La question revient à se demander quel revenu faut-il retirer à Zazac pour qu'il ait la même satisfaction après la variation de prix et avant la variation. Il faut lui retirer une somme $S$ telle que $3,125 - S = 3$. Zazac serait donc disposé à débourser $S = 0,125$. Cette somme correspond à la variation équivalente.

8.7f.    La question revient à se demander de quelle somme $S'$, Zazac a-t-il besoin pour conserver, après la variation de prix, le même niveau de satisfaction qu'auparavant. $S'$ doit donc être telle que $3 + S' = 3,125$. Donc $S' = 0,125$. $S'$ correspond à la variation compensatoire. On constate que $S = S'$ ; ce qui est toujours le cas lorsque la fonction d'utilité est quasi-linéaire.

8.7g.    Pour $R = 3$ et $p = 0,5$, alors $x = 0,5$. Le surplus net est donné par $v(0,5) - 0,5 \times 0,5$ $= 0,5 - (0,5)^2/2 - 0,25 = 0,5 - 0,125 - 0,25 = 0,125$. Remarque : le surplus net est égal à la variation compensatoire et équivalente. En effet, lorsque le prix passe de $0,5$ à $1$, la consommation de $x$ devient nulle. Par conséquent, le surplus mesure la somme que Zazac exige pour renoncer à la consommation de bien $x$.

8.8a.    200.

8.8a.    100.

8.8b.    À un prix de 10, le surplus net du consommateur est de 100. À un prix de 14, le surplus est $\frac{1}{2} \cdot 16 \cdot 8 = 64$. La variation de surplus est donc de $64 - 100 = -36$.

8.10a.    15.

8.10b.    10 heures.

8.10b.    20.

8.10c.    0 heure.

8.10c.    30.

# 9.   LA DEMANDE DU MARCHÉ

9.0a.    $-p/60 - p$.

9.0b.    $-bp/a - p$.

9.0c.    $-2$.

9.0d.    $-b$.

9.0e.    $-2p/(p + 3)$.

9.0f.    $-bp/(p + a)$.

9.1a.    Si $p = 3$, alors la $D_B(3) = 5$ et $D_D(3) = 6$.

9.1b.    respectivement 500 et 300.

9.1c.    800.

9.1d.     La demande de marché a les équations suivantes : si $p \leq 4$, $D = [\{100 \times (20 - 5p)\}$
          $+ \{150 \times (15 - 3p)\}] = 4250 - 250p$ ; si $4 < p \leq 5$, alors $D = 2250 - 150p$ ; si $p >$
          $5$, $D = 0$.

9.1e.     Deux coudes pour $p = 4$ et $p = 5$.

9.1f.     Pour $p = 1$, $D(p) = 4250 - 250p$. Par conséquent, $D(1) = 4000$. De même, $D(1,1)$
          $= 4250 - 275 = 3975$. La la demande diminue donc de 25 ($\Delta D = D(1,1) -$
          $D(1)/D(1) = 3975 - 4000 = -25$).

9.1g.     Pour un prix de 4,5, la demande de marché est égale à $D(p) = 2250 - 150p$. Donc
          $D(4,5) = 2250 - 675 = 1575$ et $D(4,6) = 1560$. La demande diminue de 15.

9.1h.     Quand le prix est supérieur à 10, la demande est nulle. Une nouvelle augmenta-
          tion du prix ne modifie pas la demande.

9.2a.     $p(q) = 5 - q/2$ if $q < 10$.

9.2b.     $p(q) = 1\,000/q^2$.

9.2c.     $p(q) = (10 - \ln q)/4$.

9.2d.     $p(q) = \sqrt{20/q}$ .

9.4a.     $-2$.

9.4a.     $-3$.

9.4a.     $-4$.

9.4b.     $1$.

9.4b.     $1$.

9.4b.     $1$.

9.4c.     $-p$.

9.4c.     $1$.

9.5a.     $e = -2p/(p + 1)$.

9.5b.     $e = -1$ si $2p = p + 1$, c'est-à-dire si $p = 1$.

9.5c.     $R(p) = p.q = p/(p + 1)^2$. $Rm(p) = \partial R(p)/\partial p = (1-p)/(p+1)^3$. Elle est maximum en
          $p = 1$.

9.5d.     $e = -b/(p + a)$. L'élasticité prix de la demande est égale à -1 pour $p = a/(b-1)$.

9.6a.     $R + 1 = (R - p_1 + 1)$.

9.6a.     $p = (R + 1)/2$.

9.6a.     $1$.

9.7a.     $D(1, 100) = 3$. L'élasticité revenu de la demande est $e_{dR} = (\partial D(p, R)/D(p,$
          $R)).(\partial R/R) = (\partial D(p, R)/\partial R).(R/D(p, R)) = 0,01.R/D(p, R)$. Avec $D(1, 100) = 3$ et
          $R = 100$, $e_{dR} = 1/3$.

9.7b.     L'élasticité prix de la demande est $e_{dp} = (\partial D(p, R)/D(p, R)).(\partial p/p) = (\partial D(p,$
          $R)/\partial p).(p/D(p, R)) = -2.p/D(p, R)$. Avec $D(1, 100) = 3$ et $p = 1$, $e_{dp} = -6$.

9.8a.     $P = 5$.

9.8b.     $Q = 5$.

9.9a.   $p = 20 - q/10.000$. Elle est linéaire $p(q) = a - bq$, avec $a = 20$ et $b = 1/10.000$.

9.9b.   $RT(q) = p.q = 20q - q^2/10.000$. $Rm(q) = \partial RT(q)/\partial q = 20 - q/5.000$. La fonction de demande inverse étant linéaire, la recette marginale est bien du type : $Rm(q) = a - 2bq$. La valeur de $q$ qui maximise la recette marginale est $q^* = 100.000$.

9.9d.   $p^* = 10$ ; $q^* = 100.000$.

9.9e.   La recette marginale est nulle. L'élasticité prix de la demande est $e_{dp} = (\partial D(p)/D(p)).(\partial p/p) = (\partial D(p)/\partial p).(p/D(p)) = -10.000.p/D(p)$. Avec $D(10) = 100.000$, $e_{dp} = -1$. Le stade sera plein.

9.9f.   La nouvelle fonction est $p = 30 - q/10.000$.

9.9g.   La recette marginale est toujours de la forme $Rm(q) = a - 2bq$, avec $a = 30$ et $b = 1/10.000$. Donc $Rm(q) = 30 - q/5.000$ [remarque : $RT(q) = 30q - q^2/10.000$ ; en dérivant $RT(q)$ par rapport à $q$, nous trouvons évidemment le même résultat].

9.9h.   La valeur de $q$ qui maximise la recette marginale est $q^* = 150.000$. Cette quantité serait vendue à un prix $p^*$ de 20.

9.9i.   Il devrait vendre 100.000 tickets à un prix de 20.

9.9j.   $Rm(100.000) = 10$. L'élasticité de la demande est $-10.000.p/D(p)$. Avec $D(20) = 100.000$, $e_{dp} = -1$.

9.10a.   9 900.

9.10b.   250 000.

9.10b.   250 000.

9.10c.   150 000 sièges.

# 10. L'ÉQUILIBRE

10.1b.   $120 - 4p = 2p - 30$.

10.1c.   $p_1 = 25$ ; $q_1 = 20$.

10.1d.   $120 - 4p = 2p - 60$.

10.1e.   $p_2 = 30$ ; $q_2 = 0$.

10.1f.   Si les producteurs bénéficient d'une subvention de 5 dollars par 100 livres de beurre alors cela signifie que le prix d'offre qu'ils reçoivent est égal à la somme de ce qui est versé par les consommateurs, $p_d$, et de la subvention unitaire. Ainsi, $p_o = p_d + 0,05$.

10.1g.   $120 - 4p_d = 2(p_d + 0,05) - 60$ ; $p_d = 170/6 = 29,33$. $q = 2,68$.

10.2a.   15.

10.2b.   25.

10.2b.   20.

10.2b.   30.

10.2c.   10.

10.2d.   10.

10.3a.   En égalisant l'offre à la demande on obtient $100 - 2p_d = 3p_o$. Par conséquent $p^* = 20$ et $q^* = 60$.

10.3b.   Un impôt diminue la part du prix payé par les consommateurs qui est reçue par les producteurs ; cette partie, l'impôt, va à l'Etat. Par conséquent, l'équation qui relie les deux prix est : $p_d - 10 = p_o$. L'équation qui dit que l'offre est égale à la demande est $100 - 2p_d = 3p_o$.

10.3c.   $p_d = 26$ ; $q^* = 48$.

10.3d.   Si les moniteurs de ski reçoivent une subvention de 6, en même temps que les consommateurs payent un impôt de 10, alors l'équation qui relie le prix d'offre et le prix de demande s'écrit : $p_d - 10 = p_o + 6$. Cela revient à écrire : $p_d - 4 = p_o$. Tout se passe comme si les consommateurs payaient une taxe de 4.

10.4a.   25.

10.4a.   20.

10.4b.   100.

10.4b.   21.

10.4b.   19.

10.4c.   95.

10.5a.   $P^* = 10$.

10.5b.   $D(P^*) = S(P^*) = Q^* = 10$.

10.5c.   $P_d = 4P_s$. L'équation d'équilibre s'écrit $100/P_d = P_d/4$. Soit encore, $\dfrac{400 - P_d^2}{4P_d} = 0$.

   Par conséquent, $P_d^* = 20$ et $P_s^* = 5$. La quantité d'équilibre est $Q^* = 5$.

10.6a.   Les équations sont $200 - 4P_S - 2P_L = 100$ et $200 - 3P_L - P_S = 150$.

10.6b.   20.

10.6b.   10.

10.6d.   23.

10.6d.   9.

10.7a.   $D(p) = ap^\varepsilon$. Avec $\varepsilon = 1$ et en sachant que lorsque $p = 10$, $D = 6.000$. Donc, $6000 = a10^{-1}$ et $a = 60.000$. La fonction de demande est $D(p) = 60.000/p$.

10.7b.   Avec une offre inélastique $S = 5.000$, $p^* = 60.000/5.000 = 12$ et $q^* = 12$. Le point $E$ a pour coordonnées $(5.000, 12)$.

10.7c.   Si la demande se déplace de 10 % vers l'extérieur, elle augmente de 10 %. La nouvelle équation est $D = 66.000/p$. La nouvelle offre est $S = 5.250$. Le nouveau prix d'équilibre est $p^{*'} = 12,571$. La quantité d'équilibre est $q^{*'} = 5250$.

10.7d.   Le prix a augmenté de 4,76%.

10.7e.   Avec ces pourcentages, la fonction de demande aurait pour équation $D(p) = \dfrac{60.000(1 + x)}{P}$ et la nouvelle offre $S(p) = 5.000\,(1 + y)$. Le pourcentage d'augmentation du prix serait $\Delta p = (x - y)/(1 + y)$ (avec $x = 0,10$ et $y = 0,05$, on trouve $\Delta p = 0,05/1,05 = 0,0476$).

10.8a. L'augmentation sera de 2% par an.

10.8b. 400.

10.8b. 400.

10.8c. 2.

10.8c. 1,5%.

10.8d. Il y aura un doublement si la demande ne change pas.

10.8e. L'élasticité de la demande étant de $-1$, la recette ne change pas.

10.8f. Il retrouve ses niveaux antérieurs.

10.9a. En égalisant l'offre à la demande, on obtient $p = 10$. A ce prix sont échangées $q^* = 400.000$ bouteilles.

10.9b. Le prix reçu par les producteurs est inférieur de 5 au prix payé par les consommateurs (les 5 représentent l'impôts et sont perçus par l'Etat). Par conséquent, $p_d = p_o + 5$. En égalisant l'offre à la demande, on obtient $p_d = 12$. Le prix reçu par les offreurs est $p_o = 7$. La quantité d'équilibre $q^{*'} - 280.000$.

10.10a. 3.

10.10a. 9.

10.10b. 3,5.

10.10b. 9,5.

10.10b. 7,5.

10.10c. $-16,66\%$.

10.10c. $-8,33\%$.

# 11. La technologie

## 11.0  Exercice d'échauffement

### Tableau 1
*Produits marginaux et taux de substitution techniques*

| $f(x_1, x_2)$ | $Pm_1(x_1, x_2)$ | $Pm_2(x_1, x_2)$ | $TST(x_1, x_2)$ |
|---|---|---|---|
| $x_1 + 2x_2$ | 1 | 2 | $-1/2$ |
| $ax_1 + bx_2$ | a | b | $-a/b$ |
| $50x_1x_2$ | $50x_2$ | $50x_1$ | $-x_2/x_1$ |
| $x_1^{1/4}x_2^{3/4}$ | $1/4x_1^{-3/4}x_2^{3/4}$ | $3/4x_1^{1/4}x_2^{-1/4}$ | $-x_2/3x_1$ |
| $Cx_1^{a}x_2^{b}$ | $Cax_1^{a-1}x_2^{b}$ | $Cbx_1^{a}x_2^{b-1}$ | $-ax_2/bx_1$ |
| $(x_1 + 2)(x_2 + 1)$ | $(x_2 + 1)$ | $(x_1 + 2)$ | $-(x_2 + 1)/(x_1 + 2)$ |

**Tableau 1** *(Suite)*
*Produits marginaux et taux de substitution techniques*

| $(x_1 + a)(x_2 + b)$ | $(x_2 + b)$ | $(x_1 + a)$ | $-(x_2 + b)/(x_1 + a)$ |
|---|---|---|---|
| $ax_1 + b\sqrt{x_2}$ | a | $b/2\sqrt{x_2}$ | $-a2\sqrt{x_2}/b$ |
| $x_1^a + x_2^b$ | $ax_1^{a-1}$ | $ax_2^{a-1}$ | $-(x_1/x_2)^{a-1}$ |
| $(x_1^a + x_2^a)^b$ | $bax_1^{a-1}(x_1^a + x_2^a)^b$ | $bax_2^{a-1}(x_1^a + x_2^a)^b$ | $-(x_1/x_2)^{a-1}$ |

**Tableau 2**
*Rendements d'échelle et variations des produits marginaux*

| $f(x_1, x_2)$ | Rendements d'échelle | $Pm_1(x_1, x_2)$ | $Pm_2(x_1, x_2)$ |
|---|---|---|---|
| $x_1 + 2x_2$ | C | C | C |
| $\sqrt{x_1} + 2x_2$ | D | D | D |
| $0,2x_1x_2^2$ | I | C | I |
| $x_1^{1/4}x_2^{3/4}$ | C | D | D |
| $x_1 + \sqrt{x_2}$ | D | C | D |
| $(x_1 + 1)^{0,5}(x_2)^{0,5}$ | D | D | D |
| $(x_1^{1/3} + x_2^{1/3})^3$ | C | D | D |

11.1a.   La production de 4 unités se fait avec des combinaisons de facteurs telles que $L^{1/2}T^{1/2} = 4$. L'équation de l'isoquante est donc $T = 16/L$.

11.1b.   Les rendements d'échelle sont constants.

11.1c.   Le Taux marginal de Subsitution Technique. Il est donné par la formule suivante : $TST = -T/L$. Le $TST$ prend donc les valeurs suivantes : $TST_{(0,1)} = -\infty$ ; $TST_{(1,1)} = -1$ ; $TST_{(4,1)} = -1/4$ ; $TST_{(9,1)} = -1/9$ ; $TST_{(16,1)} = -1/16$. La pente de la courbe augmente.

11.1d.   Lorsque $T = 1$ et $L = 1$, sa production est égale à $f(1, 1) = 1$. Une unité supplémentaire de travail lui permet d'obtenir $f(1+1, 1) = \sqrt{2}$ unités d'output. Par conséquent $\Delta Y = \Delta Y/\Delta L - \sqrt{2} - 1 = 0,414$. En effectuant le même calcul avec $T = 1$ et $L = 4$, on obtient les résultats suivants : $f(4, 1) = 2$. Une unité supplémentaire de travail lui permet d'obtenir $f(4+1, 1) = \sqrt{5}$ unités d'output. Par conséquent $\Delta Y/\Delta L = \sqrt{5} - 2 = 0,236$. Le produit marginal du travail est égal à : $P_{mL} = T^{1/2}/2L^{1/2}$. Pour les valeurs $T = 1$ et $L = 2$, on a $P_{mL} = 1/2\sqrt{2}$.

11.2a.  1.

11.2a.  Il reste constant.

11.2a.  0.

11.2a.  Il reste constant.

11.2a.  Infini.

11.2a.  Constants.

11.2b.  0.

11.2b.  0.

11.2b.  Il augmente.

11.3a.  $P_{m1} = 1/2x_1^{-1/2}x_2^{3/2}$.

11.3b.  Il décroît (sa dérivée par rapport à $x_1$ est négative).

11.3c.  $P_{m2} = 1/2x_1^{1/2}x_2^{1/2}$. Il augmente (dérivée par rapport à $x_2$ positive)

11.3d.  La dérivée de $P_{m1}$ par rapport à $x_2$ est positive : $\partial P_{m1}/\partial x_2 = 3/4x_1^{-1/2}x_2^{1/2}$. Par conséquent, une petite variation de $x_2$ augmente le produit marginal de $x_1$.

11.3e.  $TST = -x_2/x_1$.

11.3f.  Il est décroissant.

11.3g.  Constants.

11.4a.  Les rendements d'échelle sont décroissants ; le produit marginal est constant.

11.6a.  $2A + 4B = 160$.

11.6b.  $4A + 2B = 180$.

11.6d.  $2A + 4B = 160$ et $4A + 2B = 180$.

11.6e.  45 unités.

11.6e.  Les ouvriers.

11.6e.  70.

11.7  Pour la première entreprise : $f(tx, ty) = \min\{t2x, tx + ty\} = t\min\{2x, x+y\} = tf(x, y)$ ; donc les rendements d'échelle sont constants. Pour la seconde entreprise : $f(tx, ty) = tx + \min\{tx, ty\} = tx + t\min\{x, y\} = t(x + \min\{x, y\}) = tf(x, y)$.

11.8.  $\forall t > 1, f(tx_1, tx_2, tx_3) = A(tx_1)^a(tx_2)^b(tx_3)^c = t^{a+b+c}f(x_1, x_2, x_3) > tf(x_1, x_2, x_3)$.

11.9a.  $f(tx_1, tx_2) = C(tx_1^a)(tx_2)^b = Ct^ax_1^at^bx_2^b = Ct^{a+b}x_1^ax_2^b = t^{a+b}.f(x_1, x_2)$. Les rendements d'échelle sont croissants si $a+b > 1$ ; constants si $a+b = 1$ ; décroissants sit $a+b < 1$.

11.9b.  Le produit marginal du facteur 1 est égal à $P_{m1} = Cax_1^{a-1}x_2^b$ ; sa dérivée par rapport à $x_1$ est égale à : $\partial P_{m1}/\partial x_1 = Ca(a-1)x_1^{a-2}x_2^b$. Elle est négative, et donc le produit marginal décroissant, lorsque $a < 1$.

11.9c.  Si $a$ et $b$ sont positifs.

11.10a.   $ab < 1$.

11.10a.   $ab = 1$.

11.10a.   $ab > 1$.

11.11a.   Pour le facteur 1 : $\partial f(x_1, x_2)/\partial x_1 = 0{,}5x_1^{-1/2}$ ; $\partial^2 f(x_1, x_2)/\partial x_1^2 = -0{,}25x_1^{-3/2}$ ; le produit marginal du facteur 1 diminue lorsque la quantité du facteur 1 augmente. Pour le facteur 2 : $\partial f(x_1, x_2)/\partial x_2 = 2x_2$ ; $\partial^2 f(x_1, x_2)/\partial x_2^2 = 2$ ; le produit marginal du facteur 2 augmente lorsque la quantité du facteur 2 augmente.

11.11b.   Nous cherchons d'abord $(x_1, x_2)$ tel que $f(2x_1, 2x_2) > 2f(x_1, x_2)$. Cette inégalité correspond à $x_2^2 > (1 - \sqrt{2}/2)x_1^{1/2} = 0{,}293x_1^{1/2}$. Soit $x_2 > 0{,}541x_1^{1/4}$. Par exemple, si $x_1 = 4$, il faut que $x_2$ soit supérieur à 0,765. Ainsi, par exemple, $f(4, 1) = 3$ et $f(8, 2) = 2{,}83 + 4 = 6{,}83$ (supérieur à $2 \times 3$). Nous cherchons ensuite $(x_1, x_2)$ tel que $f(2x_1, 2x_2) < 2f(x_1, x_2)$. Cette inégalité correspond à $x_2^2 < (1 - \sqrt{2}/2)x_1^{1/2} = 0{,}293x_1^{1/2}$. Soit $x_2 < 0{,}541x_1^{1/4}$. Par exemple, si $x_1 = 4$, il faut que $x_2$ soit inférieur à 0,765. Ainsi, $f(4, 0{,}5) = 2 + 0{,}25 = 2{,}25$ et $f(8, 1) = 2{,}83 + 1 = 3{,}83$ (inférieur à $2 \times 2{,}25$).

# 12. LA MAXIMISATION DU PROFIT

12.1a.   L'équation générale d'une courbe d'isoprofit est $y = \pi/p + (w_L/p)L$. Avec les données de l'exercice, cette équation s'écrit : $y = \pi/3 - 2L$. De plus, le profit s'écrit $\pi = py - wL = 3y - 6L$. Pour le point $(0, 12)$, le profit $\pi = 36$ ; l'équation de la droite d'isoprofit est $y = 12 - 2L$. Pour le point $(0, 8)$, le profit $\pi = 24$ ; l'équation de la droite d'isoprofit est $y = 8 - 2L$. Pour le point $(0, 4)$, le profit $\pi = 12$ ; l'équation de la droite d'isoprofit est $y = 4 - 2L$.

12.1b.   Le profit s'écrit $\pi = 3f(L) - 6L$. Le profit est maximum pour $L$ telle que $\partial \pi/\partial L = 0$, soit $f'(L) = w/p$. Sachant que $f'(L) = 4L^{-1/3}$, on peut calculer que $L = 8$. Dans ce cas, $y = 6.8^{2/3} = 6.4 = 24$ et $\pi = 24$.

12.1c.   La nouvelle droite d'isoprofit s'écrit $y = \pi/3 - 4L/3$. La pente de la droite a changé ; elle a diminué de 2 à 4/3. La production de l'entreprise va donc augmenter (par ailleurs, cela est logique puisque le travail est moins cher).

12.2a.   $\pi = 400\sqrt{x} - 50x$.

12.2b.   16.

12.2b.   16.

12.2b.   800 $.

12.2c.   16.

12.2c.   16.

12.2c.   640 $.

12.2d.   $\pi = 0{,}50 \times (400\sqrt{x} - 50x)$.

12.2d.   16.

12.2d.  400 $.

12.4a.  200.

12.4a.  400.

12.4b.  300.

12.4b.  300.

12.4c.  La production serait infinie.

12.4c.  250.

12.4e.  200.

12.4e.  0.

12.4e.  1000 F.

12.5a.  De façon générale, $\pi = py - wx$.

12.5b.  l'équation d'une courbe d'isoprofit est $y = \pi/p + (w/p)x$.

| période | profit | équation de la courbe |
|:-------:|:------:|:---------------------:|
| 1 | 0 | $y = x$ |
| 2 | 1 | $y = 1 + x/2$ |
| 3 | 0 | $y = x/4$ |

12.6b.  80 millions de $.

12.6b.  60 millions de $.

12.6c.  Non. Les données vérifient l'axiome faible de la maximisation du profit.

12.6d.  Oui. Lorsque le prix du gaz était égal à 40 francs, la Golf aurait pu gagner plus d'argent en faisant le même choix que lorsque le prix était de 20 francs.

12.8a.  Oui. Si le prix de l'input ne varie pas, $\Delta p \Delta y \geq 0$ et $\Delta w = 0$, selon l'AFMP .

12.8b.  Oui. Si le prix de l'output ne varie pas, $\Delta p = 0$ et $-\Delta w \Delta x \geq 0$, selon l'AFMP.

12.8c.  Non. La composition des signes est $(+)(-) - (+)(+) \geq 0$, ce qui est impossible.

12.10a.  $2x_1^{-1/2}x_2^{1/4} = w_1$.

12.10a.  $x_1^{1/2}x_2^{-3/4} = w_2$.

12.10a.  $8/w_1^3 w_2$.

12.10a.  $4/w_1^2 w_2^2$.

12.10b.  1.

12.10b.  1.

12.10b.  1.

12.10b.   1.

12.11a.   $Pm_1 = 1/2x_1^{-1/2}x_2^{1/2}$ et $Pm_2 = 1/2x_1^{1/2}x_2^{-1/2}$. Les deux équations sont donc $1/2x_1^{-1/2}x_2^{1/2} = w_1$ et $1/2x_1^{1/2}x_2^{-1/2} = w_2$. Si $w_1 = 2w_2$ alors $x_2/x_1 = 1/2$.

12.11b.   Non.

12.12a.   0.

12.12a.   16/9.

12.12a.   8/3.

# 13. LA MINIMISATION DU COÛT

13.1a.   les isoquantes ont respectivement pour équation : $x_2 = (20 - x_1)/2$ et $x_2 = (40 - x_1)/2$.

13.1b.   Constants ; $f(tx_1, tx_2) = tx_1 + 2tx_2 = t.(x_1 + 2x_2) = t.f(x_1, x_2)$.

13.1c.   Si $x_2 = 0$ alors $x_1 = y$.

13.1d.   Si $x_1 = 0$ alors $x_2 = y/2$.

13.1e.   $C(1, 1, 20) = \min\{1.y, 1.y/2\} = \min\{1, 1/2\}.y = 1/2.y$ ; elle utilise alors uniquement du travail qualifié : $x_1 = 0$ et $x_2 = y/2$.

13.1f.   $C(1, 3, 20) = \min\{1.y, 3.y/2\} = \min\{1, 3/2\}.y = y$ ; elle utilise alors uniquement du travail non qualifié : $x_1 = y$ et $x_2 = 0$.

13.1g.   $C(w_1, w_2, y) = \min\{w_1.y, w_2.y/2\} = \min\{w_1.y, (w_2/2)\}.y$.

13.2b.   Constants.

13.2c.   10 unités.

13.2c.   5 unités.

13.2d.   On ne peut produire que 10 unités avec la combinaison (10, 5). C'est donc la façon la moins chère. Le coût s'élève à 15.

13.2e.   $c(w_1, w_2, 10) = 10w_1 + 5w_2$.

13.2f.   $(w_1 + w_2/2)y$.

13.3a.   Les équations des droites d'isocoût sont respectivement : $M = (400/w_M) - (w_L/w_M).L$ et $M = (200/w_M) - (w_L/w_M).L$. Leur pente est : $- (w_L/w_M)$.

13.3b.   La pente d'une isoquante est donnée par le *TST* et la pente de la droite d'isocoût par $- (w_L/w_M)$. En égalisant les deux on obtient : $M = 4.L$.

13.3c.   $c(40, 10, 40) = 1600$ ; $M = 80$ et $L = 20$.

13.3d.   $c(40, 10, y) = 40y$ ; $M = 2y$ et $L = y/2$.

13.4a.   Les rendements d'échelle sont décroissants.

13.4b.   $w_1/w_2$.

13.4c.   $w_2^{1/2}y^{3/2}w_1^{1/2}$.

13.4d.     $2w_1^{1/2} w_2^{1/2} y^{3/2}$ .

13.6a.     1/2 unité d'eau.

13.6b.     (4, 2).

13.6c.     $h/2$.

13.6d.     $w_1 h + \dfrac{w_2}{2} h$ .

13.7a.     Si $f = 0$ alors $t = h$ ; si $t = 0$ alors $f = h/2$. Remarque : il lui faut deux fois moins d'engrais que de parole pour produire la même quantité d'output.

13.7b.     Lorsque $w_t < w_f/2$ alors il lui revient moins cher de parler à ses plantes (elle utilise le facteur qui est relativement le moins cher).

13.7c.     La fonction de coût de Flora de $h$ avec les prix $w_t$ et $w_f$ est donné par $c(w_t, w_f, h)$ = $\min\{w_t t, w_f f\}$ = $\min\{w_t h, w_f(h/2)\}$ = $\min\{w_t, (w_f/2)\}.h$.

13.7d.     $t(w_t, w_f, h) = h$ si $w_t < w_f/2$ ; $t(w_t, w_f, h) = 0$ si $w_t > w_f/2$.

13.8b.     2000 $.

13.8b.     2500 $.

13.8b.     3000 $.

13.8c.     Non, puisque les données disponibles vérifient l'AFMC.

13.8d.     2000 $.

13.8d.     3500 $.

13.8d.     2500 $.

13.8e.     Non. Aux prix (20, 10), le coût de cette combinaison est inférieur à celui de la combinaison effectivement réalisée. Pour un même niveau de production, la combinaison choisie n'aurait pas été choisie.

13.9a.     $f(t.x) = \sqrt{t.x} = t^{1/2}.\sqrt{x} = t^{1/2}.f(x)$. Donc, puisque $t^{1/2} < t$, les rendements d'échelle sont décroissants.

13.9b.     Si $f(x) = 10$ alors $x = 100$ ( $\sqrt{100} = 10$). La production de 10 unités d'output coût donc $c(w, 10) = 100.w$.

13.9c.     $x = y^2$. La production de $y$ unités d'output coût $c(w, y) = w.y$.

13.9d.     $CM(w, y) = c(w,y)/y = w$.

13.10a.     Croissants.

13.10b.     12.

13.10b.     $12w$ .

13.10c.     $\sqrt{y}$ .

13.10c.     $w\sqrt{y}$ .

13.10d.     $w/\sqrt{y}$ .

13.11b.  Les rendements sont décroissants. En effet, $f(tx_1, tx_2) = (\min\{tx_1, 2tx_2\})^{1/2} = (t.\min\{x_1, 2x_2\})^{1/2} = t^{1/2}.(\min\{x_1, 2x_2\})^{1/2} = t^{1/2}.f(tx_1, tx_2)$.

13.11c.  La façon la moins chère de produire 4 statuettes avec les prix 1 et 1 consiste à utiliser $4^2$ unités de $x_1$ et $4^2/2$ unités de $x_2$. Le coût de production est $c(1, 1, 4) = 1.16 + 1.(16/2) = 24$.

13.11d.  La façon la moins chère de produire 5 statuettes avec les prix 1 et 1 consiste à utiliser $5^2$ unités de $x_1$ et $5^2/2$ unités de $x_2$. Le coût de production est $c(1, 1, 5) = 1.25 + 1.(25/2) = 37,5$.

13.11e.  $c(1, 1, y) = 1.y^2 + 1.(y^2/2) = 3,5.y^2$.

13.11f.  $c(w_1, w_2, y) = w_1.y^2 + w_2.(y^2/2) = (w_1 + w_2/2).y^2$.

13.12b.  Décroissants.

13.12c.  $(8, 0)$.

13.12c.  8.

13.12d.  $(18, 0)$.

13.12d.  18.

13.12e.  $y^2/2$.

13.12f.  $y^2$.

13.13a.  La fonction de production s'écrit $f(x_1, 20) = (2x_1 + 20)^{1/2}$. Si Albert veut produire 100 statuettes alors il lui faut une quantité de plastique telle que $(2x_1 + 20)^{1/2} = 100$. Soit encore, $2x_1 + 20 = 10.000$ ; c'est-à-dire une quantité de plastique $x_1 = 4990$.

13.13b.  Le coût de production de 100 statuettes de plastiques est de $C(1, 1, 100) = 4990 + 20 = 5010$.

13.13c.  $C_{ct}(1, 1, y) = y^2/2 + 10$.

# 14. LES COURBES DE COÛT

14.1a.  $C(10) = 10.c$ ; $C(20) = 20.c$ ; $C(y) = y.c$.

14.1b.  $CM(y) = C/y = c$ ; si Otto vend une voiture de plus cela lui coûte $c\$$ supplémentaires. La fonction de coût marginal est $Cm = c$.

14.1d.  L'équation de sa courbe de coût totale est $C(y) = y.c + b$ ; l'équation de sa courbe de cout moyen est $CM(y) = c + b/y$ ; l'équation de sa courbe de coût marginal est $Cm = c$.

14.1e.  Avec $c = 20$ et $b = 100$, l'équation de la courbe de coût total est $C(y) = 20y + 100$ et l'équation de la courbe de coût moyen est $CM(y) = 20 + 100/y$.

14.2.  $CVT = 2s^2$.

14.2.  $CFT = 10$.

14.2. $CVM = 2s$.

14.2. $CFM = 10/s$.

14.2. $CTM = 2s + 10/s$.

14.2. $Cm = 4s$.

14.3a. Soit $C_1(y)$ la fonction de coût total de la première méthode : $C_1(y) = y + 200$ ; soit $C_2(y)$ la fonction de coût total de la première méthode : $C_2(y) = 5y + 10$.

14.3b. $CM_1(y) = 1 + 200/y$ et $Cm_1 = 1$. $CM_2(y) = 5 + 10/y$ et $Cm_2 = 5$.

14.3c. Si $y = 40$ alors $C_1(40) = 40 + 200 = 240$, et $C_2(40) = 5.40 + 10 = 210$ ; il emploie la seconde méthode. Si $y = 50$ alors $C_1(50) = 50 + 200 = 250$, et $C_2(40) = 5.50 + 10 = 260$ ; il emploie la première méthode. L'achat de la presse hydraulique se justifie à partir d'un nombre $y$ de voitures tel que $C_1(y) = C_2(y)$. Soit $y = 47,5$ voitures.

14.4a. $Cm = y/100$.

14.4a. $CM = \dfrac{200}{y} + \dfrac{y}{200}$.

14.4a. 200.

14.4a. 2.

14.4b. $Cm = y/250$.

14.4b. $CM = (500/y) + y/500$.

14.4b. 500.

14.4b. 2.

14.4c. $Cm = y/500$.

14.4c. $CM = (1000/y) + y/1000$.

14.4c. 1000.

14.4c. 2.

14.5a. En multipliant les quantités de facteur utilisées par t on obtient $Q' = 0,1(tJ)^{1/2}(tL)^{3/4} = 0,1(t^{1/2}J^{1/2})(t^{3/4}.L^{3/4}) = t^{5/4}.Q$. Donc $(t^{5/4} > t)$ les rendements d'échelle sont croissants.

14.5b. Le produit marginal s'écrit $\partial Q(100, L)/\partial L = 0,1.100^{1/2}.3/4.L^{-1/4} = 3/4L^{-1/4}$. Le produit marginal diminue ; la dérivée seconde est en effet négative : $\partial^2 Q/\partial L^2 = -3/8L^{-5/4}$.

14.6a. $Q^{4/3}$.

14.6b. $2Q^{4/3} + 100$.

14.6c. $8Q^{1/3}/3$.

14.6d. $2Q^{1/3} + 100/Q$.

14.7a.    D'après l'égalité entre le *TST* et le rapport des prix des facteurs, on tire $L = 3J/4$. De plus, la fonction de coût total s'écrit $C(1, 2, 1) = J + 2L$. En rapprochant les deux équations on obtient : $C(1, 2, 1) = 5J/2$. A partir de la fonction de production, et sachant qu'on cherche à produire $Q = 1$ histoire, on obtient $1 = 0,1J^{1/2}L^{3/4}$ ; soit encore $10 = J^{1/2}(3J/4)^{3/4}$. Ce qui donne $J$ – puis $L$ =.

14.7b.    Sachant que $C = 5J/2$, le côut total est de :

14.7c.    par $2^{5/4}$.

14.8a.    $CM = 4y + \dfrac{16}{y}$ .

14.8b.    $Cm = 8y$ .

14.8c.    $y = 2$ .

14.8d.    $CVM = 4y$ .

14.8e.    À $.y = 0$

14.9    Si $K = 0$ alors $L = Y/2$ et si $L = 0$ alors $K = Y/5$. Le coût minimum est donné par $c(2, 3, 10) = \min\{2.Y/2, 3.Y/5\} = \min\{1, 3/5\}.Y = 3/5.Y$.

# 15. L'OFFRE DE LA FIRME

15.1a.    $c(s) = 2s^2 + 100 = CV(s) + F$ où *CV* représente les coûts variables et *F* les coûts fixes — $CV(s) = 2s^2$ et $F = 100$ ; $CM(s) = c(s)/s = CV(s)/s + F/s$. Le coût variable moyen est donc égal à $2s^2/s = 2s$. Le coût marginal est donné par $\partial c(s)/\partial s = 4s$. Sur le graphique, la courbe d'offre est la partie de la courbe de coût marginal située au dessus de la courbe de coût variable moyen.

15.1b.    Si $p = 20$, le nombre de voitures réparées est tel que le prix est égal au coût marginal. Donc, $20 = 4s$ et $s_{20}^* = 5$. Si $p = 40$, le même raisonnement donne $s_{40}^* = 10$.

15.2a.    $3y^2 - 16y + 30$ .

15.2b.    $y^2 - 8y + 30$ .

15.2d.    Lorsque y ε [0,4[. A partir de y = 4

15.2e.    4.

15.2f.    14.

15.2g.    La production minimale est 4 ; le prix est égal à 42.

15.3a.    Pour produire 100 choux, il faut $10\sqrt{x} = 100$ sacs d'engrais. Cela donne $x = 100$. À 1 franc le sac d'engrais le côut de production de 100 choux est de 100 francs. Pour produire $y$ choux, il faut $10\sqrt{x} = y$ sacs d'engrais. Donc, $x = y^2/100$. Le coût est donc de $c(y) = (y^2/100)$ francs.

15.3b.    $Cm(y) = \partial c(y)/\partial y = y/50$.

15.3c.     Le nombre de choux à produire est tel que le prix soit égal au coût marginal. Si $p$ = 2, on a $y$ = 100. Dans ce cas, le profit est $\pi(100)$ = p. 100 - $c(100)$ = 2.100 - ($100^2$/100) = 200 - 100 = 100.

15.3d.     Il est préférable de les envoyer à l'usine.

15.4a.     $C_m(y) = 2y$ et $CM(y) = y + 10/y$.

15.4b.     $\sqrt{10}$ .

15.4c.     Respectivement $2\sqrt{10}$ et $\sqrt{10}$ .

15.5a.     10 francs, s'il remplit moins de 20 trous. 20 francs s'il remplit plus de 20 trous.

15.5c.     Si le trou bouché lui rapporte 1600 francs, soit 16 francs la pierre utilisée pour boucher un trou, il remplira autant de trous qu'il peut jusqu'à 20. En-deça, le prix est supérieur au coût marginal ; au-delà, la prix est inférieur au coût marginal.

15.5d.     JMK reste sur le marché si le profit qu'il réalise lorsqu'il remplit les trous est supérieur ou égal au profit qu'il réalise s'il ne remplit pas de trous. En posant $y$ le nombre de trous rempli, en admettant que $y$ = 20 et en faisant l'hypothèse que la licence n'est achetée que dans le cas ou $y > 0$, il faut que $\pi - 1600 \times 20$ - (11.000 - 2000 $\times$ 10) soit positif. Ce qui est le cas. Donc, JMK ment. Le profit reste positif jusqu'à ce que la licence ait un prix de 12.000. Le prix de la licence ne doit pas excéder cette somme.

15.6a.     8.

15.6b.     8 heures.

15.6c.     $p - 1$ .

15.6d.     6.

15.6e.     $S(p) = 8$ quand $p > 6$ , 0 autrement.

15.7a.     $Cm(1, 1, y) = \partial c(1, 1, y)/\partial y = 3y^{1/2}$. En égalisant le coût marginal au prix ($3y^{1/2} = p$), on obtient $y = p^2/9$. De même, $Cm(4, 9, y) = \partial c(4, 9, y)/\partial y = 18y^{1/2}$. En égalisant le coût marginal au prix ($18y^{1/2} = p$), on obtient $y = p^2/324$.

15.7b.     $Cm(w_1, w_2, y) = \partial c(w_1, w_2, y)/\partial y = 3w_1^{1/2}w_2^{1/2}y^{1/2}$. L'offre est donc telle que $p = 3w_1^{1/2}w_2^{1/2}y^{1/2}$. Ainsi, $y = p^2/9w_1w_2$.

15.8a.     $(w_1 + w_2/2)y^2$ .

15.8b.     $3y$ . La quantité offerte est $y = p/3$ et le coût moyen $Cm(y) = 3y/2$

15.8c.     16. Elle réalise un profit de 384.

15.8d.     $(2w_1 + w_2)y$ .

15.8d.     $p/(2w_1 + w_2)$ .

15.9a.     $y = 2x^{1/3}$. Par conséquent, il faut $x = y^3/8$ pierres pour extraire $y$ litres d'eau.

15.9b.     $C(w, y) = w.y^3/8$.

15.9c.  L'offre est telle que le prix égale le côut marginal. Par conséquent, lorsque $w = 8$, $y = p^{1/3}$. Lorsque $w$ est quelconque, $y = 2(p/w)^{1/3}$.

15.9d.  L'offre de la famille est $Y = 19.y = 38(p/w)^{1/3}$.

15.10a.  $y + p_o$.

15.10b.  $y + 5$.

15.10b.  $y + 15$.

15.10d.  25 barils.

15.10e.  Elle diminuerait de 10 barils.

15.10f.  $S(p) = p - 10$.

15.10f.  20 barils.

15.11a.  Le côut marginal $Cm(y) = \partial c(y)/\partial y = y/10 + 1$. En égalisant le côut marginal au prix, $p = 5$, on obtient $y/10 + 1 = 5$. Cela donne une production de blé $y = 40$.

15.11b.  $y = 10p - 10$. Ou encore, la fonction d'offre inverse est $p = y/10 + 1$

15.11c.  L'offre de l'agriculteur, $Y$, est égale à sa propre production, $y$, à laquelle s'ajoute la *SEN*. Le profit s'écrit : $\pi = [y + (40-y)/2].p - (y^2/20 + y)$.

15.11d.  $\partial\pi/\partial y = 0$ nous donne $y = 5p - 10$.

15.11e.  Lorsque $p = 2$, $y = 0$ et la *SEN* est égale à 20.

15.11f.  Lorsque $p = 5$, $y = 15$ et la *SEN* est de 12,5.

15.11g.  $SEN = 20 - y/2$ ; sachant que $y = 5p - 10$, on obtient $SEN = 40 - 5p/2$.

15.11h.  $Y = 5p - 10 + 40 - 5p/2 = 30 + 5p/2$.

# 16. L'OFFRE DE LA BRANCHE

16.0a.  $S(p) = 6p$.

16.0b.  $S(p) = 2p$ lorsque $p \le 1$, $S(p) = 3p - 1$ lorsque $p > 1$.

16.0c.  $S(p) = 0$ pour $p < 3$, $S(p) = 100p - 300$ pour $3 \le p \le 4$, et $S(p) = 500p - 1900$ quand $p > 4$.

16.0d.  $S(p) = 6p - 24$ lorsque $p > 4$.

16.1a.  Placer 1000 frans à 10 % rapporte 100 francs. La somme retirée de la banque est donc, capital plus intérêts, égale à 1100 francs. Si l'investissement consiste en l'achat d'un moule, l'excès de recettes sur les coûts doit donc être égal à 1100.

16.1b.  Le coût marginal est constant et égal à 7. Le coût variable moyen est également de 7. Il est impossible de produire plus de 500 statuettes (1 moule permet de ne produire que 500 statuettes).

16.1c.  À partir de 7 francs (le prix doit être supérieur au coût variable moyen). Si le prix est inférieur à 7 alors aucune statuette n'est fabriquée (produite). Si le prix est égal à 7, Zadig est indifférent quant au nombre de statuettes produites.

16.1d.   Si le prix est de 10 francs alors Zadig produit 500 statuettes. Sa recette totale est égale à 5000. Le coût total de la production est égal à l'achat du moule (les coûts fixes), 1000, auquel s'ajoute les coûts variables de la production de 500 statuettes, $7 \times 500 = 3500$. Dans ce cas, le profit est égal à $5000 - 1000 - 3500 = 500$. Le rendement de l'achat du moule est égal à $[(500 - 1000)/1000] \times 100 = -50\%$. Ce taux est donc inférieur à celui qui aurait été obtenu en plaçant l'argent à la banque. Le prix minimum est tel que $p \times 500 - 1000 - 3500 > 1100$. Donc $p > 11,2$.

16.1e.   Si $p = 11,2$ alors $D(11,2) = 4000$. 4 moules sont installés.

16.2a.   14000.

16.2a.   9,2.

16.2a.   2100.

16.2a.   Oui.

16.2a.   110%.

16.2b.   2100.

16.2b.   Non.

16.2b.   1909.

16.2b.   1909.

16.2c.   Plus grand.

16.2c.   7,2.

16.4a.   $p/2$.

16.4a.   $Y = np/2$.

16.4b.   $p^* = 2$.

16.4c.   Posons $p^* = 2$. Ceci nous donne $D(p) = 52 - 2 = 2n/1$, d'où $n^* = 50$.

16.4d.   $p^* = 2$.

16.4d.   $y^* = 1$.

16.4e.   $Y^* = 50$.

16.4f.   Avec l'entrée d'une nouvelle firme, il y aurait 51 firmes dans la branche. L'équation d'équilibre de l'offre et de la demande serait $52,5 - p = 51p/2$. D'où $p^* = 105/53 < 2$. Une firme supplémentaire perdrait de l'argent. En conséquence, il y aura 50 firmes à l'équilibre.

16.4g.   Il faut résoudre l'équation $52,5 - p = 50p/2$ pour obtenir $p^* = 2,02$.

16.4g.   $y^* = 1,01$.

16.4g.   À peu près 0,02.

16.4h.   51.

16.4h.   2.

16.4i.   $y = 1$.

16.4i.     0.

16.5a.    L'équilibre est donné par l'égalisation entre le prix et le coût marginal. Puisque le coût marginal est égal à 5, le prix d'équilibre est égal à 5. Le nombre de courses, $n = 1200 - 20.5 = 1100$. Sachant que chaque taxi fait, en moyenne 20 course, le nombre de taxis, $t = 1100/20 = 55$.

16.5b.    Le prix d'équilibre est obtenu en égalisant la demande [$D(p) = 1220 - 20p$] à l'offre (le nombre de courses, $n = 1100$). Ainsi, $1220 - 20p = 1100$. Donc, $p* = 6$.

16.5c.    Le profit réalisé sur chaque course est égal à 1 franc. Chaque taxi, titulaire d'une licence, réalise un profit quotidiennement égal à 20 francs et annuellement égal à 7300 francs.

16.5e.    $D(5) = 1220 - 20.5 = 1120$. Chaque taxi faisant 20 courses par jour, 1120 course correspond 56 taxis, soit 1 taxi (et donc une licence) supplémentaire.

16.6a.    Profit par boisseau $= 5 - 0,1t$.

16.6d.    Rente $= 5000 - 100t$.

16.6c.    5 kilomètres.

16.7a.    L'offre de l'entreprise 2 n'existe que si le prix est supérieur à 5. La fonction d'offre du marché est donc : $S(p) = 3p$ lorsque $p \leq 5$ et $S(p) = 4p - 5$ lorsque $p > 5$. Une demande de 15 correspond à un prix de 5. Dans ce cas, $s_1(5) = 5$, $s_2(5) = 0$ et $s_3(5) = 10$.

16.8a.    3,5.

16.8a.    3,5.

16.8a.    2.

16.8b.    3,2 ; 4,8.

16.10.    15000.

16.11a.   Sur 100 perroquets, 50 (50 %) arrivent en vie aux EU. Parmi ces 50, 5 (10 %) sont découverts et donc 45 perroquets sur 100 braconnés parviennent en vie à leur acheteur. Cela fait une probabilité de 0,45. L'espérance de recette brute du braconnier est $ER = 0,45p$.

16.11b.   Le coût du perroquet est de 40, une partie fixe et indépendante de sa survie et sa saisie possible par la douane. Par ailleurs, si le perroquet est saisi, et cela arrive avec une probabilité de 0,1, le braconnier paye une amende de 500. Donc l'espérance de coût est égale à $40 + 0,1 \times 500 = 90$.

16.11c.   L'espérance de profit est $E\pi = 0,45p - 90$. Il faut que le prix soit au moins égal à $90/0,45$. Le prix de marché est donc $p = 200$.

16.11d.   À un prix de 200, la quantité de perroquets d'équilibre est $D(200) = 7200 - 20 \times 200 = 7200 - 4000 = 3200$. Sachant que seulement 45 % des cacatoès capturés arrivent vivants et non saisis, il faut en capturer un nombre $x$ tel que $0,45.x = 3200$. Donc, il faut capturer $x = 7111$. Dans ce cas, 3555,5 meurent et sur les 3555,5 qui arrivent vivants, 355,5 sont saisis par la douane et donc 3200 vendus en contrebande.

16.11e. Si les conditions ne changent pas et que le prix reste constant alors le nombre de cacatoès vendus sur le marché est toujours de 3200. En revanche comme les douanes américaines vendent les perroquets saisis, il faut capturer seulement 6400 cacatoès pour en vendre 3200.

16.11f. Recalculons l'espérance de profit d'un chasseur de cacatoès. Sans décès ni saisis, 100 % des perroquets capturés sont vendus. La recette totale est donc égale au prix multiplié par le nombre de cacatoès, $p.n$, et le coût est égal au coût unitaire multiplié par le nombre de cacatoès capturés, $40.n$. Le prix d'équilibre est donc $p = 40$. À ce prix, le nombre de cacatoès vendus est égal à $D(40) = 7200 - 20.40 = 6400$. Et donc 6400 perroquets capturés.

16.12b. La courbe d'offre se déplace vers la droite.

16.12b. Elle augmenterait.

16.12b. Il diminuerait.

16.12b. Il diminuerait.

16.13a. L'espérance de recette brute est égale à $0,7p$. L'espérance de recette nette est égale à l'espérance de recette nette moins l'espérance de l'amende. $ERn = 0,7p - 3$. En égalisant l'espérance de recette avec le coût marginal on obtient le prix d'équilibre : $0,7p - 3 = 5$ donne $p = 80/7 = 11,43$ \$ l'once de marijuana.

16.13b. $Q* = A - B.11,43$.

# 17. LE MONOPOLE

17.1a. $R(Q) = p(Q).Q = (20 - Q/100).Q = 20Q - Q^2/100$.

17.1b. $C(Q) = 1000 + 4Q$

17.1c. $Rm(Q) = \partial R(Q)/\partial Q = 20 - Q/50$ ; $Cm(Q) = \partial C(Q)/\partial Q = 4$. La quantité de livres vendus est telle que la recette marginale soit égale au coût. Cela donne $20 - Q/50 = 4$. $Q* = 800$.

17.2b. 50.

17.2b. 50.

17.2d. 75.

17.2d. 37,5 .

17.3a. $Q = 250 - 2p$ ; si $p = 5$ (grandeurs exprimées en milliers) alors $Q = 250 - 10 = 240$. Les Japonais vendent 240.000 voitures aux Etats-Unis.

17.3b. Les producteurs versent une taxe par voiture vendue de 2. Par conséquent, le prix payé par les acheteurs est égal à $5+2 = 7$. Dans ce cas, la demande s'établit à 236.000 ($Q = 236$).

17.3c. Les recettes du gouvernement s'élèvent à $236.000 \times 2.000 = 472.000.000$ \$.

17.3e. Sachant que $Q = 250 - 2p$ et que $Q = 236$, alors $p = 7000$.

17.3f. 2000.

17.3g. La même somme qu'au gouvernement américain (cf question c).

17.3h. $236.000 \times 7000 = 1.652.000.000$\$.

17.3i.   Parce que cela leur rapporte une somme plus importante.

17.4a.   3.

17.4b.   2,5.

17.4c.   3.

17.5a.   $\varepsilon = (\partial Q/Q)/(\partial P/P) = -3$ ; non, l'élasticité est indépendante du nombre de scandales et oui, elle est constante quel que soit le prix.

17.5b.   D'après la formule, la recette marginale est $Rm = 2P/3$. Le coût marginal est obtenu en dérivant le coût total ($C = 10S + 0,10Q$) par rapport à $Q$. $Cm = 0,10$. En égalisant la recette marginale avec le coût marginal, on obtient $2P/3 = 0,10$. D'où, $P = 0,15$. La différence entre le prix et le coût marginal est donc égale à 0,05.

17.5c.   Sachant que le prix qui maximise le profit est $P = 0,15$ et que $S = 100$, le nombre d'exemplaires vendus est $Q = 44.444$ ; donc $Q = (100^3)/(15^2).S^{1/2} = 4.444S^{1/2}$.

17.5d.   $\pi = 0,15.Q - (10S - 0,1Q)$. En utilisant l'expression de la question précédente, on obtient $\pi = 0,15 (4.444S^{1/2}) - (10S + 444S^{1/2}) = 223S^{1/2} - 10S$.

17.5e.   La condition du premier ordre nous dit que $\partial\pi/\partial S = 0$. Cela donne $(223/2S^{1/2}) - 10 = 0$. Soit encore $111,5/S^{1/2} = 10$. Donc, $S^{1/2} = 11,15$ et $S = 124,3$. En remplaçant dans la fonction trouvé à la question (c), on obtient $Q = 4.444 \times 11,15 = 49,55$.

17.6a.   Au point $y = 100$, $p = 100$.

17.6c.   Avec la nouvelle courbe.

# 18. Les marchés de facteurs

18.1a.   La recette totale s'écrit $R(Q) = p(Q).Q = (41 - Q/1000).Q = 41.Q - Q^2/1000$. La recette marginale est donc égale à $Rm(Q) = 41 - Q/500$. Le coût total est égal à $C(Q) = w.L$, avec $L = Q/10$ et $w = 10 + 0,1L = 10 + Q$. Donc, $C(Q) = (10 + Q).Q/10 = Q + Q^2/10$. Le coût marginal s'écrit donc $Cm(Q) = 1 + Q/5$. La quantité qui maximise le profit est telle que la recette marginale égale le coût marginal : $41 - Q/500 = 1 + Q/5$. Soit $Q^* = (500 \times 40)/101 = 198,02$.

18.1b.   La quantité de travail demandée est donné par la fonction de production ($L = Q/10$). Donc, $L^* = Q^*/10 = 19,802$. Le taux de salaire : $w^* = 10 + 0,1L^* = 11,98$.

18.1c.   $p^* = 41 - Q^*/1000 = 41 - 198,02/1000 = 41 - 0,19802 = 40,801$.

18.2a.   $p^* = \dfrac{1000 + c}{2}$.

18.2b.   $D(p^*) = \dfrac{1000 - c}{2}$.

18.2c.   $c^* = 500$.

18.2d.   $D(c^*) = 500$.

18.2e.   $\pi_b = (500 - 250)(750 - 500) = 250^2$.

18.2f.     $\pi_w = 500 \times 250$.

18.2g.     Surplus $S = 250^2/2$.

18.2h.     $10 \times 250^2$.

18.2i.     $p^* = 500$ et $D(p^*) = 500$.

18.2j.     $\pi_w = 500^2$.

18.2k.     Surplus $S^* = 500^2/2 >$ Surplus S.

# 19. L'OLIGOPOLE

19.1a.     $a = 3200/1600 = 2$ et $b = 1/1600$. La fonction de demande inverse s'écrit donc $p = 2 - (q_c + q_s)/1600$. Le coût marginal est égal au coût moyen : 0,5.

19.1b.     $p = 2 - q_s^{t-1}/1600 - q_c^t/1600$.

19.1c.     $RT_c = p.q_c^t = (2 - q_s^{t-1}/1600 - q_c^t/1600).q_c^t = 2q_c^t - (q_s^{t-1}q_c^t)/1600 - (q_c^t)^2/1600$. La recette marginale de Charles est $Rm_c = \partial RTc/\partial q_c^t = 2 - q_s^{t-1}/1600 - q_c^t/800$.

19.1d.     Il doit résoudre l'équation qui dit que sa recette marginale égale son coût marginal. L'équation à résoudre est la suivante : $2 - q_s^{t-1}/1600 - q_c^t/800 = 0,5$. Soit encore : $1,5 - q_s^{t-1}/1600 - q_c^t/800 = 0$.

19.1e.     La résolution de l'équation précédente nous donne : $q_c^t = 1200 - q_s^{t-1}/2$.

19.1f.     $q_s^t = 1200 - q_c^{t-1}/2$.

19.1g.     Les résultats sont donnés par le tableau suivant :

| Période/Quantités | Charles | Simon |
|:---:|:---:|:---:|
| 1 | $q_c^1 = 200$ | $q_s^1 = 1000$ |
| 2 | $q_c^2 = 1200 - (1000/2) = 700$ | $q_s^2 = 1200 - (200/2) = 1100$ |
| 3 | $1200 - 1100/2 = 650$ | $1200 - 700/2 = 850$ |
| 4 | $1200 - 850/2 = 775$ | $1200 - 650/2 = 875$ |
| 5 | $1200 - 875/2 = 762,5$ | $1200 - 775/2 = 812,5$ |
| 6 | $793,75$ | $818,75$ |
| 7 | $790,625$ | $803,125$ |
| 8 | $798,4375$ | $804,6875$ |

19.1h.   Il faut résoudre le système formé par les deux équations suivantes : $q_c = 1200 - q_s/2$ et $q_s = 1200 - q_c/2$.

19.1i.   La résolution du système précédent donne : $q_s = q_c = 800$.

19.2a.   $1200 - q'_c/2$.

19.2b.   $1200 - q'_c/2$.

19.2b.   $1200 + q'_c/2$.

19.2b.   $1,25 - q'_c/3200$.

19.2c.   $1,25q'_c - [q'_c]^2/3200$.

19.2c.   $1,25 - q'_c/1600$.

19.2d.   1200.

19.2d.   600.

19.2d.   7/8.

19.2d.   450.

19.2d.   225.

19.2d.   Stackelberg.

19.2e.   Non. Les profits de Charles à l'équilibre de Stackelberg sont plus élevés qu'à l'équilibre de Cournot. Ainsi, si la production correspondant à la situation où personne ne sait qu'elle sera la production de l'autre avant la date des semailles est un équilibre de Cournot, Charles souhaitera que Simon connaisse sa production.

19.3.   La production totale s'élève à 1600. Dans la mesure où il s'agit d'une entente, peu importe la manière dont est répartie la production entre les deux. L'objectif est en effet de maximiser le profit joint.

19.4a.   4.

19.4a.   -2.

19.4b.   48.

19.4b.   4.

19.4c.   $y_1 = 24 - y_2/2$.

19.4c.   $y_2 = 24 - y_1/2$.

19.4c.   32.

19.4c.   16.

19.4c.   36.

19.4e.   24.

19.4e.   52.

19.4f.   Le profit augmenterait de 22.

19.4g.　　$\underset{y_1}{\text{Max}}\ (100 - 2(y_1 + 24 - y_1/2))y_1 - 4y_1$ .

19.4g.　　24.

19.4g.　　12.

19.4g.　　36.

19.4g.　　28.

19.5a.　　$\pi = p(q).q - c(q) = (20 - 0{,}20q).q - 2q = 18q - 0{,}20q^2$. En annulant la dérivé de $\pi$ par rapport à $q$, on obtient 18 - 0,40$q$ = 0. Soit $q^* = 45$.

19.5b.　　$p^* = 20 - 0{,}20q^* = 20 - 9 = 11$. $\pi^* = 11.45 - 2.45 = 9.45 = 405$.

19.5c.　　$p = 20 - 0{,}20q = 20 - 0{,}20(q_1 + q_2)$. Donc les profits respectifs de Georges ($\pi_1$) et de Grégoire ($\pi_2$) s'écrivent : $\pi_1 = [20 - 0{,}20(q_1 + q_2)].q_1 - 2$ et $\pi_2 = [20 - 0{,}20(q_1 + q_2)].q_2 - 6$. Les fonctions de réaction de Georges et de Grégoire s'écrivent : $q_1 = 50 - q_2/2$ et $q_2 = 50 - q_1/2$. La résolution du système formé par ces deux fonctions de réaction nous donne $q_1 = q_2 = 100/3$. Le prix d'équilibre de Cournot est $p^*_c = 20/3$.

19.6b.　　45.

19.6b.　　70.

19.6b.　　450 par jour.

19.6c.　　À peu près 1,6 million.

19.6d.　　Non; les pertes s'élèveraient à près de 900 par jour.

19.6e.　　60.

19.6e.　　2000.

19.6f.　　45.

19.6f.　　900.

19.6f.　　Non.

19.6g.　　100/3.

19.6g.　　280/3.

19.6g.　　1600/9.

19.7a.　　Alex est le *leader*, parce qu'il connaît la fonction de réaction d'Anna ; celle-ci est donc la *follower*.

19.7b.　　La recette totale d'Anna s'écrit $R_1 = (2000 - 2q_1 - 2q_2).q_1 = 2000q_1 - 2q_1^2 - 2q_1q_2$. La recette marginale d'Anna est $Rm_1 = \partial R_1/\partial q_1 = 2000 - 4q_1 - 2q_2$.

19.7c.　　Le coût total est égal à 400 ; le coût marginal est donc égal à 0. La fonction de réaction d'Anna s'obtient en maximisant le profit, c'est-à-dire en égalisant la recette marginale au coût marginal. Ainsi, 2000 - 4$q_1$ - 2$q_2$ = 0. Cela nous donne l'équation suivante : $q_1 = 500 - q_2/2$.

19.7d.　　$q = q_1 + q_2 = 500 - (q_2/2) + q_2 = 500 + q_2/2$. En utilisant la fonction de demande inverse, on obtient le prix : $p = 2000 - 1000 - q_2 = 1000 - q_2$. La recette totale d'Alex s'écrit : $R_2 = (1000 - q_2).q_2$. Et la recette marginale : $Rm_2 = 1000 - 2q_2$. L'égalisation de la recette marginale avec le coût marginal nous donne le nombre de kangourous vendus par Alex : $q_2 = 500$. Puis, d'après la fonction de réaction d'Anna, on obtient $q_1 = 250$. Ces kangourous sont vendus à un prix $p = 500$.

19.8a.   $y = p$.

19.8a.   $50p$.

19.8b.   $1000 - 100p$ .

19.8c.   500.

19.8c.   $p = 5$.

19.8d.   $50 \times 5 = 250$.

19.8d.   $y_m + y_c = 750$.

19.9a.   Lorsque la grande entreprise ne produit rien, l'équilibre du marché est obtenu pour $S(p) = D(p)$. Le prix d'équilibre est $p^* = 50$. La quantité d'équilibre $q^* = 150$.

19.9b.   L'offre de la grande entreprise est obtenue de sa fonction de coût. Lorsque la grande entreprise maximise son profit, elle égalise le prix à son coût marginal. $y$, l'offre de la grande entreprise, est donc $y = p/25$. L'offre totale sur le marché est donc égale à $Y(p) = S(p) + y = 100 + p + p/25 = 100 + 1,04p$. L'équilibre sur le marché est obtenu en égalisant $Y(p)$ à $D(p)$. $Y(p) = D(p)$ donne $200 - p = 100 + 1,04p$, soit encore $100 = 2,04p$ et donc $p^* = 49,02$. La quantité offerte par la grande entreprise est $y^* = 49,02/25 = 1,96$ et la quantité offerte par les petites entreprises est $S^* = 149,02$. La quantité totale est donc $Y^* = 150,98$.

19.9c.   $\pi = 1,96 \times 49,02 - 25 \times 1,96 = (49,02 - 25) \times 1,96 = 24,05 \times 1,96 = 47,08$

19.9d.   Si la grande entreprise se comporte en monopoleur, alors elle maximise son profit en égalisant la recette marginale au coût marginal. La recette totale de la grande entreprise est donné par $R(y) = (200 - y).y$ ; par conséquent, la recette marginale est $Rm(y) = 200 - 2y$. Le coût marginal est $Cm(y) = 25$. Cela donne $p^* = 112,5$ et $y^* = 87,5$. son pofit est égal à $\pi = 112,5 \times 87,5 - 25 \times 87,5 = 9483,75 - 2187,5 = 7656,25$.

19.10a.   $2(120 - p)$.

19.10a.   $2(120 - p)(p - 20) = 2(140p - p^2 - 2400)$   .

19.10b.   70.

19.10b.   50.

19.10b.   100.

19.10b.   5000.

19.10c.   120.

19.10c.   200.

19.10c.   24000.

19.10c.    14000.

19.10c.    10000.

19.10c.    Si Ben livre les cuisinières gratuitement, il imposera un prix différent aux fermiers qui habitent à proximité et à ceux qui habitent loin. Il fixera un prix plus élevé, net de coût de transport, aux fermiers les plus proches, et un prix net moins élevé aux fermiers plus éloignés.

# 20. QUIZZES

### 1.  La contrainte budgétaire

| | |
|---|---|
| 1.1 | C |
| 1.2 | A |
| 1.3 | B |
| 1.4 | C |
| 1.5 | C |
| 1.6 | A |
| 1.7 | B |

### 2.  Préférences

| | |
|---|---|
| 2.1 | E |
| 2.2 | C |
| 2.3 | B |
| 2.4 | D |
| 2.5 | B |
| 2.6 | E |

### 3.  L'utilité

| | |
|---|---|
| 3.1 | E |
| 3.2 | B |
| 3.3 | C |
| 3.4 | C |
| 3.5 | E |
| 3.6 | C |

### 4.  Le choix

| | |
|---|---|
| 4.1 | A |
| 4.2 | E |
| 4.3 | D |
| 4.4 | B |
| 4.5 | B |
| 4.6 | D |

### 5.  La demande

| | |
|---|---|
| 5.1 | A |
| 5.2 | D |
| 5.3 | D |
| 5.4 | A |
| 5.5 | E |
| 5.6 | B |
| 5.7 | C |

### 6.  Les préférences révélées

| | |
|---|---|
| 6.1 | B |
| 6.2 | C |
| 6.3 | A |
| 6.4 | A |
| 6.5 | A |

### 7.  L'équation de Slutsky

| | |
|---|---|
| 7.1 | A |
| 7.2 | C |
| 7.3 | C |
| 7.4 | C |
| 7.5 | A |
| 7.6 | C |

### 8.  Le surplus du consommateur

| | |
|---|---|
| 8.1 | A |
| 8.2 | A |
| 8.3 | B |
| 8.4 | A |
| 8.5 | A |

### 9.  La demande du marché

| | |
|---|---|
| 9.1 | D |
| 9.2 | E |
| 9.3 | C |
| 9.4 | A |
| 9.5 | C |

### 10.  L'équilibre

| | |
|---|---|
| 10.1 | D |
| 10.2 | C |
| 10.3 | A |
| 10.4 | A |

### 11.  La technologie

| | |
|---|---|
| 11.1 | A |
| 11.2 | A |

11.3    B
11.4    B

**12. La maximisation du profit**

12.1    B
12.2    A
12.3    C
12.4    A

**13. La minimisation du coût**

13.1    B
13.2    D
13.3    A
13.4    A
13.5    A
13.6    D

**14. Les courbes de coût**

14.1    A
14.2    A
14.3    C
14.4    A
14.5    E

**15. L'offre de la firme**

15.1    B
15.2    A
15.3    D

**16. L'offre de la branche**

16.1    C
16.2    C
16.3    A
16.4    A
16.5    A
16.6    D

**17. Le monopole**

17.1    A
17.2    E
17.3    C
17.4    B

**18. Les marchés de facteurs**

18.1    B
18.2    D
18.3    A

**19. L'oligopole**

19.1    A
19.2    D
19.3    A
19.4    A
19.5    C
19.6    A

# OUVERTURES ◀▶ ÉCONOMIQUES

DEFOURNY J., DEVELTERE P., FONTENEAU B. (Éds), *L'économie sociale au Nord et au Sud*

DEFOURNY J., MONZON CAMPOS J.L. (Éds), *Économie sociale/The Third Sector. Entre économie capitaliste et économie publique/Cooperative Mutual and Non-profit Organizations*

DEFRAIGNE J.-CHR., *Introduction à l'économie européenne*

DE GRAUWE P., *Économie de l'intégration monétaire*, traduction de la 3e édition anglaise par M. Donnay

DE GRAUWE P., *La monnaie internationale. Théories et perspectives*, traduction de la 2e édition anglaise par M.-A. Sénégas

DEISS J., GUGLER PH., *Politique économique et sociale*

DEFRAIGNE J. CHR., *Introduction à l'économie européenne*

DE KERCHOVE A.-M., GEELS TH., VAN STEENBERGHE V., *Questions à choix multiple d'économie politique*. 3e édition

DE MELO J., GRETHER J.-M., *Commerce international. Théories et applications*

DEVELTERE P., *Économie sociale et développement. Les coopératives, mutuelles et associations dans les pays en voie de développement*

DRÈZE J., *Pour l'emploi, la croissance et l'Europe*

DRUMETZ F., PFISTER C., SAHUC J.-G., *Politique monétaire*. 2e édition

DUPRIEZ P., OST C., HAMAIDE C., VAN DROOGENBROECK N., *L'économie en mouvement. Outils d'analyse de la conjoncture*. 2e édition

ESCH L., *Mathématique pour économistes et gestionnaires*. 4e édition

ESSAMA-NSSAH B., *Inégalité, pauvreté et bien-être social. Fondements analytiques et normatifs*

GAZON J., *Politique industrielle et industrie Volume 1. Controverses théoriques. Aspects légaux et méthodologie*

GILLIS M. *et al.*, *Économie du développement*, traduction de la 4e édition américaine par B. Baron-Renault

GODARD O. *Environnement et développement durable. Une approche méta-économique*

GOMEZ P.-Y., KORINE HARRY, *L'entreprise dans la démocratie, Une théorie politique du gouvernement des entreprises*

GUJARATI D. N., *Économétrie*, traduction de la 4e édition américaine par B. Bernier

HANSEN J.-P. – PERCEBOIS J., *Énergie. Économie et politiques*. 2e édition

HARRISON A., DALKIRAN E., ELSEY E., *Business international et mondialisation. Vers une nouvelle Europe*

HEERTJE A., PIERETTI P., BARTHÉLEMY PH., *Principes Analyse conjoncturelle pour l'entreprise. Observer, comprendre, prévoir d'économie politique*. 4e édition

HINDRIKS J., *Gestion publique. Théorie et pratique*

HIRSHLEIFER J., GLAZER A., HIRSHLEIFER D., *Microéconomie : théories et applications. Décision, marché, formation des prix et répartition des revenus*

JACQUEMIN A., TULKENS H., MERCIER P., *Fondements d'économie politique*. 3e édition

JACQUEMIN A., PENCH L. R. (Éds), *Pour une compétitivité européenne. Rapports du Groupe Consultatif sur la Compétitivité*

JALLADEAU J., *Introduction à la macroéconomie. Modélisations de base et redéploiements théoriques contemporains*. 2e édition

JALLADEAU J., DORBAIRE P., *Initiation pratique à la macroéconomie. Études de cas, exercices et QCM*. 2e édition

JASKOLD GABSZEWICZ J., *Théorie microéconomique*. 2e édition

JAUMOTTE Ch., *Les mécanismes de l'économie*

JONES Ch. I., *Théorie de la croissance endogène*, traduction de la 1re édition américaine par F. Mazerolle

JURION B., *Économie politique*. 4e édition

JURION B., LECLERCQ A., *Exercices d'économie politique*

KOHLI U., *Analyse macroéconomique*

KRUGMAN P. R. et OBSTFELD M., *Économie internationale*. 4e édition traduction de la 6e édition américaine par A. Hannequart et F. Leloup

KRUGMAN P., *L'économie auto-organisatrice*, traduction de la 1<sup>re</sup> édition américaine par F. Leloup. 2<sup>e</sup> édition

KRUGMAN P., Wells R. *Macroéconomie*, traduction de la 2<sup>e</sup> édition américaine par L. Baechler

KRUGMAN P., Wells R., *Microéconomie*, traduction de la 2<sup>e</sup> édition américaine par L. Baechler

LANDAIS B., *Leçons de politique budgétaire*

LANDAIS B., *Leçons de politique monétaire*

LECAILLON J.-D., Le Page J.-M., *Économie contemporaine. Analyses et diagnostics*. 4<sup>e</sup> édition

LEHMANN P.-J., *Économie des marchés financiers*. 2<sup>e</sup> édition

LEMOINE M., MADIÈS P., MADIÈS T., *Les grandes questions d'économie et finance internationales. Décoder l'actualité*. 2<sup>e</sup> édition

LEROUX A., Marciano A., *Traité de philosophie économique*

LESUEUR J.-Y., Sabatier M., *Microéconomie de l'emploi. Théories et applications*

LÖWENTHAL P., *Une économie politique*

MANKIW G. N., *Macroéconomie*, traduction de la 8<sup>e</sup> édition américaine par Jihad C. El Naboulsi. 6<sup>e</sup> édition

MANKIW G N., TAYLOR M. P., *Principes de l'économie*, traduction d'Élise Tosi. 4<sup>e</sup> édition

MANSFIELD E., *Économie managériale. Théorie et applications*, traduction et adaptation de la 4<sup>e</sup> édition américaine par B. Jérôme

MASSÉ G., THIBAUT Fr., *Intelligence économique. Un guide pour une économie de l'intelligence*

MARCIANO A., *Éthiques de l'économie. Introduction à l'étude des idées économiques*

MILGROM P., ROBERTS J., *Économie, organisation et management*

MONNIER L., THIRY B. (Éds), *Mutations structurelles et intérêt général. Vers quels nouveaux paradigmes pour l'économie publique, sociale et coopérative ?*

MUELLER C. D., FACCHINI F., FOUCAULT M., FRANÇOIS A., MAGNI-BERTON R., MELKI M., *Choix publics. Analyse économique des décisions publiques*

NORRO M., *Économies africaines. Analyse économique de l'Afrique subsaharienne*. 2<sup>e</sup> édition

PERKINS D. H., RADELET S., LINDAUER D. L., *Économie du développement*. 3<sup>e</sup> édition

PROMEURO, *L'Euro pour l'Europe. Des monnaies nationales à la monnaie européenne*. 2<sup>e</sup> édition

RASMUSEN E., *Jeux et information. Introduction à la théorie des jeux*, traduction de la 3<sup>e</sup> édition anglaise par F. Bismans

SALVATORE D. C., *Économie internationale*, traduction de la de la 9<sup>e</sup> édition américaine par Fabienne Leloup et Achille Hannequart

SHAPIRO C., VARIAN H. R., *Économie de l'information. Guide stratégique de l'économie des réseaux*, traduction de la 1<sup>re</sup> édition américaine par F. Mazerolle

SHILLER J. R., *Le nouvel ordre financier. La finance moderne au service des nouveaux risques économiques*, traduction de la 1<sup>re</sup> édition américaine par Paul-Jacques Lehmann

SIMON C. P., BLUME L., *Mathématiques pour économistes*, traduction de la 1<sup>re</sup> édition américaine par G. Dufrenot, O. Ferrier, M. Paul, A. Pirotte, B. Planes et M. Seris

SINN G., SINN H. W., *Démarrage à froid. Une analyse des aspects économiques de l'unification allemande*, traduction de la 3<sup>e</sup> édition allemande par C. Laurent

STIGLITZ J. E., WALSH C. E., Lafay J.-D., *Principes d'économie moderne*. 3<sup>e</sup> édition, traduction de la 3<sup>e</sup> édition américaine par F. Mayer

SZPIRO D., *Économie monétaire et financière.*

VARIAN H., *Introduction à la microéconomie*. 8<sup>e</sup> édition, traduction de la 9<sup>e</sup> édition américaine par B. Thiry

VARIAN H., *Analyse microéconomique*, traduction de la 3<sup>e</sup> édition américaine par J.-M. Hommet. 2<sup>e</sup> édition

VAN DER LINDEN B. (Éd.), *Chômage. Réduire la fracture*

WICKENS M., *Analyse macroéconomique approfondie. Une approche par l'équilibre général dynamique*

WOOLDRIDGE J., *Introduction à l'économétrie. Une approche moderne*

ZÉVI A., MONZÓN CAMPOS J.-L., *Coopératives, marchés, principes coopératifs*

Achevé d'imprimer
sur les presses numériques de Dupli-Print (95)

*Imprimé en France*